Le grand livre d'Artisanat

Plus de 90 projets fascinants

MODUS VIVENDI

Copyright © 2000, Quintet Publishing Ltd.

Publié par:
Les Publications Modus Vivendi Inc.
3859, autoroute des Laurentides
Laval (Qc) H7L 3H7

Traduit de l'anglais par Laurette Therrien
Révision: Jeanne Lacroix
Infographie de l'édition française: Josée Michaud

Dépôt légal: 3ᵉ trimestre 2001
Bibliothèque nationale du Québec
Bibliothèque nationale du Canada
Bibliothèque nationale de France

Données de catalogage avant publication (Canada)
Vedette principale au titre:
        Le grand livre d'artisanat
        Traduction de: The complete book of home crafts.
ISBN: 2-89523-064-1
1. Artisanat.
TT157.C6514 2001   745.5   C2001-940767-X

Canada Nous reconnaissons l'aide financière du gouvernement du Canada par l'entremise du
Programme d'Aide au Développement de l'Industrie de l'Édition (PADIÉ) pour nos activités d'édition.

Imprimé à Hong Kong

TABLE DES MATIÈRES

PERLES
Page **201**

POCHOIR
Page **239**

BATIK
Page **279**

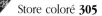

PEINTURE SUR TISSUS
Page **319**

Découpage

Décorez vos objets familiers dans votre style personnel grâce à nos techniques artisanales à la fois simples et fascinantes.

INTRODUCTION

La magie du découpage, c'est qu'il permet de transformer de vieux articles très abîmés en objets attrayants qui rehausseront l'aspect de votre intérieur. Une fois que vous aurez compris les secrets de cette technique, vous voudrez l'essayer sur à peu près tout ce que vous pourrez trouver. Les marchés aux puces et les ventes de débarras vous apparaîtront comme la caverne d'Ali Baba, regorgeant d'objets qui ne demandent qu'à être transformés par votre touche magique. Le plaisir du découpage, c'est qu'il vous permet de décorer des objets de tant de manières différentes, que vous pouvez les personnaliser pour les assortir au décor de votre foyer, ou au style préféré de vos proches et amis.

Dans les salons et les boutiques d'artisanat, nous voyons des trésors que les gens ont réalisés à partir d'objets familiers. Ce chapitre du livre va vous montrer combien il est facile de faire les premiers pas qui vous permettront de réaliser ces transformations vous-même.

À partir du moment où les surfaces sont bien apprêtées, le découpage peut être réalisé sur le métal, le bois, la terre cuite et la poterie, le verre, le plastique et le carton. À mesure de vos expériences, vous vous apercevrez que différentes approches et techniques peuvent servir à réaliser une multitude de projets. Que vous désiriez rafraîchir ou simplement décorer un objet familier comme une corbeille à papier ou un pot à fleurs, vous serez capable d'adapter les méthodes de base à vos propres projets.

Assurez-vous toujours qu'un objet vaut la peine d'être rénové avant de commencer. Le découpage peut donner une seconde vie à des objets abîmés et rouillés, mais si vous n'aimez pas leurs formes et leurs proportions, aucun travail n'y pourra rien changer. On ne crée pas un objet attrayant à partir de quelque chose que l'on juge totalement sans attrait.

Il est possible de transformer à peu près n'importe quoi à partir de cette simple technique de base. Faites vos premières expériences sur des objets simples, en respectant bien la marche à suivre. Vous serez vite capable de redonner vie à toutes sortes d'objets familiers, avec une touche toute personnelle.

MATÉRIEL ET ÉQUIPEMENT

Le matériel et les outils utiles au découpage sont tout ce qu'il y a de plus simple, et, mis à part les illustrations dont vous vous servirez, vous trouverez probablement plusieurs des outils mentionnés dans votre boîte à outils.

OÙ TROUVER LES MOTIFS ET LES IMAGES

Il peut être fort intéressant de collectionner des images. Pour vous aider à vous lancer, certaines des illustrations utilisées pour les projets de ce chapitre se retrouvent aux pages 39 et 40; mais à mesure que grandiront vos capacités et votre intérêt pour le découpage, vous porterez un regard nouveau sur les imprimés qui vous entourent.

Le nouvel intérêt que suscite l'artisanat aujourd'hui a amené la réimpression de livres contenant des illustrations de style victorien, que l'on peut photocopier et colorier. Vous verrez également que les motifs de papier d'emballage sont une excellente source d'inspiration, tout comme les cartes de vœux. Vous pouvez photocopier photographies, vieux imprimés, partitions, lettres et timbres, qui prendront un petit air vieillot grâce à des procédés très simples de vieillissement. Les magazines et les journaux contiennent eux aussi des images que vous pourrez utiliser: recherchez les magazines de mode et de photo, qui contiennent souvent des photographies étonnantes et riches en couleurs. Les vieux livres peuvent être une source inespérée d'illustrations; les vieux livres d'histoire, par exemple, contiennent des cartes géographiques intéressantes.

Si vous vous servez de magazines modernes, de cartes de vœux ou de papier d'emballage, vous pouvez y découper sans problème les motifs que vous aimez. Il est toutefois préférable de photocopier les images dans les livres, et la plupart des bibliothèques et papeteries ont maintenant des photocopieurs sur place, dont plusieurs sont capables d'agrandir ou de réduire une image. Le grand avantage de la photocopie, c'est que vous pouvez répéter un motif autant de fois que vous le désirez. Vous pouvez même photocopier sur du papier texturé ou coloré. La photocopie couleur est un peu plus coûteuse, et bien qu'il puisse y avoir des occasions où vous privilégierez la couleur, c'est plus économique et souvent plus

TRUC

Essayez de ne pas utiliser une photographie originale, parce que vous ne pourriez pas reproduire un modèle réussi plus d'une fois. La plupart des bibliothèques et des papeteries ont des photocopieurs sur place, et le coloriage de photocopies en noir et blanc est l'un des plaisirs du découpage. Pour de meilleurs résultats, pensez toujours à faire des photocopies à partir d'un original.

satisfaisant de colorer à la main une photocopie en noir et blanc.

OUTILS POUR LE DÉCOUPAGE

Il vous faudra de grands ciseaux pour le découpage général, de plus petits ciseaux pour découper les motifs sur le papier d'emballage ou dans les magazines, et des ciseaux à ongles pour découper les formes complexes.

Un cutter ou un scalpel peut être utile, surtout si vous devez découper des formes minuscules. Pensez à travailler sur un tapis de coupe. Les tapis de caoutchouc vendus dans les boutiques d'artisanat sont préférables, parce qu'ils ne laissent pas de marques de coupe. On peut se servir de planches à découper de cuisine, mais les meilleures émousseront vite vos lames, tandis que celles de moindre qualité resteront marquées. Les planches de cuisine sont utiles lorsque vous appliquez de la colle, parce qu'elles sont faciles à nettoyer.

ENDUITS

Il faut traiter le papier avant de s'en servir pour le découpage, pour éviter qu'il absorbe la peinture ou le vernis, qu'il se décolore, ou que les couleurs pâlissent. De plus, lorsqu'un adhésif à base d'eau comme la colle blanche est utilisé sur du papier, celui-ci tend à s'étirer lorsque appliqué sur une surface, causant plis et bulles d'air. Le fait de sceller le papier avant de commencer permet d'éviter ces inconvénients.

Je préfère utiliser un scellant abrasif ou un poli à poignée que j'applique des deux côtés de l'image. Cela donne au papier un léger aspect craquant, ce qui facilite le découpage délicat. Si vous désirez une apparence vieillotte ou antique, servez-vous de laque, qui est couleur de miel.

Le scellant à ponçage, le poli à poignée et la laque sont disponibles dans la plupart des quincailleries et dans plusieurs boutiques de matériel d'artiste. Ils sont tous à base d'alcool et sèchent rapidement.

Vous pouvez aussi vous servir de fixatifs en aérosol, de vernis à base d'eau ou de colle blanche, qu'il faudra d'abord diluer pour obtenir la consistance de la peinture. Encore une fois, enduisez les deux côtés de l'image, et souvenez-vous que les préparations à base d'eau prennent plus de temps à sécher que celles à base d'alcool.

COLLE

Tous les objets illustrés ici ont été décorés de motifs appliqués avec de la colle blanche. Cette colle à base d'eau est blanche ou jaune lorsque humide, et transparente lorsque sèche. On peut la diluer avec de l'eau et l'utiliser avec du vernis. Lorsqu'elle sèche, elle prend un aspect dur comme le plastique. Si vous l'utilisez pour appliquer des motifs détachés, enlevez tout excès de colle autour des bords de l'image avec un linge humide. La colle blanche est disponible dans les quincailleries, les boutiques de matériel d'artiste et les papeteries.

PEINTURES

Les peintures au latex et acryliques à base d'eau sont faciles à utiliser parce qu'elles sèchent vite et que vous pouvez laver les pinceaux à l'eau et au savon. (Vous pouvez vous servir d'un séchoir à

cheveux pour accélérer le séchage.) Les projets de ce chapitre ont été réalisés avec une peinture au latex.

On peut utiliser des peintures d'artiste pour colorer ou décorer les objets. L'acrylique, que l'on peut acheter en tubes, ne peut pas être utilisé pour faire ressortir le fendillement dans le vernis à

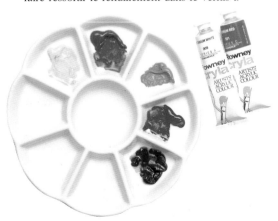

craqueler, parce qu'il est à base d'eau et que la peinture adhérera à la seconde couche de vernis, également à base d'eau, et s'étalera si vous

essayez de l'essuyer. Vous pouvez utiliser une peinture acrylique d'artiste pour teinter le latex blanc, soit pour créer un fond de couleur, ou pour ajouter des lignes et des détails aux objets finis.

Les peintures à l'huile d'artiste sont utilisées dans les glaçures antiques ou pour faire ressortir les craquelures lorsque l'on se sert de vernis à craqueler. La peinture est appliquée en humectant un linge avec de l'essence minérale, en pressant une petite quantité de peinture dans le linge et en en frottant la surface de l'objet décoré d'un motif découpé, une fois que la seconde étape du vernis a été réalisée et que les craquelures sont apparues. La terre d'ombre naturelle est souvent utilisée pour rehausser le craquelage après la deuxième étape du vernissage, alors que la terre d'ombre brûlée donne des craquelures d'un brun rougeâtre.

APPRÊTS ET COUCHES DE FOND

Utilisez un apprêt métallique rouge oxydé sur le métal. Nettoyez vos pinceaux avec de l'essence minérale.

Si vous décorez du bois non traité, servez-vous d'un apprêt acrylique, suivi d'une couche de fond en acrylique blanc.

VERNIS ET FINIS

Après avoir encollé vos motifs et lorsque la colle est complètement sèche, vous devez appliquer plusieurs couches de vernis. Il s'agit de fondre les contours du motif dans le vernis. Certaines personnes appliquent jusqu'à vingt couches, alors que d'autres trouvent que trois ou quatre couches suffisent. Peu importe le nombre de couches que vous appliquerez, il faut bien laisser sécher et poncer légèrement après chaque couche avec le

papier de verre le plus fin possible, avant d'appliquer une autre couche. Ne poncez pas la couche finale. Veillez à bien dépoussiérer l'objet avant d'appliquer le vernis.

Le genre de vernis que vous utiliserez dépendra largement de l'usage que vous voulez faire de l'objet décoré. Par exemple, les plateaux et les napperons exigeront une surface très dure, résistant à la chaleur, lisse et facile à nettoyer. Une lampe, par contre, sera belle si les reflets de la lumière passent par un doux fini satiné, et certains meubles auront besoin d'un poli à base de cire sur un vernis mat. Si vous n'aimez pas votre premier choix et si vous n'avez pas appliqué de cire, vous pouvez poncer légèrement la surface avec un papier de verre extrafin, puis appliquer un vernis avec un fini différent.

Comme nous l'avons déjà mentionné, la colle blanche peut être diluée et utilisée comme vernis. Il y a toutefois plusieurs autres genres de vernis que vous pourriez préférer à la colle.

VERNIS ACRYLIQUE

Ce vernis à base d'eau est particulièrement facile à utiliser: vous pourrez laver vos pinceaux à l'eau; il ne dégage pas d'odeur forte; il sèche assez rapidement; il est à l'épreuve de l'eau lorsque sec; et il ne jaunit pas avec le temps. Vous trouverez le vernis acrylique dans les quincailleries et boutiques de bricolage ou de matériel d'artiste. Il est offert en finis mat, glacé et satiné.

VERNIS À BASE D'EAU

Un vernis à base d'eau met seulement 10 à 15 minutes à sécher, ce qui le rend fort utile lorsque vous voulez appliquer plusieurs couches pour fondre les bords de votre motif de découpage rapidement. On trouve ces vernis dans les bonnes boutiques de matériel d'artiste, en finis mat, glacé et satiné. J'utilise ce type de vernis pour sa rapidité à sécher.

VERNIS DE POLYURÉTHANE

Le vernis à bois de polyuréthane est vendu dans toutes les quincailleries et est offert en finis mat, glacé et satiné, de même que dans une gamme de couleurs, ainsi que translucide. Il a tendance à jaunir un peu avec le temps, alors vous pouvez l'utiliser lorsque vous désirez donner un petit air vieillot à votre travail. De nombreuses personnes préfèrent les vernis de polyuréthane aux vernis acryliques, qui donnent une apparence dure.

LAQUE

Vous pouvez utiliser la laque pour sceller la plupart des surfaces, incluant le papier et le bois neuf, mais elle ne résiste pas à la chaleur et vous devrez appliquer une couche de vernis pour terminer. La laque est couleur miel et on l'utilise souvent pour « vieillir » les objets. Elle sert également d'isolant entre deux peintures ou vernis incompatibles. Nettoyez vos pinceaux à l'alcool dénaturé.

POLI BLANC

Comme la laque – dont il constitue une version plus raffinée –, le vernis blanc est à base d'alcool. Il donne un fini transparent qui se dissoudra dans l'alcool dénaturé, même lorsque sec. Servez-vous-en quand vous ne désirez pas un effet antique.

VERNIS À CRAQUELER

Ce vernis est vendu en kit « deux étapes » dans les boutiques de matériel d'artiste. La première couche est à base d'huile, et elle continue à sécher sous la seconde à base d'eau, qui sèche plus rapidement, ce qui fait craquer la couche du dessus. Ce vernis est fascinant à utiliser, les résultats étant imprévisibles.

Le temps de séchage varie selon l'épaisseur du vernis, la température et l'humidité de la pièce où vous travaillez. Vous pouvez accélérer la deuxième étape en vous servant d'un séchoir à cheveux à chaleur moyenne, que vous tiendrez éloigné d'environ 60 cm (2 pi) de la surface. Lorsque sec, le vernis à craqueler peut être vieilli à la peinture à l'huile d'artiste pour bien faire ressortir le craquelage. Si vous n'aimez pas le résultat, vous pouvez enlever la seconde couche et recommencer.

Vous pouvez acheter un vernis à craqueler uniquement à base d'eau, que vous trouverez dans certaines boutiques de matériel d'artiste. Il est plus facile d'usage et les résultats sont plus prévisibles que pour les vernis à l'huile. Vous pouvez choisir parmi divers types et grosseurs de craquelures, qui ne dépendent pas de la température ou de

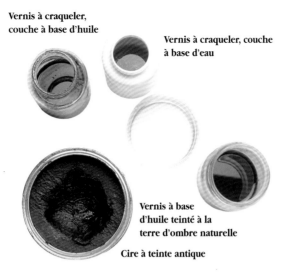

Vernis à craqueler, couche à base d'huile

Vernis à craqueler, couche à base d'eau

Vernis à base d'huile teinté à la terre d'ombre naturelle

Cire à teinte antique

l'humidité. Vous pourriez choisir de commencer avec ce genre de vernis à l'eau jusqu'à ce que vous vous sentiez assez sûr de vous pour tenter l'expérience avec le vernis à l'huile.

Comme de nouveaux vernis à craqueler apparaissent sur le marché régulièrement, lisez bien les instructions du fabricant avant de commencer. En cas de doute, demandez l'avis du marchand.

Les napperons montrent différents types de vernis à craqueler et illustrent les craquelures que chaque type peut donner (voir pages 12 à 16).

GLACIS À CRAQUELER

Servez-vous de glacis à craqueler entre deux couleurs de peinture au latex pour produire une deuxième couleur craquelée, à travers laquelle la couche du dessous peut apparaître. Vous trouverez ce produit dans les boutiques de matériel d'artiste.

CIRE

La cire à meubles ordinaire peut servir à donner un certain éclat à un objet fini avec un vernis mat. Appliquez-la avec un linge humide, et prenez l'habitude de polir l'objet aussi souvent que possible, de sorte que vous ne lui donnerez pas seulement un bel éclat, mais aussi cette senteur persistante que seule la cire laisse flotter dans une pièce.

GLACIS ANTIQUE

Servez-vous-en lorsque vous voulez vraiment réaliser de très beaux objets. À mesure que vous

prendrez de l'expérience et de l'assurance, vous voudrez peut-être préparer votre propre glaçure avec de l'essence minérale et des peintures à l'huile d'artiste. Mélangez-les jusqu'à consistance crémeuse dans un petit pot de verre, et appliquez la glaçure avec un linge doux, pour donner une discrète apparence de vieillissement.

PONÇAGE

Vous aurez besoin d'un choix de papier de verre, allant du gros grain au grain le plus fin. Non seulement devez-vous préparer la surface de l'objet à décorer, mais le fait de finir l'objet décoré d'un découpage avec un papier de verre très fin lui donnera un fini doux d'apparence professionnelle.

PINCEAUX

Pour réaliser les projets illustrés ici, vous aurez besoin d'un choix de pinceaux. Les bons pinceaux coûtent cher, mais du moment que vous les entretenez comme il faut, ils dureront beaucoup plus longtemps que les pinceaux à bas prix. Il est parfois préférable d'utiliser un pinceau peu coûteux que vous pourrez jeter après usage.

Cutter

Pinceaux à dessin

Éponge

Pinceau à décoration

Pinceau à vernis

Pinceau à soies synthétiques

Pinceau plat

Après avoir appliqué la peinture au latex, lavez vos pinceaux à l'eau et au savon. Il est bon d'avoir des pinceaux différents pour la peinture à l'huile et les vernis. Nettoyez-les avec de l'essence minérale ou un produit nettoyant du commerce.

Pinceaux à vernis

Ces pinceaux plats peuvent être faits de soies synthétiques ou naturels. Lorsque vous vous servez de vernis et de peintures à base d'eau, les pinceaux synthétiques ont tendance à donner de meilleurs résultats, parce que la peinture s'en écoule mieux et qu'ils ne laissent pas de marques de coups de pinceau.

Si vous vous servez de vernis à craqueler, utilisez deux pinceaux à vernis et étiquetez-les, parce qu'il est important que les deux vernis ne soient pas mélangés lorsque humides, car cela pourrait faire échouer le craquelage. Nettoyez toujours les pinceaux aussitôt après usage.

Pinceaux à décoration

Vous trouverez différentes largeurs dans les quincailleries. Si possible, choisissez les pinceaux les plus coûteux, qui perdent moins leurs soies. Cela peut être très contrariant de vous apercevoir que vous n'aviez pas vu une soie restée collée avant que la peinture ou le vernis n'ait séché.

Servez-vous de pinceaux de moindre qualité pour la laque, parce que l'alcool dénaturé a tendance à les ruiner. N'utilisez pas d'essence minérale pour nettoyer les pinceaux enduits de laque.

Pinceaux pour l'aquarelle

Servez-vous de pinceaux d'artiste pour les menus détails et pour les retouches. Vous trouverez un choix de tailles et de qualités dans les boutiques de matériel d'artiste. Les plus pratiques pour la peinture acrylique sont les nos 4, 6 et 9. J'utilise un pinceau plat pour le bord des napperons, parce qu'il est facile à manipuler.

Et encore des outils

Il vous faudra un ou deux autres outils pour réaliser vos projets.

Éponges

Les éponges naturelles produisent les effets les plus doux et les plus réussis lorsque vous vous en servez pour la peinture. Si vous utilisez une éponge synthétique, déchirez de petits morceaux plutôt que de les découper, de sorte que leurs bords soient légèrement inégaux. Tous les types d'éponges sont vendus dans les boutiques de matériel d'artiste.

Rouleau

Un petit rouleau de caoutchouc ou de plastique, du genre que l'on trouve dans les quincailleries pour aplatir les bords du papier peint, est utile pour exercer une pression sur les images encollées afin d'en éliminer toutes les bulles d'air et d'en améliorer l'adhésion. Pour les petites surfaces, vous pouvez utiliser le dos d'une cuiller. Vous pouvez même utiliser votre rouleau à pâtisserie lorsque vous appliquez des motifs sur de grandes

surfaces planes. Pressez fermement, du centre vers les côtés du motif, en avançant lentement, pour repousser les bulles d'air et tout excès de colle. Ne vous servez pas de vos doigts, car vous pourriez endommager le papier.

Si la surface sur laquelle vous appliquez un motif est inégale, utilisez une éponge légèrement humectée en exerçant une pression égale du centre vers l'extérieur.

Matériel de nettoyage

Servez-vous d'alcool dénaturé pour diluer la laque et le poli à poignée, et pour les pinceaux avec lesquels vous appliquez ces substances.

L'essence minérale peut servir à nettoyer la surface d'un objet avant que les découpes n'y soient appliquées. Servez-vous-en aussi pour diluer les peintures et vernis à base d'huile et pour nettoyer les pinceaux.

Nettoyez les pinceaux utilisés pour les peintures au latex et pour les vernis à base d'eau avec de l'eau et du savon. Faites d'abord mousser une petite quantité de détergent non dilué sur les pinceaux, puis rincez abondamment à l'eau claire.

TECHNIQUES

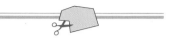

Le découpage est une technique très simple, et une fois que vous maîtriserez les quelques règles de base, vous serez capable de les appliquer à des projets complexes. Il y a toutefois une règle incontournable, qui consiste à bien préparer la surface avant de commencer à penser aux motifs que vous utiliserez.

PRÉPARER LES SURFACES

BOIS NATUREL

Scellez le bois neuf avec un apprêt acrylique/couche de fond ou avec un scellant abrasif à laque. Appliquez ensuite une couche de latex ou une peinture à l'huile. Si vous préférez, teignez le bois avec une teinture à bois de couleur, avant de l'apprêter.

BOIS VERNIS

Servez-vous d'un papier de verre à grain moyen pour frotter la surface, afin que la peinture y adhère facilement. Enlevez bien tout vernis qui s'écaille avec le papier de verre. Si le ponçage laisse le bois à nu, appliquez un apprêt/couche de fond ou une couche de laque avant de peindre.

BOIS PEINT

Si un objet a déjà été peint avec une peinture à l'eau, on peut normalement peindre par-dessus sans problème, avec de la peinture à base d'huile ou à base d'eau. Il faut bien le poncer avec un papier de verre à grain moyen, puis à grain fin, pour donner prise à une couche de fond acrylique. Si vous peignez du bois qui a déjà été peint à l'huile, il se peut que la peinture soit devenue assez sèche avec le temps pour vous permettre d'y appliquer une peinture au latex après un léger ponçage permettant au produit d'y adhérer. Pour obtenir un effet de vieillissement, on peut poncer de manière à laisser paraître la vieille peinture de dessous.

AGGLOMÉRÉ DE DENSITÉ MOYENNE

Ce genre d'aggloméré est disponible dans les magasins de bois de construction et dans la plupart des quincailleries, où on vous le coupera de la grandeur désirée. Traitez-le exactement comme vous le feriez pour le bois non traité.

MÉTAL

Utilisez une brosse métallique pour enlever la rouille qui se soulève, et appliquez un inhibiteur de rouille tel l'oxyde rouge (disponible chez les marchands de pièces d'automobiles) si la rouille est profondément installée. Vous devez appliquer une couche de base d'apprêt à métal, sans quoi la rouille finira par percer n'importe quelle couche de peinture à base d'huile ou d'eau.

CÉRAMIQUE

Poncez légèrement la surface pour créer l'adhérence, puis appliquez simplement une couche d'apprêt acrylique.

SCELLER LES IMPRIMÉS DE PAPIER

Enduisez toujours les deux côtés du papier d'emballage ou des photocopies avec de la laque. Non seulement elle protège le papier de la colle et du vernis (qui causeraient la décoloration de l'image), mais renforce le papier et rend la découpe plus facile. Servez-vous d'alcool dénaturé pour nettoyer votre pinceau.

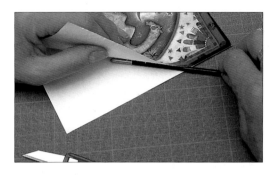

SÉPARER LES IMAGES

Tous, nous gardons des cartes de vœux que nous n'osons pas jeter à la poubelle, et nous nous demandons qu'en faire. La réponse pourrait bien être de les découper. Toutefois, les images sont généralement imprimées sur du carton, et parce que le but du découpage est de fondre les bords du papier et l'image sous des couches de vernis de manière à ce qu'elle semble faire partie intégrante de l'objet, il faut séparer le motif de la couche de carton.

Enduisez l'image d'une couche de laque. Insérez minutieusement un cutter entre l'image et le carton, en vous assurant que l'image est protégée par une épaisseur suffisante de papier. Elle sera plus difficile à séparer si elle est trop mince. Lentement et délicatement, décollez l'image du carton, et servez-vous d'un pinceau ou d'une règle pour retenir le carton à mesure que vous en détachez l'image. Quand l'image est enfin séparée, appliquez une couche de laque à l'envers pour la protéger et l'épaissir.

NAPPERONS

Ces napperons illustrent les genres de vernis à craqueler qui peuvent être appliqués, et les différents résultats que l'on peut obtenir. Les motifs se trouvent à la page 40.

Il vous faudra

◊ morceaux d'aggloméré d'environ 25 cm x 30 cm (10 po x 12 po)
◊ apprêt acrylique/couche de fond
◊ papier de verre fin
◊ peintures au latex crème pour le fond et marron pour le contour
◊ pinceau à décoration
◊ pinceau plat à poils durs
◊ motifs photocopiés
◊ peintures à l'eau brun clair, marron et verte pour laver les couleurs du motif
◊ pinceau pour peinture à l'eau
◊ séchoir à cheveux
◊ laque
◊ ciseaux à ongles
◊ cutter ou scalpel
◊ colle blanche
◊ éponge ou rouleau
◊ vernis à craqueler (voir plus bas)
◊ peinture à l'huile d'artiste terre d'ombre naturelle
◊ vernis à base d'huile (fini glacé ou satiné)

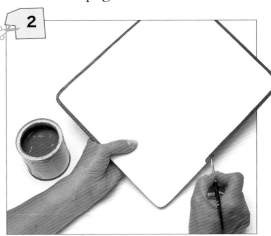

1 Scellez le bois avec un apprêt acrylique. Quand l'apprêt est sec, appliquez deux couches de peinture au latex de couleur crème; laissez sécher la première couche totalement et poncez légèrement avant d'appliquer la seconde.

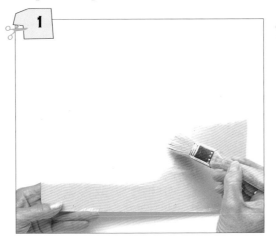

2 Servez-vous du pinceau plat pour peindre la ligne marron soulignant le contour de chaque napperon. Laissez sécher.

3 Donnez un aspect vieillot au motif photocopié en couvrant toute l'image avec un doré foncé ou un brun clair coupé d'eau (servez-vous de thé si vous préférez). Veillez à ce que le motif ne devienne pas trop humide et enlevez tout excès de liquide avec du papier absorbant.

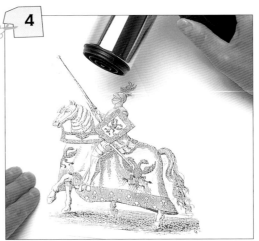

4 Quand le fond est sec, colorez la cape des chevaliers (nous avons pris du rouge, mais vous pourriez prendre du vert), mais ne prenez pas une couleur trop soutenue, car vous n'obtiendriez pas l'effet vieillot. Servez-vous d'un séchoir à cheveux pour accélérer le séchage.

5 Dès que la peinture est sèche, appliquez une couche de laque ou de poli à poignée blanc au recto et au verso du papier. Séchez au séchoir à cheveux.

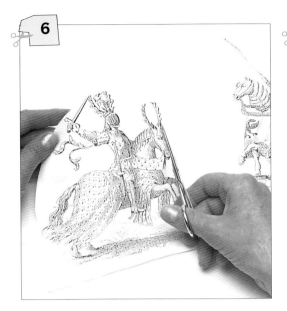

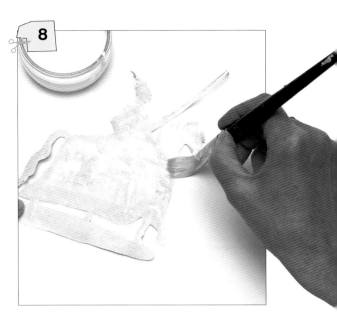

6 Une fois que la laque est complètement sèche, découpez soigneusement l'image avec des ciseaux à ongles bien aiguisés.

7 Servez-vous d'un cutter ou d'un scalpel pour découper les formes complexes, puis placez le motif sur le napperon, en marquant discrètement sa position avec un crayon.

8 Appliquez une mince couche de colle à l'envers du motif, en commençant par le centre pour recouvrir le dessin uniformément.

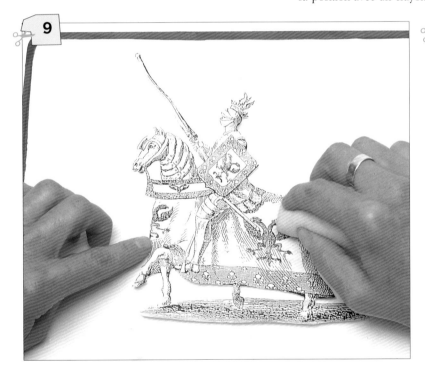

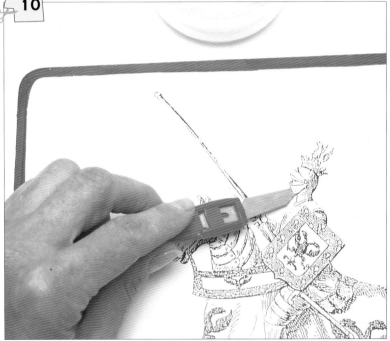

9 Fixez le motif sur le napperon, en vous assurant qu'il est à la bonne place, et pressez fermement avec une éponge humide ou un rouleau.

10 Laissez sécher, puis vérifiez qu'il ne reste ni bulles ni coins relevés. Vous pouvez percer ou fendre les bulles d'air avec le cutter, puis vous en servir pour insérer un peu de colle au centre. Utilisez la pointe du cutter pour ajouter de minuscules quantités de colle sous les bords relevés. Pressez ensuite fermement mais en douceur.

APPLIQUER LE VERNIS
À CRAQUELER

Ce genre de vernis sert à donner un bel effet antique. Les craquelures peuvent être grandes ou fines, mais il est rare qu'elles soient égales, et il est donc impossible de produire deux articles identiques. Leur inégalité et leur imprévisibilité aident à donner une impression de vieillissement et d'authenticité à l'objet. Nous avons utilisé les napperons pour illustrer les différences entre les vernis à craqueler à base d'huile et ceux à base d'eau.

Il vous faudra

◊ vernis à craqueler à base d'huile ou d'eau « deux étapes »
◊ pinceaux à vernis
◊ séchoir à cheveux (facultatif)
◊ peinture à l'huile d'artiste terre d'ombre naturelle
◊ essence minérale
◊ vernis
◊ papier de verre fin

TRUC

Placez les objets que vous êtes en train de vernir sous la lumière, pour vous assurer que vous avez complètement couvert la surface sans oublier un seul coin. Cela vous aidera également à voir les craquelures qui peuvent être difficiles à détecter jusqu'à ce que vous ayez traité la surface avec la peinture à l'huile d'artiste.

VERNIS À
BASE D'EAU

VERNIS À
BASE
D'HUILE

VERNIS À CRAQUELER À BASE D'HUILE

Le vernis à craqueler à base d'huile est influencé par l'air ambiant parce que la seconde couche, à base d'eau, absorbe l'humidité. Si l'effet de craquelures n'est pas à votre goût après la deuxième étape, vous pouvez enlever la seconde couche et recommencer sans endommager la peinture et le découpage sous la première couche.

1 Utilisez un pinceau plat à vernis pour appliquer la première couche de vernis à base d'huile. Appliquez peu de vernis, du milieu vers l'extérieur, avant de recharger votre pinceau.

2 Laissez sécher le vernis. Cela peut prendre une heure ou deux, selon le taux d'humidité dans la pièce. Le vernis est prêt pour la deuxième étape s'il est doux et sec lorsque vous l'effleurez, mais collant lorsque vous le touchez du bout des doigts.

3 Utilisez votre pinceau bien nettoyé ou un autre pinceau pour appliquer la seconde couche de vernis à base d'eau. Couvrez bien toute la surface avec le vernis à l'eau, de sorte qu'il adhère bien à la première couche. Laissez sécher de une à quatre heures, mais de préférence toute la nuit. Les craquelures commenceront à apparaître dès que le vernis commencera à sécher, mais elles ne seront pas visibles à moins de les placer sous la lumière. Un séchoir à cheveux à chaleur moyenne tenu à bonne distance de la surface vernie favorisera l'apparition des craquelures.

4 Mettez environ 2 cm (3/4 po) de peinture à l'huile d'artiste dans un pot et ajoutez-y une petite quantité d'essence minérale pour éclaircir la peinture. Servez-vous d'un linge doux ou de papier absorbant pour l'étendre sur toute la surface vernie. Enlevez l'excès avec un linge propre. La peinture à l'huile plus foncée rehaussera l'effet de craquelures.

5 Laissez sécher environ 24 heures, puis appliquez trois ou quatre couches de vernis. Il faut laisser le temps au vernis de sécher et poncer légèrement après chaque couche. Le vernis glacé est résistant et idéal pour les napperons. Vous pourriez même trouver un vernis résistant à la chaleur à la quincaillerie de votre quartier.

VERNIS À CRAQUELER À BASE D'EAU

Si vous achetez du vernis à craqueler « deux étapes » dans une boutique de matériel d'artiste, vous pourrez choisir entre les craquelures petites ou grandes. Ce genre de vernis est facile à utiliser et les résultats sont toujours bons. Bien qu'en général les craquelures soient assez prévisibles, vous obtiendrez un effet vieillot en frottant la surface avec de la peinture à l'huile d'artiste.

1 Le vernis de la première étape consiste en un liquide d'un blanc laiteux, qui prend environ 20 minutes à sécher quand il devient clair. Si vous désirez de fines craquelures, appliquez-en une deuxième couche que vous laisserez sécher 20 minutes de plus.

2 Dès que le vernis de l'étape un est sec, appliquez l'autre. En tenant votre ouvrage sous la lumière, vérifiez que la couche de fond est complètement recouverte. Laissez sécher 20 minutes, et dès que le vernis de la deuxième étape sera complètement sec, les craquelures apparaîtront sur toute la surface.

3 Avec un linge doux humecté d'essence minérale, frottez de la peinture à l'huile d'artiste sur la surface du vernis. Laissez sécher environ 24 heures.

4 Appliquez quatre couches de vernis polyuréthane glacé résistant à la chaleur, en ponçant avec du papier de verre après chaque couche.

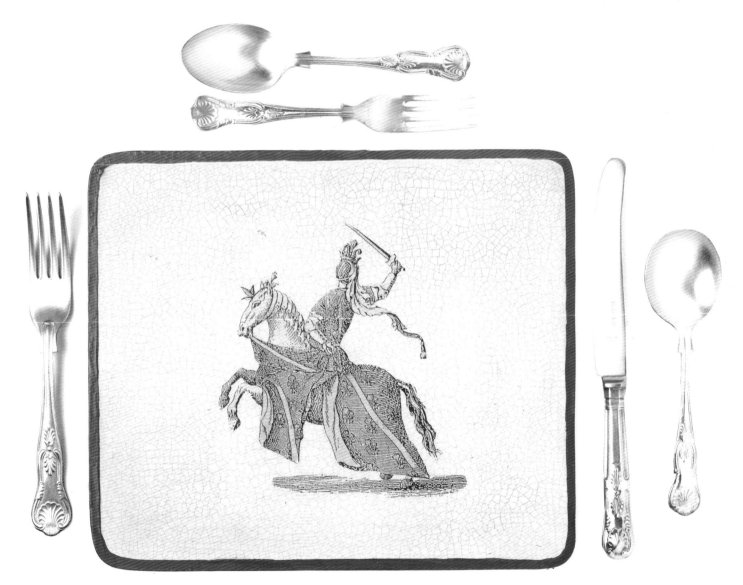

LAMPE EN CÉRAMIQUE

La base de cette lampe a été achetée dans une vente de débarras, mais vous pourrez trouver une base semblable dans la plupart des grands magasins. Ce genre de lampe convient aux illustrations victoriennes. Nous utilisons des lézards que nous avons agrandis au photocopieur et colorés.

Il vous faudra

◊ base de lampe en céramique
◊ papier de verre moyen et fin
◊ peinture au latex jaune
◊ pinceaux à décoration pour peinture et vernis au latex
◊ motifs photocopiés
◊ peinture à l'eau vert olive
◊ ciseaux et cutter
◊ colle blanche
◊ éponge
◊ vernis à craqueler à base d'huile
◊ séchoir à cheveux (facultatif)
◊ peinture à l'huile d'artiste terre d'ombre naturelle
◊ essence minérale
◊ vernis polyuréthane fini satiné

TRUC

Si vous avez utilisé un vernis à craqueler à l'huile, vous devez finir avec un vernis à base d'huile. Vous pouvez aussi utiliser une couche de laque entre le vernis à craqueler et le vernis acrylique.

1 Frottez la lampe délicatement au papier de verre, pour donner prise à la peinture, puis appliquez deux couches de peinture au latex.

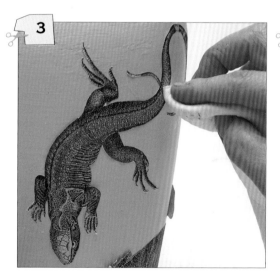

2 Pendant que la peinture sèche, appliquez la peinture à l'eau vert olive sur les lézards. Mettez-en très peu pour donner un air vieillot. Quand la peinture est sèche, appliquez la laque des deux côtés des motifs et laissez sécher avant de les découper.

3 Avec de la colle blanche, collez les lézards sur la base de lampe. Pressez fermement et uniformément sur la surface et enlevez l'excès de colle avec un linge humide.

4 Quand la colle est sèche, appliquez le vernis à craqueler de la première étape. Laissez sécher jusqu'à ce que ce soit doux à l'effleurage, mais collant au toucher.

5 Appliquez le vernis à craqueler de la seconde étape, en couvrant bien toute la surface.

6 Laissez sécher la lampe. Après deux heures environ, selon la température et l'humidité dans la pièce où vous travaillez, vous pourrez utiliser un séchoir à cheveux pour favoriser la formation des craquelures.

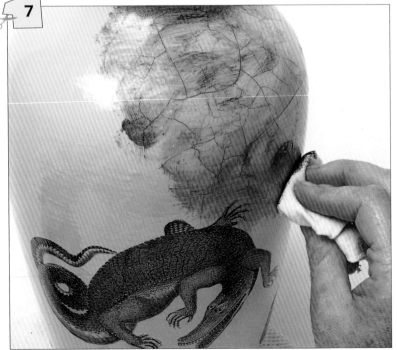

TRUC

Enlevez toujours le moindre résidu de colle autour des motifs, pour ne pas risquer que des plaques plus claires apparaissent sur l'objet fini si vous appliquez du vernis à craqueler par-dessus.

7 Mélangez un peu de peinture à l'huile d'artiste avec de l'essence minérale et appliquez sur la surface de la lampe avec un linge.

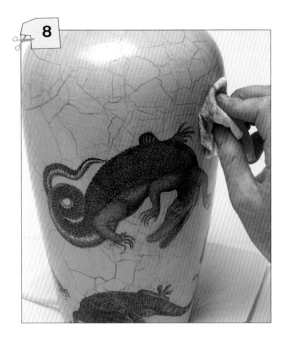

8 Frottez le mélange dans les craquelures en mouvements circulaires et enlevez tout excès avec un linge propre. Laissez sécher environ deux heures.

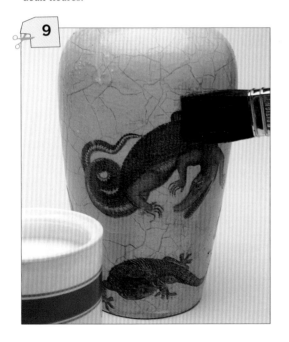

9 Appliquez quatre ou cinq couches de vernis au fini satiné pour fondre les contours du papier. Un vernis polyuréthane donne un fini légèrement translucide, approprié à une lampe. Enfin, peignez l'abat-jour avec un latex vert foncé rappelant le vert des lézards.

COFFRE EN MÉTAL

Ce vieux coffre en métal avait été oublié dans un garage pendant des années. Il avait connu des jours meilleurs et avait beaucoup voyagé. Il y avait un peu de rouille, que nous avons enlevée sans peine. Ensuite, en un tournemain, nous avons transformé ce coffre en espace de rangement pratique qui sert aussi de table basse.

Il vous faudra

◊ coffre en métal
◊ papier de verre moyen et fin
◊ solvant à rouille
◊ pinceaux peu coûteux pour le solvant à rouille, la peinture d'oxyde de fer et la laque
◊ peinture d'oxyde de fer antirouille
◊ essence minérale
◊ apprêt/couche de fond
◊ peintures au latex
◊ pinceaux à décoration pour peinture et vernis
◊ papier d'emballage avec motifs appropriés
◊ laque
◊ alcool dénaturé
◊ ciseaux et cutter
◊ ruban adhésif
◊ colle blanche
◊ éponge ou rouleau
◊ vernis polyuréthane mat
◊ peinture à l'huile d'artiste terre d'ombre naturelle
◊ cire à polir

1 Enlevez toute saleté et graisse sur le coffre, puis séchez parfaitement. Avec un papier de verre moyen, enlevez les écailles de peinture ou de rouille en brossant la poussière avec un pinceau sec et doux. Appliquez le solvant à rouille sur les parties attaquées par la rouille, en pensant à traiter l'intérieur de la même façon. Lorsque vous appliquez le solvant à rouille, du blanc apparaît sur les régions affectées. Appliquez d'autres couches jusqu'à ce que le blanc n'apparaisse plus.

2 Peignez le coffre, à l'intérieur et à l'extérieur, avec une peinture rouge oxydée antirouille. Nettoyez bien votre pinceau à l'essence minérale.

3 Peignez le coffre avec un apprêt en couche de fond. Quand l'apprêt est sec, appliquez deux couches de peinture au latex. Appliquez les couches dans le sens contraire – en croix – pour donner à la surface une apparence semblable à celle du lin.

TRUC

Prenez toujours le temps d'enlever toute trace de rouille. Cela peut être démoralisant de travailler dur pour produire une magnifique pièce de découpage, et la voir complètement gâchée lorsque la rouille perce à travers.

4 Servez-vous d'un pinceau moins large pour peindre les poignées et les contours dans une couleur contrastante.

TRUC

Quand vous vous servez de papier d'emballage pour les motifs, préparez toujours deux feuilles, au cas où vous déchireriez le papier ou feriez une erreur par inadvertance.

---

5 Appliquez la laque des deux côtés du papier d'emballage et nettoyez votre pinceau à l'alcool dénaturé. Quand la laque est sèche, découpez soigneusement les motifs désirés.

6

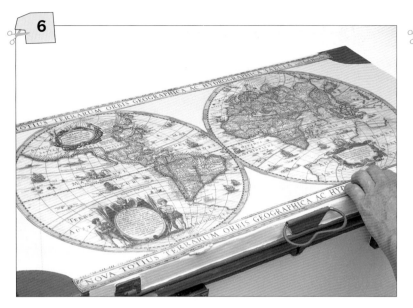

7

6 Fixez les motifs à votre goût sur le coffre avec du ruban adhésif. Faites des marques avec un crayon. Enlevez le ruban adhésif et appliquez une couche uniforme de colle blanche à l'envers des motifs, et pressez-les bien à plat avec une éponge ou un rouleau. Quand la colle est sèche, appliquez une couche de vernis polyuréthane mat, pour éviter que trop de peinture à l'huile ne s'accumule près des contours du découpage.

7 Avec un linge doux, appliquez un mélange de peinture à l'huile d'artiste et d'essence minérale inégalement sur la surface du coffre. Par exemple, nous avons peint les rebords et les coins plus foncé et appliqué plus de peinture à l'huile autour des serrures et des parties où on s'attend à ce qu'un coffre qui a voyagé ait amassé de la poussière. Laissez sécher toute la nuit avant d'appliquer trois ou quatre couches de vernis, en laissant sécher et en ponçant entre chaque couche avec un papier de verre fin. Enfin, mettez plusieurs couches de cire pour lui donner un éclat lustré et profond.

ARMOIRE À CLÉS

Nous avons trouvé cette armoire à clés dans un magasin de meubles, presque par hasard. Cela vaut le coup de fouiner dans les grands magasins ou les boutiques de matériel d'artiste. On y garde souvent en stock des articles peu coûteux, des étagères non peintes et de petites armoires parfaites pour le découpage.

Il vous faudra
◊ armoires à clés en bois non peint
◊ papier de verre fin
◊ essence minérale
◊ laque ou apprêt acrylique/couche de fond
◊ pinceaux pour laque, vernis (il vous en faut deux) et peintures à l'eau et au latex
◊ peintures au latex rouille ou brique, bleue et deux tons de crème
◊ bougie
◊ photocopies de clés et d'armoiries
◊ aquarelles
◊ séchoir à cheveux (facultatif)
◊ ciseaux et cutter
◊ colle blanche
◊ éponge ou rouleau
◊ laine d'acier fine
◊ vernis à craqueler à base d'eau
◊ peinture à l'huile d'artiste terre d'ombre naturelle
◊ vernis à base d'huile mat

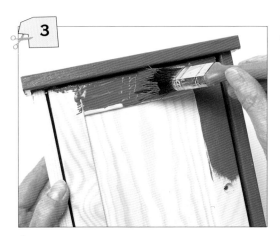

1 Poncez légèrement la surface de l'armoire avec un papier de verre fin.

2 Enduisez un linge propre d'essence minérale pour enlever la poussière et la graisse collées au bois, puis scellez le bois. Nous avons utilisé un scellant abrasif plutôt qu'un apprêt blanc, de sorte que le grain du bois ressorte pour donner un effet vieillot une fois l'armoire poncée.

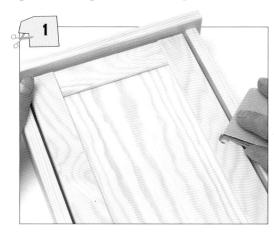

3 Peignez les panneaux extérieurs, le haut et le bas et l'intérieur de l'armoire avec deux couches de peinture au latex de couleur rouille ou brique.

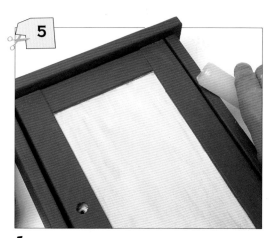

4 Donnez deux couches de peinture au latex de couleur crème au devant du panneau de la porte. En donnant une première couche légèrement plus foncée que la seconde et en la laissant transparaître à travers les coups de pinceau de la seconde couche, vous conférerez une impression de profondeur à la surface.

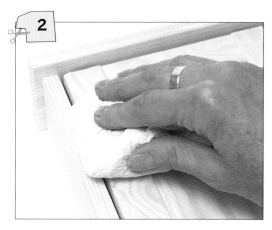

5 Quand la peinture est sèche, frottez les parties qui doivent paraître vieillies avec une bougie. Les endroits usés se trouvent normalement près de la poignée et sur le contour de la porte, et la cire permet d'enlever facilement la couleur contrastante avec de la laine d'acier.

6 Peignez le cadre de la porte avec de la peinture au latex bleue.

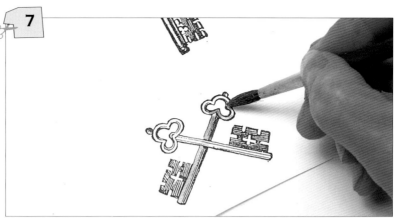

7 Pendant que la peinture sèche, coloriez les motifs. Servez-vous d'un séchoir à cheveux pour accélérer le séchage si vous le désirez.

8 Quand les motifs sont secs, découpez-les et appliquez de la laque à l'envers et à l'endroit.

9 Appliquez de la colle blanche uniformément à l'envers des motifs et placez-les sur le devant du panneau de la porte, en les pressant fermement et avec soin avec une éponge humide ou un rouleau.

10 Quand la colle est sèche, servez-vous d'une laine d'acier fine pour vieillir les parties préalablement frottées à la cire. Enlevez toute trace de poussière avec un pinceau sec.

11 Appliquez le vernis à craqueler de la première étape et laissez sécher environ 20 minutes.

12 Appliquez le vernis à craqueler de la seconde étape et laissez sécher complètement.

13 Frottez la peinture à l'huile d'artiste sur les craquelures avec un linge doux trempé dans l'essence minérale. Essuyez tout excès de peinture.

14 Laissez sécher la peinture toute la nuit. Pour finir, appliquez deux ou trois couches de vernis mat.

BOÎTE EN BOIS

Ces boîtes en bois rondes sont vendues dans certains grands magasins de meubles, et vous pouvez peut-être
les commander par la poste. Pour cela, prenez la peine de consulter les magazines de bricolage et d'artisanat.
Elles ne coûtent pas cher et sont offertes en plusieurs formats. Elles sont donc idéales
pour créer un objet personnalisé que vous offrirez en cadeau.

Il vous faudra

◊ boîte en bois
◊ laque
◊ peinture au latex noire
◊ pinceaux pour appliquer la laque, le latex,
  la peinture à l'eau et le vernis
◊ motifs photocopiés
◊ peinture aquarelle
◊ papier adhésif
◊ colle blanche
◊ ruban d'emballage (facultatif)
◊ vernis acrylique

1 Scellez la surface de
la boîte avec une
couche de laque.
Lorsque sec, appliquez
une couche de pein-
ture au latex noire, qui
deviendra gris charbon
en séchant.

2 Pendant que la boîte sèche, peignez les motifs photocopiés à l'aquarelle.
Nous avons utilisé des lions trouvés dans un vieux livre d'histoire et les avons
peints en jaune. Quand la peinture est sèche, appliquez la laque des deux côtés
de chaque motif.

3 Placez les motifs sur le côté de la boîte, en vous servant de papier adhésif
pour les mettre en place. Quand vous serez satisfait, enlevez le papier adhésif
et collez les motifs sur la boîte avec de la colle blanche.

4 Vous pouvez décorer le rebord du couvercle de la boîte avec un ruban d'emballage étroit.

5 Quand la colle est sèche, appliquez au moins cinq couches de vernis acrylique à séchage rapide.

ARROSOIR

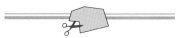

Ces arrosoirs sont vendus dans les quincailleries et les centres de jardinage. Si vous êtes soigneux, vous pourrez utiliser votre arrosoir après l'avoir décoré, à condition de protégez le découpage avec de nombreuses couches de vernis. Lorsque vous le remplirez d'eau, faites attention de ne pas le heurter contre le robinet pour ne pas risquer d'endommager le vernis.

Il vous faudra

◊ arrosoir en acier galvanisé
◊ vinaigre
◊ peinture antirouille à l'oxyde de fer
◊ pinceaux à décoration peu coûteux pour la peinture antirouille et la laque
◊ peinture au latex bleu pâle
◊ pinceau à décoration
◊ papier d'emballage ou motifs adéquats
◊ laque
◊ ciseaux et cutter
◊ ruban adhésif
◊ colle blanche
◊ éponge ou rouleau
◊ pinceau à aquarelle
◊ peintures acryliques
◊ peinture à l'huile d'artiste terre d'ombre naturelle
◊ essence minérale
◊ vernis à séchage rapide
◊ polyuréthane glacé

1 Nettoyez soigneusement le métal avec une solution en parts égales de vinaigre et d'eau, pour enlever toute trace de graisse. Si votre arrosoir est vieux, nettoyez-le de la même façon que le coffre (voir page 20).

2 Appliquez une couche de peinture oxyde antirouille rouge sur l'arrosoir. Servez-vous d'un pinceau peu coûteux.

3 Quand la peinture antirouille est sèche, appliquez deux couches de peinture au latex. Laissez sécher.

4 Pendant que la peinture sèche, préparez les motifs en appliquant de la laque des deux côtés. Une fois la laque sèche, découpez soigneusement chaque motif.

5 Placez les motifs à votre goût sur l'arrosoir, en les fixant avec de petits bouts de ruban adhésif, jusqu'à ce que leur position vous satisfasse. Faites des marques discrètes au crayon. Enlevez l'adhésif et collez les motifs avec la colle blanche. Pressez fermement et uniformément avec une éponge humide ou un rouleau.

6 Pendant que la colle sèche, peignez les rebords de l'arrosoir avec un pinceau à aquarelle. Servez-vous de peinture acrylique d'artiste: elle est idéale pour les petites surfaces.

TRUC

Quelques tubes de peinture acrylique vous seront d'une grande utilité, car vous pouvez mélanger ces couleurs avec le latex blanc pour produire toute une gamme de couleurs dont vous pourrez vous servir pour retoucher des images, pour faire ressortir les contours, ou pour peindre des lignes.

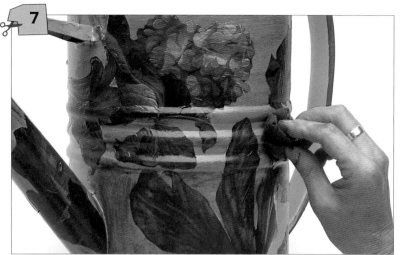

7 Quand la colle et la peinture sont tout à fait sèches, mélangez une petite quantité de terre d'ombre naturelle avec de l'essence minérale, et servez-vous d'un linge propre pour en frotter la surface de l'arrosoir, de manière à lui donner un air vieillot. Ajoutez un peu plus de vernis antique aux endroits où la saleté devrait normalement s'accumuler au fil des ans.

8 Appliquez au moins quatre couches de vernis à séchage rapide pour fondre les contours des motifs. Donnez une couche finale de polyuréthane au lustre durable. Si vous désirez utiliser votre arrosoir, il vous faudra appliquer au moins cinq couches de vernis pour le sceller et le protéger. Tenez l'arrosoir terminé fermement, de manière à ce que pas une goutte d'eau ne s'infiltre sous le vernis.

TABLE PEINTE À EFFET DE CRAQUELURES

Une fois que vous avez commencé à faire du découpage pour transformer les vieux meubles, rien n'échappera plus à votre attention. Cette vieille table avait passé des années dehors, mais avant de la décorer pour lui redonner une nouvelle vie, il a suffi d'un bon ponçage pour nettoyer la surface et les résidus de vieux vernis, et pour donner de l'adhérence à l'apprêt.

Il vous faudra
◊ petite table en bois
◊ papier de verre moyen et fin
◊ apprêt acrylique/couche de fond
◊ pinceaux à décoration pour l'apprêt, le vernis à craqueler et la peinture au latex
◊ peintures au latex mauve et jaune
◊ vernis à craqueler
◊ pinceau plat
◊ papier d'emballage ou motifs décoratifs
◊ laque
◊ ciseaux et cutter
◊ ruban adhésif
◊ colle blanche
◊ éponge ou rouleau
◊ vernis acrylique à séchage rapide

1 Préparez la surface de la table en la ponçant avec un papier de verre moyen, puis fin. Enlevez la poussière avec un pinceau et appliquez une couche d'apprêt acrylique.

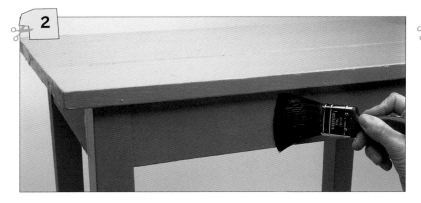

2 Peignez la surface de la table avec la peinture au latex. Choisissez une couleur qui apparaîtra dans les craquelures du vernis. Quand la peinture est sèche, appliquez une couche de vernis à craqueler.

3 Quand le vernis est sec – après environ 30 minutes –, appliquez la seconde couche de peinture au latex. Chargez bien votre pinceau et couvrez toute la surface de la table en un seul mouvement. Si vous mettez deux couches, l'effet de craquelures ne se produira pas. À mesure que la peinture sèche, vous verrez apparaître les sillons.

4

4 Servez-vous d'un pinceau plat pour rehausser le contour de la table avec la première couleur de peinture au latex.

TRUC

Appliquez autant de couches de vernis que nécessaire, pour fondre les contours des motifs. Lorsque c'est complètement sec, vous pouvez finir avec une couche de vernis satiné à base d'huile.

5

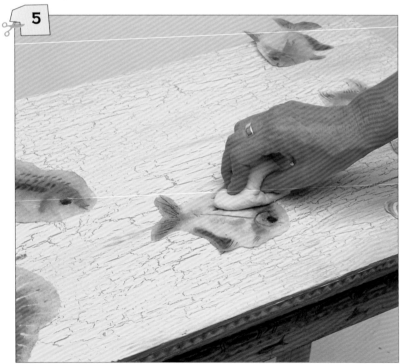

6

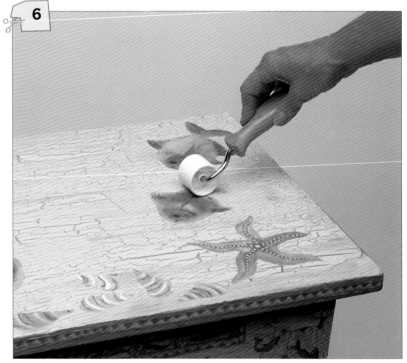

5 Pendant que la peinture sèche, appliquez la laque des deux côtés des motifs, et lorsque la laque est sèche, découpez-les soigneusement. Placez les motifs sur la table, en les fixant avec du papier adhésif jusqu'à ce que vous soyez satisfait de l'effet obtenu.

6 Servez-vous de colle blanche pour coller les motifs sur la table en pressant bien avec une éponge humide ou un rouleau. Sur une grande surface comme une table, vous pouvez même utiliser un rouleau à pâtisserie.

7 Servez-vous d'une éponge humide pour presser les motifs dans les endroits difficiles.

8 Lorsque la colle est complètement sèche, appliquez quatre ou cinq couches de vernis acrylique à séchage rapide.

SEAU EN ACIER GALVANISÉ

Nous avons trouvé ce vieux seau en acier galvanisé dans une décharge publique, mais sa forme est si particulière, que nous avons décidé de lui donner une nouvelle vie en le transformant en bac pour fleurs séchées. Une vieille boîte à pain pourrait faire l'affaire. Nous avons dû travailler très fort pour enlever la rouille avant de pouvoir décorer notre seau.

Il vous faudra

◊ seau en acier galvanisé
◊ papier de verre moyen et fin
◊ solvant à rouille
◊ pinceaux peu coûteux pour le solvant à rouille et la peinture d'oxyde de fer
◊ peinture antirouille à l'oxyde de fer
◊ apprêt/couche de fond (facultatif)
◊ vernis à craqueler
◊ pinceaux à décoration de 3 cm (1 ¼ po) pour le vernis et la peinture
◊ peintures au latex vert marée et bleu foncé
◊ papier d'emballage ou motifs décoratifs
◊ laque
◊ ciseaux et cutter
◊ adhésif qui s'enlève facilement (facultatif)
◊ colle blanche
◊ éponge ou rouleau
◊ peinture à l'huile d'artiste terre d'ombre naturelle
◊ essence minérale
◊ vernis à séchage rapide mat
◊ vernis à base de terre mat
◊ poli en pâte

1 Enlevez autant de saleté que vous le pourrez avec un pinceau à poils durs, puis servez-vous de papier de verre moyen pour enlever les plaques de rouille. Étendez le solvant à rouille sur toutes les parties touchées, en continuant jusqu'à ce que les parties cessent de blanchir. Pensez à traiter l'intérieur et le couvercle. Peignez l'intérieur et l'extérieur de la cuve avec une peinture antirouille.

2 Comme nous voulions que la couleur de la peinture rouge oxydée apparaisse dans les craquelures, nous l'avons laissée comme couche de fond. Si vous préférez, appliquez une couche d'apprêt de la couleur de votre choix. Quand la couche de fond est sèche, appliquez une couche de vernis à craqueler, en veillant à bien couvrir toute la surface du seau.

3 Quand le vernis est sec, appliquez une couche de peinture au latex. Servez-vous d'un pinceau bien chargé, mais ne passez pas sur les endroits déjà peints, parce que cela entraverait l'effet de craquelures. À mesure que la seconde couche séchera, les craquelures apparaîtront. Laissez reposer jusqu'à ce que ce soit tout à fait sec.

4 Appliquez la laque des deux côtés des motifs ou du papier d'emballage. La laque couleur de miel donnera un léger aspect vieillot aux motifs.

5 Découpez les motifs quand la laque est sèche et servez-vous de colle blanche pour les coller sur les côtés du seau. Pressez fermement et uniformément avec un linge humide ou un rouleau.

6 Servez-vous de la pointe de votre cutter pour vérifier que les contours sont bien à plat, et pour ajouter un peu de colle si nécessaire. Enlevez les bulles d'air en pratiquant une petite incision dans le papier et en y insérant un peu de colle avec le cutter.

7 Diluez un peu de peinture à l'huile d'artiste dans un peu d'essence minérale pour faire une patine que vous appliquerez sur toute la surface du seau avec un linge doux.

9 Appliquez cinq couches de vernis à séchage rapide pour fondre les contours des motifs. Ce vernis est d'un blanc laiteux lorsque humide, mais clair lorsque sec.

8 Servez-vous d'un pinceau pour appliquer un peu plus de vernis à patine sur les parties où vous croyez que la saleté devrait s'accumuler. Trempez votre pinceau dans le vernis et ajoutez-en dans les coins et sur les contours.

10 Arrivé à cette étape, prenez un peu de recul pour admirer votre travail avant d'appliquer les dernières couches de vernis. Nous avons choisi de peindre la poignée du couvercle d'un bleu contrastant.

TRUC

Comme il existe de nombreuses sortes de vernis dans le commerce, lisez toujours les instructions du fabricant avant de commencer.

11 Appliquez une dernière couche de vernis à l'huile au fini satiné. Quand le vernis est sec, polissez le seau avec de la cire pour lui donner un beau lustre.

CORBEILLE
À PAPIER

Cette corbeille à papier a été décorée avec des illustrations découpées dans des albums de bandes dessinées et dans des magazines d'informatique. Elle était destinée à la chambre d'un petit garçon, c'est donc lui qui a choisi et découpé les images.

Il vous faudra
◊ corbeille à papier en métal
◊ apprêt acrylique/couche de fond
◊ peinture au latex rouge
◊ pinceaux pour la peinture et les vernis
◊ bandes dessinées et magazines
◊ ciseaux et cutter
◊ laque
◊ colle blanche
◊ vernis acrylique à séchage rapide
◊ vernis acrylique glacé

1 Enduisez l'intérieur et l'extérieur de la corbeille d'un apprêt acrylique, puis appliquez deux couches de peinture au latex, de manière à laisser apparaître une couleur éclatante s'il reste des espaces entre les motifs.

2 Pendant que la peinture sèche, découpez les images de votre choix. Enduisez les deux côtés de laque. Vous pourriez trouver plus facile de le faire avant de découper les illustrations prises dans les magazines.

3 En commençant par les grandes images pour le fond, servez-vous de colle blanche pour faire adhérer les images à la surface.

4 Quand la colle est complètement sèche, appliquez cinq couches de vernis acrylique, puis terminez avec une couche de vernis glacé.

MOTIFS

Carreaux décoratifs

Réussissez des carreaux parfaits et créez de magnifiques décorations originales pour la maison.

INTRODUCTION

Les carreaux sont beaux à regarder, durables, faciles d'entretien et incroyablement polyvalents. Bien connus de tous, que ce soit par des illustrations des anciennes portes de Babylone ou des intérieurs victoriens, les carreaux sont l'une des plus anciennes formes de surface décorative. Bien qu'on les rencontre le plus souvent sur de très grandes surfaces planes, surtout les murs des cuisines et des salles de bain, rien n'interdit de les installer ailleurs dans la maison, ou de s'en servir pour créer des objets décoratifs en eux-mêmes. Depuis des siècles, on leur a trouvé mille usages dans les pays chauds, surtout autour de la Méditerranée, mais aussi dans les pays nordiques. Maintenant que le chauffage central est chose courante, rien ne nous empêche d'utiliser les carreaux partout dans la maison, et de multiples manières. Ce chapitre vous montrera comment les carreaux sont faciles à utiliser pour créer toute une variété d'objets ornementaux. Une fois que vous maîtriserez les techniques utiles, vous pourrez mettre à profit les idées contenues dans ces pages. En vous en inspirant, vous pourrez laisser aller votre imagination pour réussir des carreaux exceptionnels et originaux.

MATÉRIEL ET OUTILS

On trouve des carreaux de céramique chez de nombreux marchands, dans une gamme infinie de styles et de tailles. Tant et si bien, que cela peut être un beau casse-tête d'avoir à faire un choix. Cependant, une fois que vous avez arrêté votre choix, il est très facile d'apprendre à vous en servir, et il y a de bonnes chances que la plupart des outils dont vous aurez besoin soient déjà dans votre boîte à outils.

S'il y a un magasin de carreaux près de chez vous, ce serait bien d'aller y faire un tour. Non seulement pourrez-vous voir une grande gamme de carreaux, mais vous pourrez également demander des conseils pour vous en servir le plus efficacement possible.

CI-DESSOUS: **Pour plus de précision et de commodité, cela vaut le coup d'investir dans un coupoir à carreaux.**

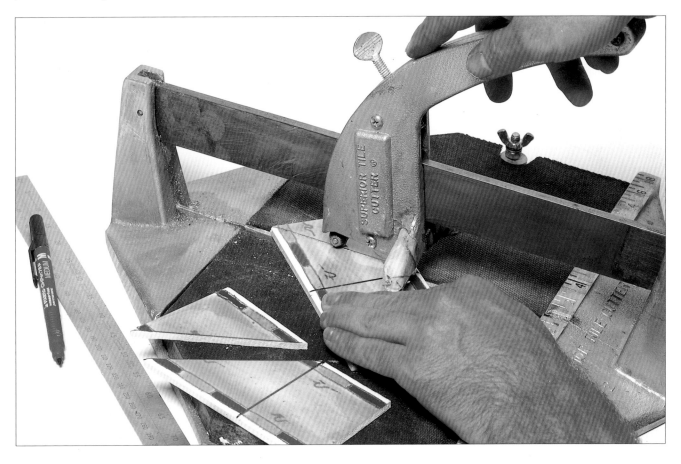

CARREAUX

Dans leur forme la plus simple, les carreaux de céramique sont des pavés plats de terre cuite, normalement recouverts de vernis pour en protéger la surface, ou avec un motif décoratif. Ils sont durs et cassants, mais très durables. On les trouve dans une gamme de tailles allant des pièces pour mosaïque d'environ 2 cm² (^{3}/$_4$ po²), aux carreaux pour le plancher de 30 cm² (12 po²). Les carreaux pour planchers sont souvent, mais pas toujours, plus grands que les carreaux muraux. Les carreaux rectangulaires sont en train de devenir fort populaires, bien qu'ils aient toujours été utilisés avec succès dans les lieux publics comme les stations de métro. On utilise aussi des formes qui s'emboîtent pour les planchers. Les carreaux peuvent être monochromes, imprimés, peints à la main ou décorés selon différentes techniques. Des images en relief sont parfois incorporées, surtout pour donner un air traditionnel ou d'époque à une pièce.

CARREAUX MURAUX

En ce qui a trait à la taille, à la couleur et au style, vous trouverez un choix pratiquement illimité de carreaux muraux, mais ils mesurent en général 10 cm² ou 15 cm² (4 po² ou 6 po²), les plus grands étant les plus utilisés. Aussi trouverez-vous le plus grand choix de couleurs et de dessins dans ces dimensions.

TRUC

Lorsque vous percez un trou dans un carreau, couvrez celui-ci de ruban adhésif pour empêcher la perceuse de glisser.

CARREAUX DE MOSAÏQUE

Un assemblage de petits carreaux est généralement appelé mosaïque. On les utilisait autrefois pour couvrir de grands panneaux décoratifs dans les églises et autres édifices publics. Bien que parfois faits de céramique, ils sont souvent en verre, et on les vend en feuilles monochromes. La plupart sont carrés, bien qu'on les trouve aussi en formes qui s'emboîtent. La mosaïque de céramique est résistante et peut servir à couvrir les planchers des halls d'entrée en y dessinant des motifs et même des noms. La mosaïque de verre est plus souvent utilisée sur les murs ou dans les piscines, et elle n'offre pas un aussi grand choix de couleurs que la céramique.

CARREAUX POUR BORDURES

Y a-t-il meilleure façon d'enjoliver une pièce et de lui redonner vie que de la décorer avec des bandes de mosaïque aux couleurs vives? On les trouve normalement en longueurs de 15 cm ou 20 cm (6 po ou 8 po), dans à peu près toutes les largeurs, et on peut s'en servir pour border des carreaux de toutes tailles.

CARREAUX EN RELIEF

Bien que ces carreaux soient un peu plus chers à l'achat que les carreaux unis, on en trouve partout, et cela vaut la peine de s'en servir si l'on désire ajouter une touche d'originalité.

TRUC

Les carreaux taillés ont des bords étonnamment coupants, alors faites attention de ne pas vous couper les doigts en les manipulant. Pour éviter les accidents, jetez immédiatement tout morceau cassé.

OUTILS

Il vous faut peu d'outils pour le carrelage, et vous les trouverez dans toutes les quincailleries et centres de bricolage, et chez les marchands de carreaux.

Il vous faudra
◊ coupoir à carreaux
◊ règle d'acier, pour mesurer et pour vous servir de guide lors de la coupe
◊ stylo à l'épreuve de l'eau, pour écrire sur la surface vernie des carreaux

◊ pince à rogner (tranchante, genre tenailles) pour détacher de petits morceaux
◊ pierre de carborundum pour polir les bords coupants et pour faciliter l'ajustement; servez-vous-en toujours avec de l'eau pour de meilleurs résultats

Il vous faut absolument un bon coupoir à carreaux. On en trouve deux types dans le commerce: la pince (coupe-carreau) et la carrelette à guide d'angle. Le coupe-carreau est muni d'une pointe ou d'une roue de diamant ou de carbure de tungstène servant à tracer des lignes. L'autre extrémité de l'outil, munie d'une pince à rogner, sert à casser le carreau proprement le long de la ligne de marque. Malheureusement, ces outils n'ont pas une durée de vie très longue; assurez-vous d'avoir quelques pointes de rechange avant d'entreprendre un projet d'envergure. Une carrelette à guide d'angle est utile si vous devez couper de nombreux angles droits ou plusieurs formes similaires. Cet outil sert à inciser le carreau de sorte qu'une ferme pression vers le bas le fera casser sans difficulté. Ce genre de

coupoir est utile si vous vous servez de carreaux épais, ou si vous n'arrivez pas à presser assez fort de vos mains.

CIMENT À CARREAUX
Le ciment prémélangé est probablement le plus facile à utiliser, et il peut être anti-dérapant et à l'épreuve de l'eau. Vous aurez normalement besoin d'un litre (32 oz) d'adhésif pour chaque mètre carré (verge carrée) de carreaux. Les truelles dentées sont souvent fournies avec le ciment, mais vérifiez que vous vous sentez à l'aise avec celle que vous utilisez et qu'elle n'est pas trop grande pour la surface à couvrir.

MASTIC
Sans doute est-il préférable d'acheter le mastic en poudre et de mélanger la quantité désirée avec de l'eau. On a récemment mis sur le marché un produit « deux-en-un » – à la fois adhésif et mastic – qui remplit les deux fonctions et que vous choisirez peut-être d'utiliser. Lisez toujours les instructions du fabricant avant de commencer.

CROISILLONS

Les croisillons de plastique sont très populaires. On les utilise pour faire en sorte que tous les espaces entre les carreaux soient égaux. On les laisse en place et on applique le mastic par-dessus. À défaut de croisillons, vous pouvez vous servir de bâtons d'allumettes.

AUTRES OUTILS

Les projets présentés ici exigent d'autres outils. Si vous ne les avez pas déjà dans votre boîte à outils, vous les trouverez dans la plupart des quincailleries et chez les marchands de matériaux de construction.

◊ petit marteau
◊ clous de tapissier et clous à finir
◊ perceuse manuelle ou électrique, avec un choix de mèches pour le bois
◊ colle à bois à séchage rapide
◊ papier de verre de différents grains
◊ peintures et pinceaux: des peintures à base d'huile et à base d'eau sont utilisées pour nos projets
◊ règle d'acier et crayon pour mesurer et marquer les cadres et les lattes de bois
◊ niveau à bulle: essentiel pour fixer les lattes pour la première rangée de carreaux, mais aussi utile pour d'autres projets
◊ petite scie et boîte à onglets pour réussir des coins à angle droit parfaits
◊ petites attaches d'encadrement

CARRELAGE MURAL DE BASE

Cette section du livre n'a pas été conçue pour expliquer en détail la technique du carrelage mural – il existe d'excellents guides sur le sujet –, mais en voici les grandes lignes.

Il vous faudra
◊ niveau à bulle
◊ crayon
◊ latte de bois
◊ règle ou mètre-ruban
◊ marteau et petits clous
◊ carreaux
◊ ciment à carreaux et truelle dentée
◊ croisillons
◊ mastic

TRUC

Assurez-vous toujours que la surface à carreler est en bon état, parce que les carreaux sont beaucoup plus lourds que la plupart des genres de revêtements muraux. Lavez la surface à l'eau tiède et au savon avant de commencer le carrelage.

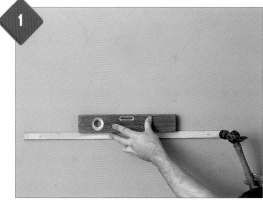

1 Servez-vous d'un niveau pour marquer une ligne horizontale et fixez une latte dans le mur à la hauteur de la première rangée de carreaux pleine. Ce ne sera peut-être pas la base du mur, mais parce qu'il est préférable de terminer avec une rangée pleine de carreaux non coupés, prenez quelques mesures préliminaires.

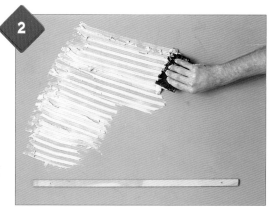

2 Prenez une truelle dentée pour étendre le ciment sur le mur. Ne couvrez pas plus que 1,5 m² (5 pi²) à la fois environ.

3 Pressez chaque carreau fermement sur le ciment avec une légère torsion, pour vous assurer que le contact entre le carreau et le mur est bon.

4 Placez les croisillons à chaque coin de sorte que tous les espaces pour insérer le mastic soient égaux, et pressez-les fermement contre le mur, puisqu'ils seront laissés en place et que le mastic sera appliqué par-dessus.

5 Continuez à placer les carreaux en enlevant à mesure tout excès de ciment avant qu'il ne commence à sécher et devienne difficile à enlever.

6 Laissez sécher le ciment, de préférence toute la nuit, puis mettez le mastic dans les espaces entre les carreaux.

7 Lissez les joints avec votre doigt et ajoutez du mastic si nécessaire.

TRUC

Si vous devez couper des carreaux, faites en sorte que les morceaux soient le plus grands possible, et installez-les là où on les verra le moins.

8 Quand le mastic est durci, polissez les carreaux avec un linge sec et propre.

FLEURS AU POCHOIR

Si vous désirez changer de décor mais que vous n'avez pas les moyens de refaire complètement le carrelage d'un mur, il existe une solution semi-permanente qui consiste à utiliser de la peinture émail pour décorer certains carreaux unis, ou même pour donner une deuxième vie à de vieux carreaux.

Il vous faudra

◊ carreaux unis
◊ pochoirs (découpez les gabarits à la page 80)
◊ ruban adhésif
◊ carreaux blancs pour mélanger les couleurs
◊ peintures à céramique à froid rouge, jaune et verte
◊ brosses à pochoir
◊ couteau
◊ ciment à carrelage et truelle dentée
◊ carreaux à bordure
◊ mastic

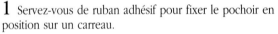

TRUC

Une gamme d'émaux à froid a été spécialement conçue pour la céramique, mais ces peintures ne sont pas permanentes, quoiqu'elles puissent durer plusieurs années si on en prend grand soin. Vous pouvez les enlever complètement avec un solvant et y peindre de nouveaux motifs si vous le désirez. On ne peut pas les appliquer sur les carreaux dans les endroits où il y a de l'eau, comme les douches, mais on peut s'en servir dans d'autres parties de la salle de bain où l'eau ne peut les atteindre.

1 Servez-vous de ruban adhésif pour fixer le pochoir en position sur un carreau.

2 Sur un carreau blanc qui ne sert pas, préparez une gamme de verts à partir du jaune et du vert. Les différents tons rehausseront l'apparence des motifs.

3 Appliquez soigneusement la peinture verte avec une brosse à pochoir que vous tiendrez bien droite. Prenez seulement une petite quantité de peinture à la fois. Si vous chargez trop votre brosse, la peinture risque de s'étaler au delà des contours.

4 Mélangez le rouge et le vert pour produire le brun de la tige et appliquez comme précédemment.

5 Laissez sécher la peinture un moment avant d'enlever le pochoir.

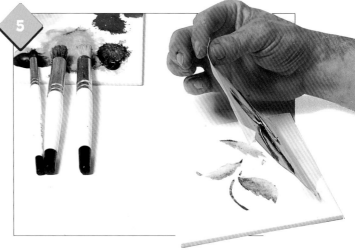

TRUC

Cette peinture sèche rapidement, alors ne mélangez pas trop d'une même couleur à la fois.

7 Utilisez une truelle dentée pour étendre le ciment sur la surface à carreler.

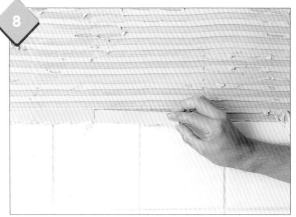

6 Servez-vous des autres dessins pour décorer autant de carreaux que vous le désirez. Vous pouvez enlever la peinture qui a dépassé les contours avec un simple couteau avant qu'elle ne sèche. Laissez ensuite reposer toute la nuit pour que la peinture sèche complètement.

8 Fixez les carreaux de la bordure au mur. Espacez les joints pour de meilleurs résultats.

9 Placez les carreaux décorés au-dessus de la bordure en les pressant fermement contre le mur. Installez ensuite une autre rangée de carreaux de bordure avant de fixer tout carreau uni additionnel. Laissez durcir le ciment toute une nuit.

10 Étendez le mastic dans les espaces entre les carreaux, en essayant d'éviter qu'il touche aux parties décorées. Assurez-vous que les joints sont complètement remplis, et ajoutez du mastic si nécessaire.

11 Laissez sécher le mastic, puis polissez avec un linge propre et sec.

DÉCORER UN MUR DE CARRELAGE

Vous pouvez travailler directement sur un mur déjà carrelé. Assurez-vous que la surface est tout à fait propre, et juste avant d'appliquer le pochoir, nettoyez bien avec de l'alcool dénaturé pour enlever toute trace de graisse. Lorsque vous appliquez les couleurs, prenez soin de ne pas trop charger les pinceaux, et laissez sécher chaque couleur avant d'en appliquer une autre, pour éviter qu'elles ne se salissent.

PANNEAU D'ENTRÉE TRADITIONNEL

En Grande-Bretagne, de nombreuses demeures victoriennes et fin 19ᵉ siècle présentent des panneaux de carrelage décoratifs de chaque côté de la porte principale. Mais rien ne dit que ces panneaux doivent être réservés aux porches. Ils seraient parfaits dans une verrière ou une salle de bain, ou comme touche originale au beau milieu d'un mur de carrelage.

Il vous faudra

◊ 2 ensembles de carreaux décoratifs: 10 carreaux de 15 cm x 15 cm (6 po x 6 po)
◊ carreaux additionnels et bordures de céramique pour compléter le motif
◊ ciseau à carreaux
◊ niveau à bulle
◊ latte, marteau et clous
◊ ciment à carreaux et truelle dentée
◊ éponges
◊ mastic

1 Mesurez la partie que vous voulez carreler, et couchez les différents carreaux sur une surface plane, de manière à revérifier les mesures. Coupez les carreaux de la bonne grandeur si nécessaire.

2 Servez-vous du niveau pour tracer une ligne horizontale, et fixez une latte au mur.

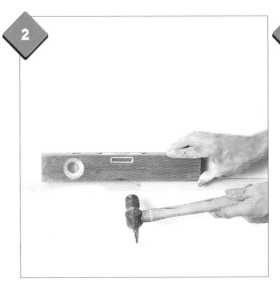

3 Étendez le ciment à carrelage sur la partie à carreler avec une truelle dentée.

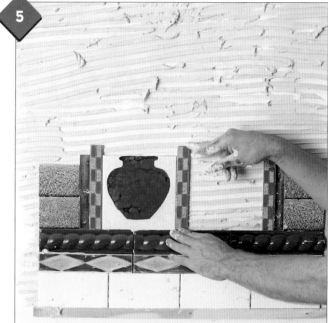

TRUC

Si le panneau est destiné à être installé à l'extérieur, assurez-vous que le ciment utilisé est à l'épreuve de l'eau et recommandé pour usage extérieur.

4 En commençant par les carreaux du bas de votre motif, pressez chaque carreau fermement sur le ciment avec un léger mouvement de torsion.

5 Travaillez en remontant en rangées horizontales pour que les joints soient égaux. Il est plus difficile de faire des ajustements si l'on installe les carreaux en rangées verticales.

6 Veillez à ce que chaque carreau décoratif que vous installez respecte le sens du motif. Il est si facile de mettre les carreaux dans le mauvais sens et de s'en apercevoir quand il est trop tard.

7 Continuez à mettre les carreaux en place, et servez-vous d'une éponge pour enlever tout excès de ciment avant qu'il ne sèche.

8 Quand le ciment est sec, retirez soigneusement la latte et nettoyez bien la surface. Étendez du mastic sur tout le motif, en prenant soin de bien remplir les espaces. Enlevez le surplus avec une éponge humide en vous assurant que tous les joints sont bien lisses.

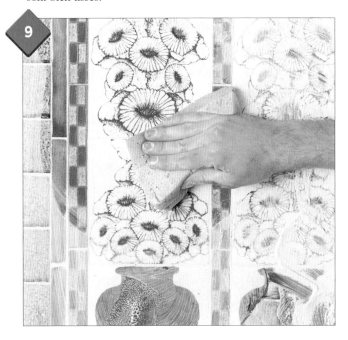

9 Laissez sécher le mastic, puis lustrez la surface avec un linge propre et sec pour enlever tout résidu.

ÉCHIQUIER

Voici un échiquier qui peut aussi, cela va de soi, servir de damier. On peut même l'utiliser comme support à plantes. Ce projet est idéal pour les débutants, car il n'y a aucun carreau à tailler, et il requiert seulement quelques notions de base en menuiserie.

Il vous faudra

◊ planche de contreplaqué de 1,25 cm (¹/₄ po) d'épaisseur, de 41 cm x 41 cm (16 po x 16 po)
◊ perceuse avec petite mèche
◊ 4 poignées de bois pour les pieds
◊ vis
◊ latte de bois pour la bordure de 1,80 m (6 pi) de longueur
◊ colle à bois
◊ clous de tapissier
◊ ciment à carrelage et truelle dentée
◊ 64 carreaux de mosaïque de 5 cm x 5 cm (2 po x 2 po), 32 de chaque couleur
◊ mastic
◊ teinture pour bois

TRUC

Si vous ne trouvez pas de carreaux de mosaïque, coupez de petits carrés à partir de carreaux plus grands. Procédez avec minutie, car il est indispensable que chaque morceau soit parfaitement carré.

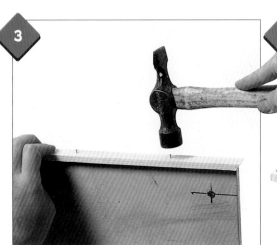

1 Marquez la position pour les pieds, un peu à l'intérieur des coins de la planche de contreplaqué, et percez quatre trous avec une petite mèche.

2 Fixez les pieds avec des vis.

3 Mesurez et coupez quatre longueurs de latte à bordure, et fixez-les aux côtés de la planche avec de la colle à bois et des clous de tapissier. Le bord inférieur de chaque latte doit être à égalité avec la base de la planche.

4 Servez-vous d'une truelle dentée pour étendre le ciment à carreaux sur la planche, en appliquant bien le ciment jusqu'aux bords.

5 En commençant avec un carreau de couleur claire dans le coin inférieur droit, placez les deux couleurs – claire et foncée – en alternance. Une fois la planche recouverte, pressez chaque carreau fermement en place.

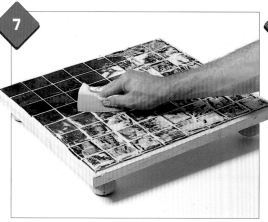

6 Laissez durcir le ciment puis étendez le mastic sur toute la surface.

7 Enlevez tout surplus de mastic avec une éponge humide, en veillant à ce que les joints soient bien remplis et lisses, et qu'il n'y ait pas de mastic sur le bois.

8 Laissez sécher le mastic avant de mettre une teinture à bois protectrice sur la bordure et les pieds.

SOUS-PLAT

On pense beaucoup à la durabilité des carreaux, et on a tendance à oublier qu'ils résistent à la chaleur, ce qui en fait des sous-plats parfaits pour recevoir poêles et théières chaudes. Ne vous contentez pas d'un carreau sans attrait particulier, pensez à fabriquer un cadre pour en faire un objet décoratif que vous laisserez fièrement sur la table de la salle à manger.

Il vous faudra
◊ moulure de bois de 4 cm x 4 cm (1 ¹/₂ po x 1 ¹/₂ po) et longue de 1,50 m (5 pi)
◊ scie
◊ colle à bois
◊ serre-joint
◊ carreau décoratif de 20 cm x 20 cm (8 po x 8 po)
◊ latte de bois pour la bordure de 0,6 mm x 2,20 cm (¹/₄ po x ⁷/₈ po) et 81 cm (32 po) de longueur
◊ marteau et clous
◊ peinture de couleur de fond et dorure à poncer
◊ pinceau
◊ silicone

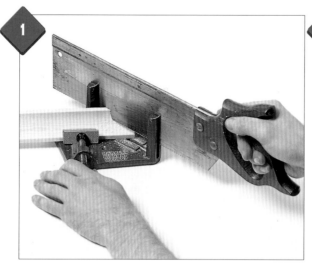

1 Coupez la moulure en quatre morceaux avec des bouts taillés à angle, chacun ayant une longueur intérieure d'un peu plus que 20 cm (8 po), pour que le carreau s'insère bien.

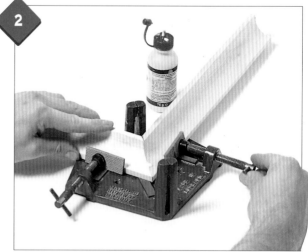

2 Collez un coin et tenez les deux morceaux ensemble avec un serre-joint, en vous servant de petits morceaux de bois pour éviter que le serre-joint n'altère le cadre.

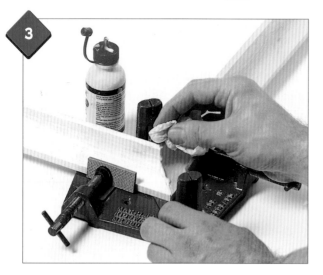

3 Utilisez un linge humide pour enlever tout excès de colle, et laissez sécher.

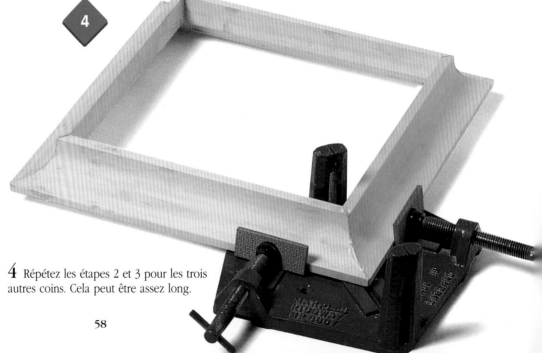

4 Répétez les étapes 2 et 3 pour les trois autres coins. Cela peut être assez long.

5 Placez le carreau sur une surface plane et mettez le cadre à l'envers par-dessus. Inscrivez sur le cadre la hauteur du carreau. Cette marque vous servira de guide pour la position du support.

6 Coupez la latte de bois en quatre longueurs que vous installerez à l'intérieur du cadre. Collez et clouez ces dernières au cadre, de manière à ce que les bords supérieurs arrivent à égalité avec la ligne de marque.

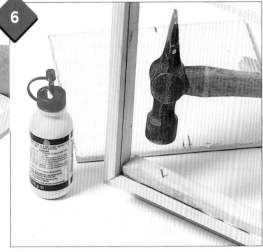

7 Veillez à ce que le carreau soit bien à plat sur le support.

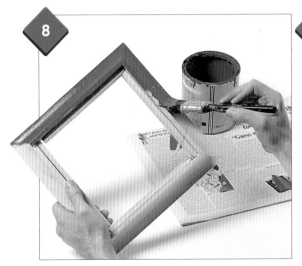

8 Retirez le carreau et peignez le cadre avec la couleur de fond de votre choix. Laissez sécher.

9 Avec vos doigts, appliquez une couche uniforme de dorure à poncer sur les rebords externes du cadre.

10 Laissez sécher la dorure, puis frottez soigneusement avec une éponge sèche, de manière à laisser entrevoir des traces de la couche de fond.

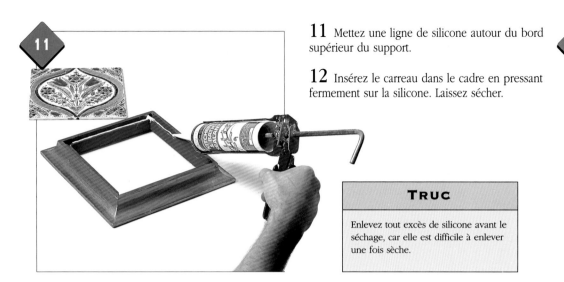

11 Mettez une ligne de silicone autour du bord supérieur du support.

12 Insérez le carreau dans le cadre en pressant fermement sur la silicone. Laissez sécher.

TRUC

Enlevez tout excès de silicone avant le séchage, car elle est difficile à enlever une fois sèche.

PETIT PLATEAU

Les petits plateaux sont toujours très utiles, que ce soit pour servir des boissons, du café et des biscuits, ou pour présenter des sandwiches ou une collation. Vous pouvez faire le vôtre aussi grand que vous le désirez, mais les carreaux étant assez lourds en eux-mêmes, ce facteur en influencera sûrement la taille.

Il vous faudra

◊ 3 carreaux décoratifs de 15 cm x 15 cm (6 po x 6 po) chacun
◊ approximativement 1,50 m (5 pi) de moulure de bois
◊ scie
◊ colle à bois
◊ serre-joint
◊ morceau de contreplaqué de 3 mm (1/8 pouce), d'approximativement 47 cm x 16,5 cm (18 1/2 po x 6 1/2 po)
◊ peintures à base d'eau (2 couleurs)
◊ vernis à craquelage
◊ silicone
◊ marteau et clous de tapissier

1 Mesurez la moulure à partir d'un côté d'un carreau et marquez la position des onglets.

2 Coupez deux morceaux de bois avec des côtés intérieurs de 15 cm (6 po), et deux morceaux avec des côtés intérieurs de 45 cm (18 po). Ces grandeurs sont approximatives. Faites vos marques de coupe d'après la taille des carreaux dont vous vous servez.

3 Collez ensemble l'embout d'un morceau de 15 cm (6 po) et celui d'un morceau de 45 cm (18 po) avec de la colle à bois.

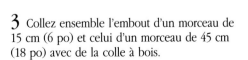

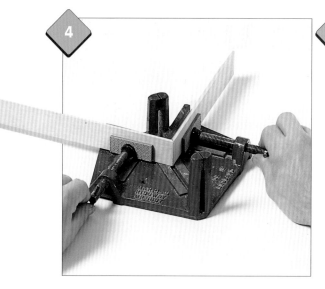

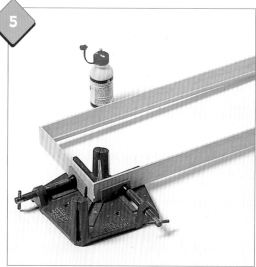

4 Pressez les deux morceaux dans un serre-joint en vous servant de petits morceaux de bois pour protéger les moulures. Enlevez tout excès de colle encore humide, puis laissez sécher.

5 Répétez les étapes 3 et 4 pour les trois autres coins, en laissant à la colle le temps de sécher entre chaque opération. Taillez la base de contre-plaqué de manière à ce qu'elle s'adapte parfaite-ment à la base du cadre.

6 Peignez tout le cadre et un côté de la base avec la couleur de fond. Laissez sécher. Appliquez une couche de vernis à craqueler et laissez sécher, de préférence toute la nuit.

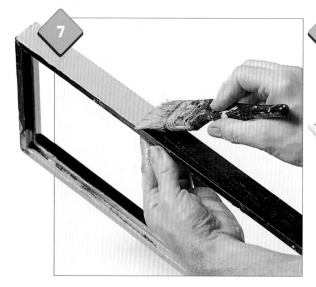

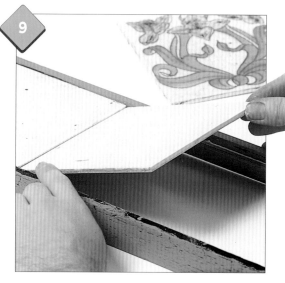

7 Appliquez rapidement une couche de la deuxième couleur, en mouvements assurés, pour ne pas déranger l'effet de craquelures. Laissez sécher.

8 Tournez le cadre à l'envers, et tracez une ligne de silicone le long du contour du rebord.

9 Insérez les carreaux avec soin dans le cadre, face vers le bas, en pressant fermement sur la silicone. Enlevez tout excès de silicone de la surface des carreaux, puis laissez sécher.

TRUC

Quand vous peignez un cadre, assurez-vous de peindre aussi le rebord intérieur, au cas où il serait visible sur les contours extérieurs des carreaux.

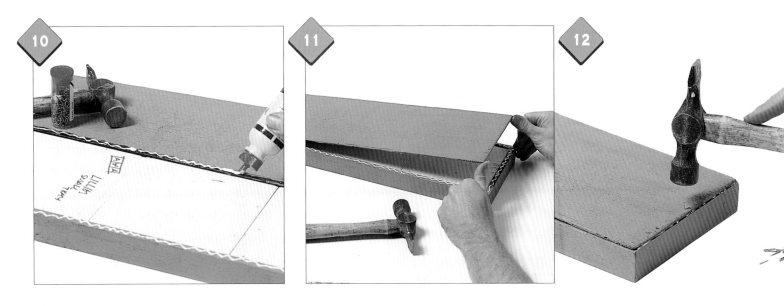

10 Appliquez une ligne ondulée de colle à bois sur le rebord du cadre.

11 Placez la planche de la base par-dessus le cadre, en enlevant tout surplus de colle avant qu'elle ne sèche.

12 Servez-vous de petits clous d'acier pour fixer le bord de la planche au cadre.

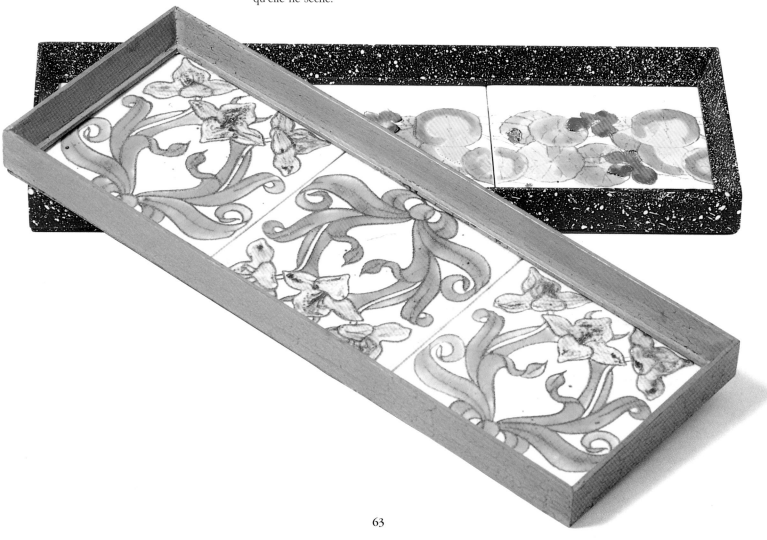

PANNEAU ENCADRÉ

Les carreaux peints à la main peuvent être jumelés à des carreaux unis lorsque vous couvrez un mur, mais il se pourrait que vous ne désiriez pas fixer ces jolis motifs en permanence. La solution: les encadrer comme un tableau de manière à pouvoir les déplacer si vous déménagez ou si vous avez envie de changer de décor. Le matériel inscrit ici est prévu pour un panneau de 12 carreaux, mais vous pouvez modifier le tout selon votre bon vouloir. Le cadre lui-même étant très léger, il n'exige aucune méthode spéciale pour être fixé, ce qui représente un avantage additionnel.

Il vous faudra
◊ 3,30 m (11 pi) environ de bois de 2,5 cm x 2,5 cm (1 po x 1 po)
◊ scie et boîte à onglets
◊ colle à bois
◊ serre-joint
◊ 12 carreaux décoratifs de 15 cm x 15 cm (6 po x 6 po) chacun
◊ marteau, clous et clous de tapissier
◊ 2 morceaux de 6 mm (¼ po) de contreplaqué, mesurant chacun 45 cm x 10 cm (18 po x 4 po)
◊ silicone
◊ mastic
◊ 2,30 m (7 ½ pi) de moulure à bâton de hockey
◊ cire à bois liquide
◊ 2 pitons et fil métallique ou cordon pour suspendre

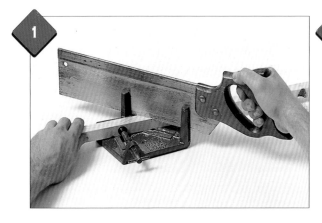

1 En vous servant de la boîte à onglets, coupez deux bandes de bois de 45 cm (18 po) chacune, avec les deux bouts taillés à angles contraires. Coupez ensuite deux bandes de bois de 60 cm (2 pi), avec les deux bouts taillés à angles contraires. Coupez enfin deux montants de bois à bouts droits de 56 cm (22 po) chacun.

2 Collez le bout taillé à angle de l'un des montants courts avec celui de l'un des montants longs, puis serrez-les bien dans l'étau jusqu'à ce que la colle ait pris. Répétez avec les autres coins pour former un cadre, en laissant la colle sécher complètement à chaque fois. Le cadre devrait avoir les mesures exactes des dimensions extérieures du panneau de carreaux.

3 Servez-vous d'un carreau pour marquer le milieu des deux montants verticaux sur les côtés courts du cadre.

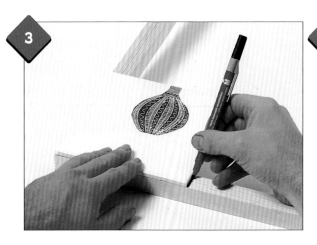

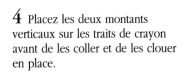

4 Placez les deux montants verticaux sur les traits de crayon avant de les coller et de les clouer en place.

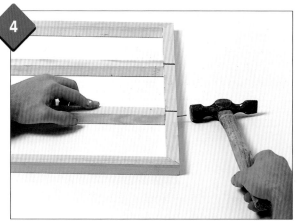

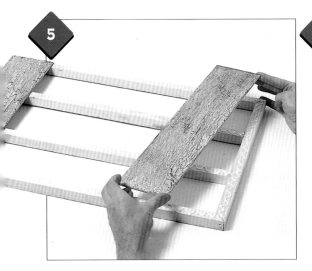

5 Appliquez une ligne de colle à bois le long des bouts courts des deux rectangles de contreplaqué, et collez-les aux deux bouts du cadre.

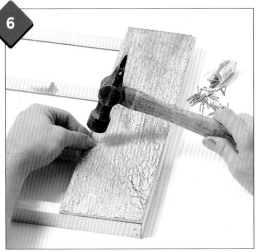

6 Clouez le contreplaqué contre les montants du milieu pour donner plus de stabilité au cadre. Laissez sécher toute la nuit.

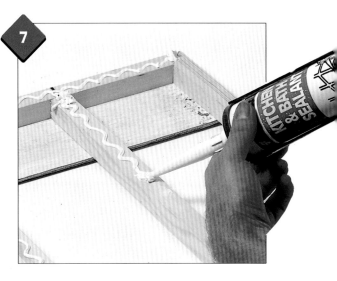

7 Appliquez la silicone en petites vagues sur l'endroit du cadre.

8 Commencez à placer les carreaux sur la silicone. Quand tous les carreaux sont en place, ajustez l'espacement si nécessaire. Ne vous servez pas de croisillons, car ils laisseraient trop d'espace entre les carreaux. Enlevez tout excès de silicone et laissez sécher au moins quatre heures.

9 Appliquez le mastic dans les joints et laissez sécher environ 10 minutes. Nettoyez le mastic en vous servant de votre doigt pour le lisser entre les carreaux, et servez-vous d'une éponge humide pour enlever l'excédent. Il se peut que vous deviez recommencer plusieurs fois.

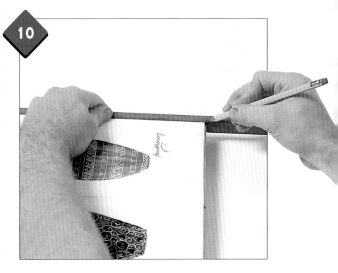

10 Mesurez la moulure à bâton de hockey à partir du bord extérieur du cadre pour avoir la longueur exacte.

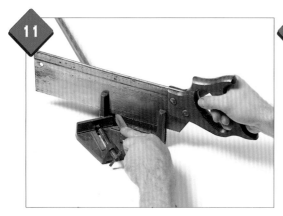

11 Coupez les longueurs de moulure en biseau, en veillant à ce que les angles soient contraires à chaque bout de chaque morceau.

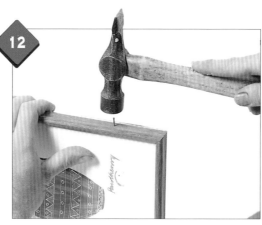

12 Appliquez une ligne de colle sur le bord du cadre, puis servez-vous de clous de tapissier pour fixer la moulure au cadre.

13 Passez la moulure à la cire liquide, en prenant soin de ne pas en étaler sur la surface des carreaux. Lorsque sec, lustrez avec un chiffon sec.

14 Tournez le panneau à l'envers et vissez un piton de chaque côté, à un tiers de la hauteur du cadre, avant d'y attacher un cordon ou un fil métallique.

POT À FLEURS DE STYLE GAUDÍ

L'architecte espagnol Antonio Gaudí (1852-1926) est célèbre pour ses œuvres dans la ville de Barcelone, et plus particulièrement pour le jardin qu'il créa au parc Güell, réalisé à partir de milliers de pièces de mosaïque. Même si nous disposions de l'espace, un tel projet est beaucoup trop ambitieux pour la plupart d'entre nous, mais on peut fabriquer ces pots en hommage au style unique de Gaudí. C'est une excellente façon de récupérer les carreaux brisés à condition qu'ils soient de couleurs vives.

Il vous faudra
◊ pot à fleurs en terre cuite de 30 cm (12 po)
◊ règle de métal et stylo feutre
◊ choix de carreaux brisés
◊ toile de jute et gros marteau
◊ ciment à carreaux pour usage extérieur et grattoir
◊ gants de caoutchouc
◊ pince à rogner

1 Mettez le pot à l'envers et tracez quatre points équidistants à la base. À mi-chemin entre ces quatre points, faites quatre autres marques à la base de la bordure du haut.

2 Avec le stylo, joignez les marques pour créer une série de triangles. Assurez-vous que les triangles sont tous bien définis.

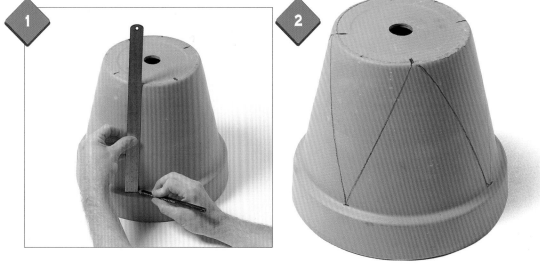

3 Enveloppez quelques carreaux de la même couleur dans une toile de jute, puis frappez-les avec un gros marteau. Il vous faut des morceaux assez petits, pas plus grands qu'environ 5 cm (2 po) de tous côtés.

4 Appliquez le ciment à carrelage sur l'un des triangles. Pensez à porter des gants de caoutchouc, car le ciment pourrait vous irriter la peau.

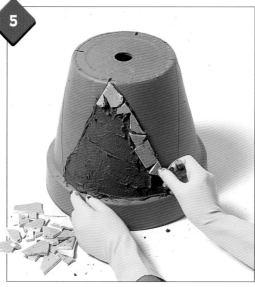

5 Commencez à mettre les morceaux en place, en alignant les côtés droits le long de la ligne du triangle.

6 Continuez à remplir le triangle. Il faudra peut-être couper de petits morceaux pour remplir les angles aigus.

TRUC

Conservez les mêmes couleurs ensemble quand vous brisez les carreaux, autrement vous perdriez du temps à les trier.

TRUC

N'essayez pas d'utiliser des morceaux plus grands. Ils ne pourraient pas être fixés convenablement dans le ciment, et la surface du pot fini serait raboteuse et difficile à tenir sans vous couper les mains.

7 Remplissez deux ou trois triangles en vous servant de couleurs contrastantes, puis servez-vous d'un grattoir pour couvrir de ciment les morceaux de carreaux. Cela remplira les espaces et remplacera le mastic.

8 Servez-vous d'une éponge humide pour enlever l'excès de ciment, en veillant à ce que tous les espaces soient bien remplis.

9 Continuez à travailler autour du pot en faisant particulièrement attention aux pointes de la base. Rien ne doit dépasser, car le pot ne serait pas stable lorsque retourné à l'endroit.

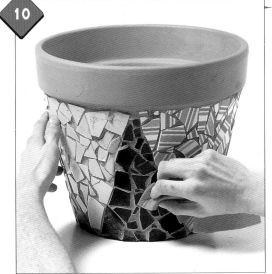

10 Vérifiez que tous les trous sont remplis, et ajoutez du ciment si nécessaire, puis enlevez tout excès à l'aide d'une éponge humide. Nettoyez bien tout résidu de ciment sur le pot de terre cuite, car le ciment durci est difficile à enlever. Laissez reposer 24 heures pour permettre au ciment de durcir complètement.

PANNEAU SOLEIL ET LUNE

Les pièces couvertes de carreaux peuvent parfois sembler très ternes, surtout lorsqu'un petit budget vous a forcé à n'utiliser qu'une seule couleur pour couvrir une grande surface. Ce projet, idéal pour la cuisine ou la salle de bain, requiert seulement quelques carreaux colorés. Les quantités données ici ont été calculées pour un soleil et une lune, mais rien ne vous empêche de mettre plusieurs motifs dans une seule pièce.

Il vous faudra
◊ 8 carreaux blancs de 15 cm x 15 cm (6 po x 6 po)
◊ 3 carreaux jaunes de 15 cm x 15 cm (6 po x 6 po)
◊ 1 carreau orange de 15 cm x 15 cm (6 po x 6 po)
◊ compas et stylo feutre
◊ coupoir à carreaux
◊ pince à rogner
◊ pierre de carborundum
◊ peinture à céramique à froid brune
◊ brosse à pochoir
◊ ciment à carrelage et truelle dentée
◊ mastic

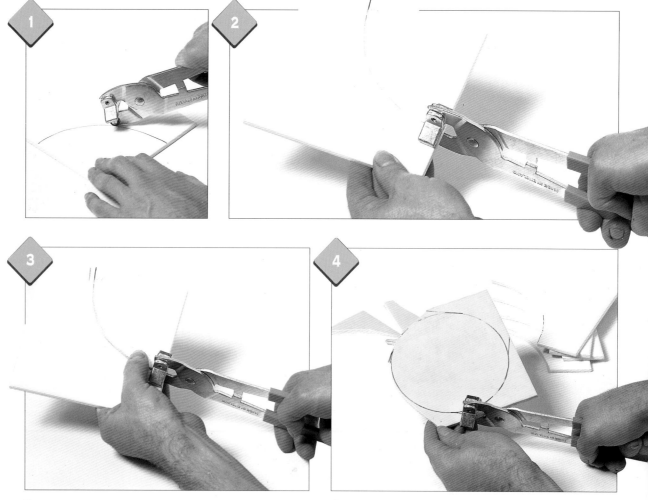

1 Faites un carré avec quatre carreaux installés à plat, et en partant du point central, dessinez un cercle de 5 cm (2 po) de rayon, de sorte que chaque carreau présente l'un des quadrants du cercle. Incisez la ligne sur chaque carreau en tenant le coupoir loin de vous pour bien voir la marque du stylo. Retournez un carreau et frappez grossièrement autour de la ligne que vous avez gravée. Cela aidera le carreau à se casser.

2 Pressez doucement sur le coupoir pour casser le carreau. Vous entendrez le bruit du carreau qui commence à se casser.

3 Armez-vous de patience, car il est parfois difficile de casser un carreau le long d'une ligne courbe. Répétez sur tous les carreaux, mais avec un rayon de 6,5 cm (2 ¹/₂ po) pour la lune.

4 En vous servant du gabarit de la page 79, tracez un cercle sur un carreau jaune. Incisez le cercle tracé et enlevez les morceaux du contour.

5 Pour un contour bien net, servez-vous d'une pince à rogner pour enlever ce qui dépasse.

6 Polissez les bords avec une pierre de carborundum. Faites un autre cercle jaune pour la lune.

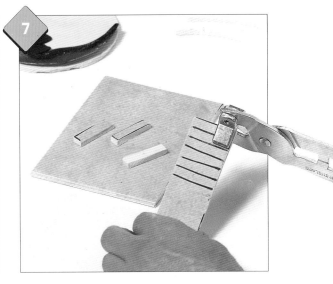

7 Coupez des pièces de 2,5 cm x 1 cm (1 po x ³⁄₈ po) dans les carreaux orange et jaune.

8 Tracez la face de la lune au pochoir sur l'un des cercles jaunes en vous servant de peinture à céramique à froid spéciale. Tracez la face du soleil sur l'autre cercle jaune. Laissez durcir la peinture céramique toute la nuit, sans quoi la couleur pourrait disparaître à la prochaine étape.

9 Étendez les morceaux du dessin sur une surface plane, pour vérifier que tous les éléments s'ajustent bien. Si nécessaire, arrangez les pièces coupées à l'étape 7 de manière à ce qu'elles s'ajustent facilement autour du soleil.

10 Cimentez au mur les carreaux blancs avec les sections découpées, en veillant à ce qu'elles forment un beau cercle.

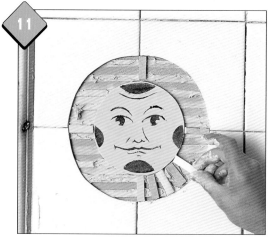

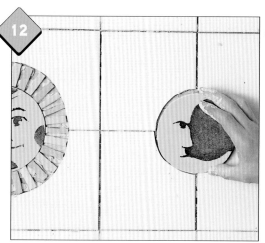

11 Placez le soleil au centre de l'espace réservé à cette fin. Placez les petits rectangles jaunes et orange en alternance autour du soleil, en pressant bien chaque morceau contre le mur.

12 Placez la face de la lune dans l'autre espace.

13 Remplissez les espaces entre les rayons du soleil et les autres joints apparents avec du mastic. Il est préférable de l'appliquer avec une éponge, parce qu'il vous en faudra beaucoup pour les remplir tous. Ne vous servez pas de vos doigts: le bord est tranchant et vous pourriez vous couper. Lorsque vous aurez terminé, les espaces entre les rayons seront légèrement plus bas que la surface des carreaux. Bien que la peinture céramique soit assez résistante, évitez de mettre du mastic sur les surfaces peintes.

POISSON ART DÉCO

Des dessins simples peuvent être découpés dans des carreaux de couleurs contrastantes, pour produire des panneaux originaux ou de jolies bordures. Le procédé prend du temps, mais il est beaucoup plus économique que d'acheter des carreaux à bordure décoratifs. Des motifs géométriques petits et grands peuvent donner un très bel effet, mais nous avons opté pour le poisson, idéal pour une salle de bain.

Il vous faudra
◊ papier-calque et crayon
◊ carton
◊ stylo feutre
◊ 2 carreaux blancs de 15 cm x 15 cm (6 po x 6 po)
◊ 2 carreaux noirs de 15 cm x 15 cm (6 po x 6 po)
◊ coupoir à carreaux
◊ pince à rogner
◊ pierre de carborundum
◊ ciment à carreaux et truelle dentée
◊ carreaux étroits pour bordure
◊ mastic

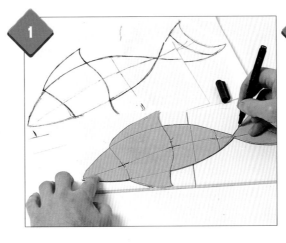

1 Tracez le motif du poisson (voir page 80) sur un morceau de carton que vous utiliserez pour le reproduire sur les carreaux blancs.

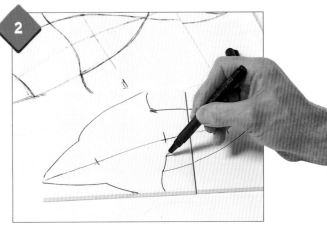

2 Reliez les marques inscrites à la main.

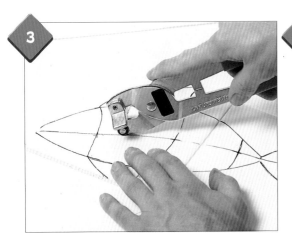

3 Incisez bien le long des lignes tracées, en commençant par les plus longues. Essayez de couper en un seul mouvement léger, et évitez les mouvements brusques.

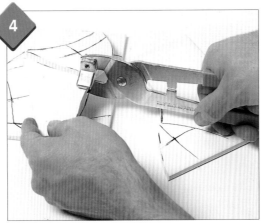

4 Frappez le dessous des carreaux et cassez le long des incisions. Si vous en ratez quelques-uns, vous pouvez toujours couper des morceaux de plus à partir d'autres carreaux. Il arrive que les carreaux refusent de se briser tel que souhaité.

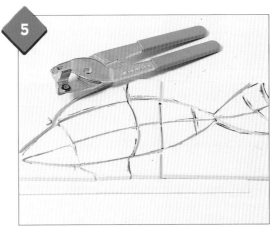

5 Installez les morceaux à plat sur le dessin pour éviter toute confusion après coup.

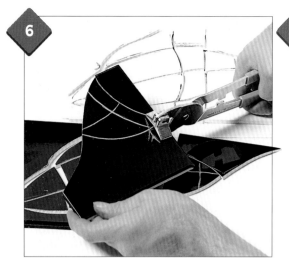

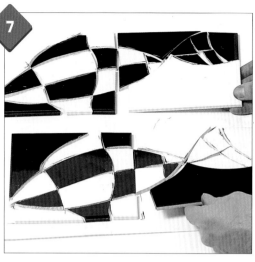

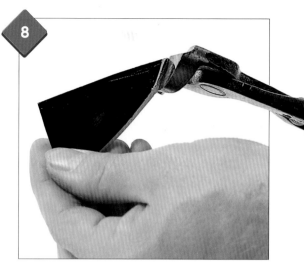

6 Répétez les étapes 1 à 5 inclusivement avec les carreaux noirs.

7 Disposez les pièces noires et blanches de manière à créer un effet d'échiquier.

8 Utilisez votre pince à rogner pour enlever le moindre morceau qui dépasse.

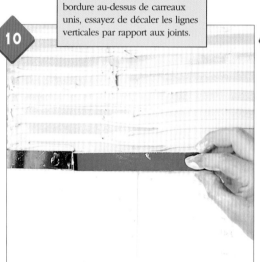

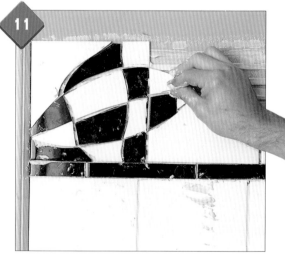

> **TRUC**
>
> Quand vous installez une bordure au-dessus de carreaux unis, essayez de décaler les lignes verticales par rapport aux joints.

9 Polissez les bords rugueux avec une pierre de carborundum, et assurez-vous que les morceaux s'ajustent comme il faut. Pensez à vous servir d'eau avec la pierre de carborundum, pour éviter l'effritement des bords.

10 Appliquez du ciment à carrelage sur une petite surface du mur avec une truelle dentée, puis mettez les carreaux en place, en commençant par la bordure du bas.

11 En partant de la gauche, placez les morceaux de mosaïque.

> **TRUC**
>
> Servez-vous d'une éponge pour appliquer le mastic entre les morceaux de carreaux. Vous risquez de vous couper les doigts sur des bords tranchants.

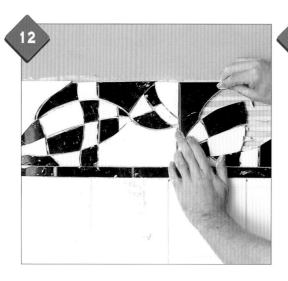

12 Continuez à fixer les morceaux en réalisant les motifs de gauche à droite.

13 Terminez avec une autre rangée de carreaux à bordure. Assurez-vous que toutes les surfaces sont planes et que tous les morceaux sont fermement fixés dans le ciment. Vérifiez que les espaces entre les morceaux sont égaux, puis nettoyez tout excès de ciment à la surface. Laissez sécher le ciment toute la nuit.

14 Servez-vous d'une éponge pour appliquer le mastic. Enlevez-en l'excédent à la surface des carreaux avant qu'il ne sèche, tout en vérifiant que tous les joints sont remplis. Quand le mastic est sec, nettoyez la surface avec une éponge légèrement humide.

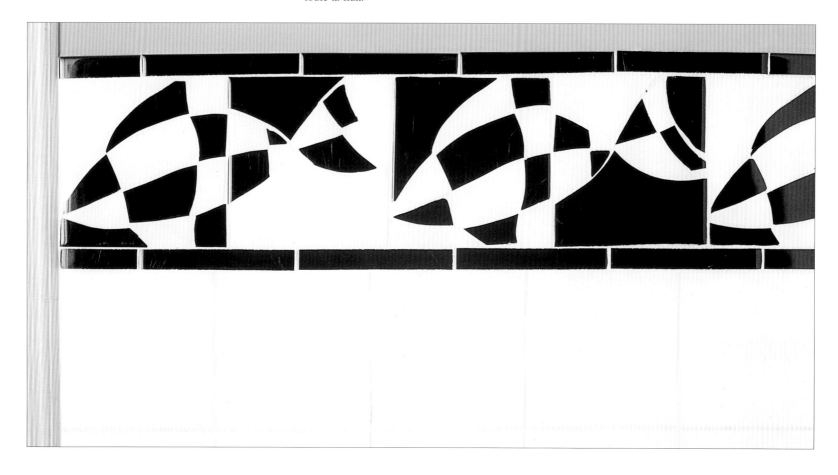

Jardinière pour fenêtre

Un bac à fleurs est une formidable façon d'enjoliver un rebord de fenêtre sans caractère, et on peut l'installer à l'intérieur comme à l'extérieur. Nous l'avons décoré de carreaux avec un motif floral traditionnel, mais il serait tout aussi original avec des motifs géométriques ou abstraits. Bien qu'il exige pas mal de temps, ce projet en vaut l'effort.

Il vous faudra
◊ scie et boîte à onglets
◊ 4,50 m (15 pi) de bois de 2,5 cm x 2,5 cm (1 po x 1 po)
◊ colle à bois
◊ marteau et clous
◊ serre-joint
◊ morceau de contreplaqué de 6 mm (1/4 po) d'épaisseur, mesurant 1,65 m x 25 cm (5 1/2 pi x 10 po)
◊ moulure à bâton de hockey de 90 cm (3 pi)
◊ 4,50 m (15 pi) de latte de bois de 1 cm x 5 cm (3/8 po x 2 po)
◊ perceuse
◊ 8 petites poignées de bois
◊ latte de bois de 2 cm x 6 mm (3/4 po x 1/4 po), de 1,80 m (6 pi) de longueur
◊ papier de verre
◊ peinture d'extérieur à base d'huile
◊ silicone
◊ 8 carreaux de céramique de 15 cm x 15 cm (6 po x 6 po)
◊ mastic

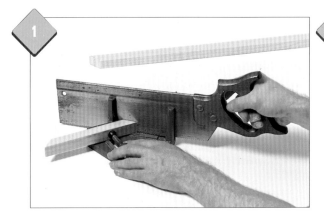

1 Servez-vous de la scie et de la boîte à onglets pour couper quatre pièces d'une longueur intérieure d'un peu plus de 61 cm (24 po), et deux d'une longueur intérieure d'un peu plus de 15 cm (6 po), dans le bois de 2,5 cm x 2,5 cm (1 po x 1 po).

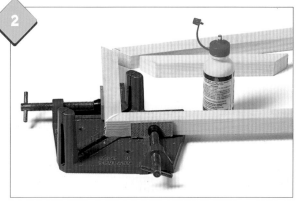

2 Vérifiez que les angles à chaque bout de chaque morceau sont contraires, puis collez bout à bout un morceau court et un morceau long avec de la colle à bois.

3 Pressez-les ensemble dans un serre-joint jusqu'à ce que la colle soit sèche, et utilisez des clous à finir plantés en diagonale à travers les coins pour plus de solidité. Répétez les étapes 2 et 3 jusqu'à ce que le cadre soit terminé.

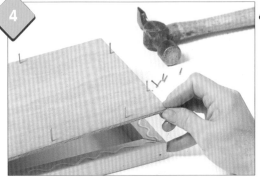

4 Coupez un morceau de contreplaqué aux dimensions exactes du cadre. Collez et clouez au cadre, puis laissez sécher. Faites un second cadre recouvert de contreplaqué exactement pareil. Ce sont les deux côtés longs de votre bac à fleurs.

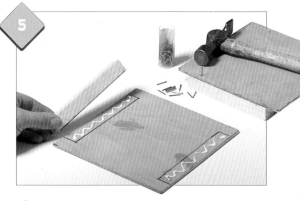

5 Dans le contreplaqué restant, coupez deux carrés de 20 cm x 20 cm (8 po x 8 po); dans le bois de 2,5 cm x 2,5 cm (1 po x 1 po), coupez 4 pièces de 15 cm (6 po) chacune. Collez et clouez ces pièces sur les deux côtés opposés de chaque carré de contreplaqué, en les plaçant au centre des bords. Ces pièces forment les deux côtés courts.

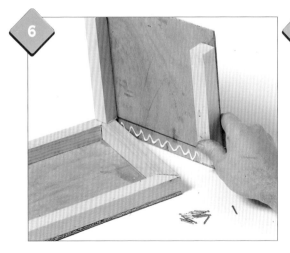

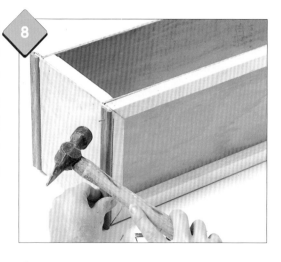

6 Collez et clouez les deux côtés courts sur un côté long. Laissez sécher.

7 Collez et clouez le second côté long aux côtés courts pour créer une boîte. Laissez sécher.

8 Coupez quatre morceaux de moulure à bâton de hockey de 20 cm (8 po) chacun, et collez et clouez une pièce de moulure sur chaque bord vertical d'un coin.

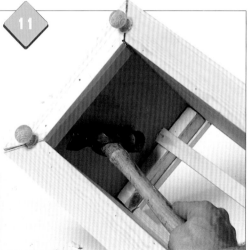

9 Servez-vous de la scie et de la boîte à onglets pour couper les deux pièces de bois de 1 cm (3/8 po) en quatre morceaux, deux dont la longueur intérieure fait un peu plus de 61 cm (24 po), et deux dont la longueur intérieure fait un peu plus de 15 cm (6 po). Assurez-vous que les angles à chaque bout sont contraires. Le rebord intérieur doit arriver à égalité avec l'intérieur de la boîte. Collez et clouez les morceaux le long du bord supérieur du cadre, pour créer un rebord décoratif. Répétez autour de la base de la boîte.

10 Percez des trous pour asseoir les poignées aux quatre coins du rebord supérieur. Collez une poignée à chaque coin. Répétez aux quatre coins de la base pour faire les pieds.

11 À partir de la latte de bois de 2 cm x 6 mm (3/4 po x 1/4 po), coupez deux pièces de 66 cm (26 po) chacune. Collez et clouez les bandes à l'intérieur du rebord inférieur pour servir de support aux pots.

TRUC

Les dimensions données conviennent pour une jardinière faite avec des carreaux de 15 cm x 15 cm (6 po x 6 po) sur chaque côté long. On peut fabriquer des versions plus petites ou plus grandes de la même façon, en augmentant ou en réduisant les dimensions du cadre de base.

12 Poncez toute rugosité avec le papier de verre, et peignez toute la boîte, intérieur et extérieur, avec plusieurs couches de peinture à l'huile, qui protégera la jardinière si elle est installée à l'extérieur. Inutile de peindre les panneaux à l'avant et à l'arrière, car ils seront recouverts de carreaux.

13 Appliquez de la silicone sur l'un des côtés longs, et mettez les carreaux bien en place. Laissez sécher, puis répétez sur l'autre côté long. Laissez sécher.

14 Étendez du mastic le long des joints entre et autour des carreaux, en enlevant tout excès avant qu'il ne sèche. Laissez sécher, puis utilisez un linge sec et propre pour polir les carreaux et enlever les dernières traces de mastic. Servez-vous d'un mastic pour extérieur si vous voulez mettre votre bac à fleurs dehors.

GABARITS

Les gabarits que voici sont utilisés pour réaliser les projets Fleurs au pochoir, Soleil et lune et Poisson art déco.

Si vous utilisez des carreaux de dimensions autres que celles inscrites ici, ou si vous préférez créer vos propres dessins à partir de modèles et de motifs trouvés dans un magazine, vous devrez probablement ajuster les dimensions. La photocopie est la manière la plus simple de réduire et d'agrandir une image, et plusieurs bibliothèques, magasins de fournitures de bureau et papeteries ont des photocopieurs pouvant reproduire en formats plus petits ou plus grands.

Si vous n'avez pas accès à un photocopieur, servez-vous de la méthode de la grille. Avec un crayon bien taillé et une règle, tracez une série de lignes horizontales et verticales à égale distance l'une de l'autre, par-dessus l'image que vous voulez copier. C'est plus facile si au moins quelques-unes des lignes de la grille touchent les bords de la forme originale. Sur une feuille de papier vierge, dessinez une autre grille dont les lignes seront plus espacées. Par exemple, si vous voulez doubler la grandeur de l'image, les lignes de la première grille étant espacées entre elles de 2,5 cm (1 po), celles de la seconde devront l'être de 5 cm (2 po). Il est relativement simple de reproduire les formes apparaissant dans un carré de la grille originale dans le carré correspondant de la seconde grille. Si le dessin à copier est complexe, une plus petite grille pourrait faciliter le travail; par exemple, des carrés de 1,25 cm (1/2 po) dans la première grille, et des carrés de 2,5 cm (1 po) dans la version plus grande.

POCHOIRS

Quand vous serez satisfait de la grandeur de votre image, tracez-en les contours avec un crayon feutre à pointe fine. Servez-vous ensuite de papier-calque ou de papier à décalquer pour reproduire le dessin sur un carton à pochoir.

Travailler sur un tapis à découper ou sur un morceau de carton épais et servez-vous d'un cutter ou d'un scalpel pour évider le pochoir. Travaillez minutieusement, de sorte que les lignes de coupe soient propres et lisses.

Les pochoirs bien faits peuvent servir encore et encore, surtout si vous prenez soin de les débarrasser de toute peinture résiduelle en vous servant d'eau ou de solvant, au besoin, et que vous les laissez sécher à plat, loin de toute source de chaleur directe.

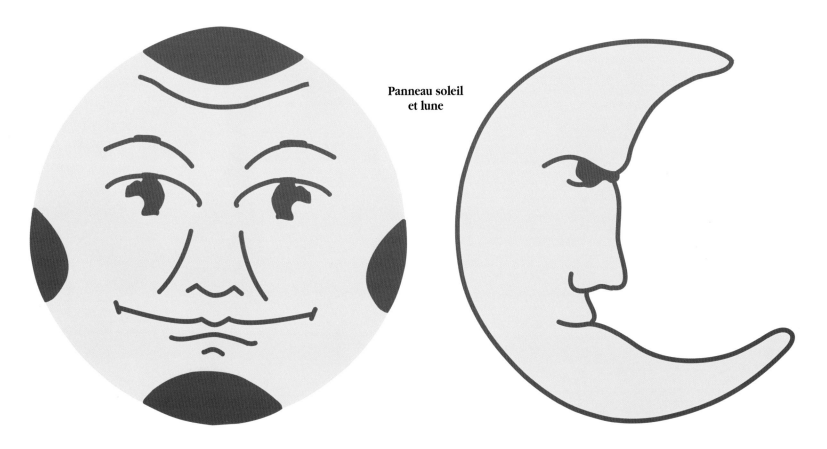

Panneau soleil et lune

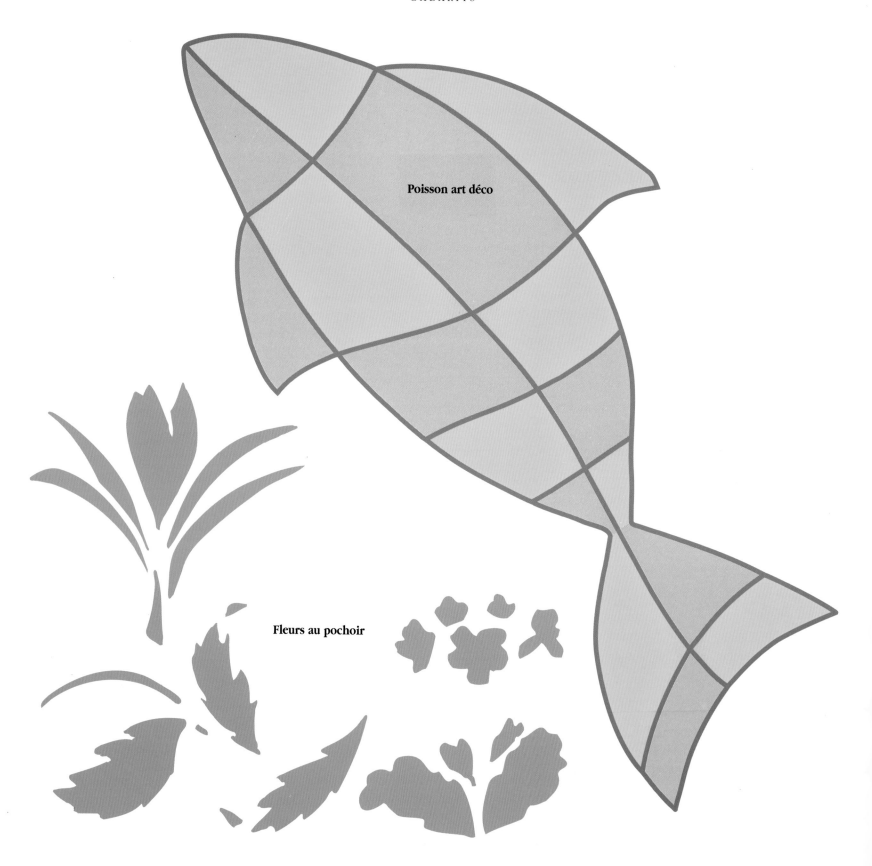

Poisson art déco

Fleurs au pochoir

Peinture décorative

Transformez des meubles en magnifiques pièces de collection grâce à ce passe-temps incomparable et très stimulant.

INTRODUCTION

Voici une phrase que nous nous répétons souvent, ma collègue et moi:
« S'il y a des chances que l'objet ait une longue vie, peins-le. »

La peinture est un moyen d'expression formidable dont le potentiel est infini, et on peut s'en servir pour transformer une batterie d'objets ternes ou sans caractère en beaux objets uniques en leur genre. Si la peinture vous a toujours intéressé, vous avez probablement déjà remarqué un grand nombre de choses que vous aimeriez décorer, sans trop savoir par où commencer.

On peut utiliser plusieurs types de peinture, et différentes peintures conviennent à différentes surfaces. Cependant, une fois que vous saurez quelle peinture est appropriée, vous serez en mesure de transformer à peu près toutes les pièces de votre maison. Des objets usagés peuvent devenir des pièces de collection, et vos objets de la vie quotidienne seront méconnaissables après coup. Souvenez-vous toutefois que ce qui est sans attrait particulier restera toujours sans attrait, quoi que vous en fassiez. Ne perdez pas votre temps à essayer de transformer un objet dont vous vous lasserez vite. D'un autre côté, les meubles et ornements un peu défraîchis ou rouillés, mais avec une élégance naturelle et de belles proportions, valent la peine qu'on les rajeunisse.

Ce chapitre explique comment préparer une multitude de surfaces pour y appliquer la peinture décorative; et nous vous montrerons, à l'aide d'une variété d'objets, comment vous servir des divers finis et techniques.

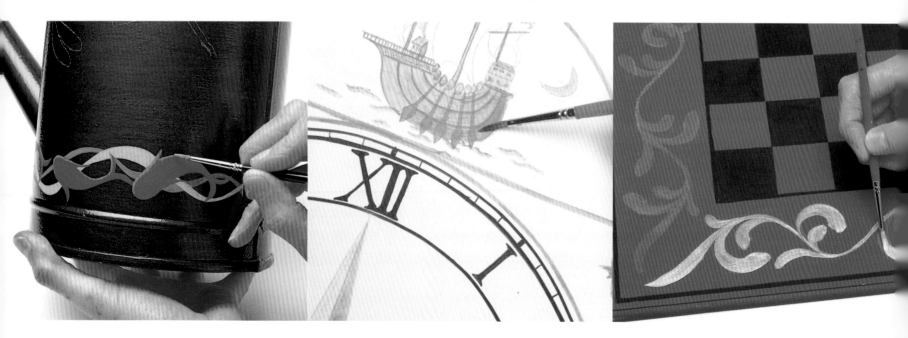

MATÉRIEL ET TECHNIQUES

PEINTURES

Les peintures acryliques d'artiste, vendues en tubes, sont offertes dans une très grande gamme de couleurs dans la plupart des boutiques de matériel d'artiste. Toutes les couleurs peuvent être mélangées entre elles, et parce que l'acrylique est à base d'eau, on peut les dissoudre et les mélanger avec de l'eau. Lorsqu'elles sont sèches, elles sont à l'épreuve de l'eau et s'enlèvent seulement avec de l'alcool dénaturé. Elles sèchent très vite et sont idéales pour la décoration, parce qu'elles risquent peu de se salir. Les peintures acryliques peuvent être utilisées par-dessus l'aquarelle ou les peintures à base d'alcool, et on peut les faire adhérer aux peintures à base d'huile en y ajoutant une infime quantité de détergent liquide. Nettoyez vos pinceaux à l'eau et au savon.

Les peintures à l'huile d'artiste, également offertes en tubes dans les boutiques de matériel d'artiste, ressemblent beaucoup aux peintures acryliques. Toutefois, elles contiennent de l'huile de lin et font ainsi partie de la catégorie des peintures à l'huile. Comme les autres produits à base d'huile, on peut les dissoudre avec de la térébenthine ou de l'essence minérale, qui servent à enlever la peinture séchée et à nettoyer les pinceaux. On peut s'en servir sur à peu près n'importe quelle surface.

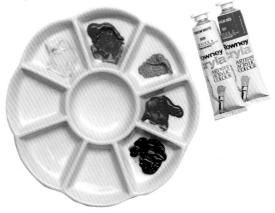

Peintures acrylique et à l'huile en tubes

Latex

Émaux

Vernis acrylique à base d'eau

Peinture céramique

Laque

Peinture à la caséine

Peinture métallique

Les peintures au latex sont à base d'eau, et on les associe le plus souvent à la décoration intérieure. Toutes les quincailleries et les fournisseurs de matériaux de décoration intérieure les ont en stock, et la plupart ont des machines à mélanger les couleurs, fort utiles, car de nombreuses peintures standard sont offertes dans des tons pastel. Vous trouverez peut-être intéressant d'acheter une petite gamme de couleurs foncées et de blanc pour faire vos propres mélanges de couleurs. Recherchez les formats d'essai, idéaux pour les meubles et petits objets, et souvent offerts en couleurs peu communes.

La peinture au latex adhère aux surfaces poreuses, bien qu'elle puisse également recouvrir des peintures à base d'alcool ou des vernis. Nettoyez vos pinceaux à l'eau. Sèche, la peinture au latex est à l'épreuve de l'eau et peut être enlevée seulement avec de l'alcool dénaturé.

L'apprêt acrylique/couche de fond, qui est également à base d'eau, est disponible partout dans les quincailleries et boutiques de décoration. Il est semblable à la peinture au latex, mais avec un liant acrylique qui le rend plus résistant. Servez-vous-en pour sceller et apprêter le bois naturel. On le trouve seulement en blanc, alors vous devrez utiliser de la laque si vous choisissez de mettre une couche supérieure foncée. Nettoyez vos pinceaux à l'eau.

La peinture à la caséine ou au babeurre, faite à partir d'un sous-produit du fromage, est une autre peinture à base d'eau, mais elle demeure hydrosoluble lorsque sèche. C'est une peinture douce que l'on peut polir par brunissage, pour lui donner un fini très lisse. On la trouve dans les boutiques de matériel d'artiste et chez certains fournisseurs spécialisés en peinture. Appliquez-la sur une surface poreuse ou par-dessus une couche de peinture à base d'alcool. Nettoyez vos pinceaux à l'eau.

La peinture céramique dont plusieurs types sont offerts, peut être à base d'eau ou d'huile. On la trouve dans les boutiques de matériel d'artiste. Vérifiez bien avant d'acheter, parce que certaines doivent être cuites au four pour durcir. Suivez les instructions du fabricant pour en connaître l'usage, et pour le nettoyage des pinceaux.

Les peintures métalliques sont très résistantes et adhèrent à la plupart des surfaces. On les trouve en aérosol ou en liquide, mais si vous utilisez la peinture en aérosol, pensez à travailler dans une pièce bien aérée ou mieux, à l'extérieur. Certains types peuvent servir à isoler la rouille, alors que d'autres doivent être appliqués seulement une fois que la rouille a été traitée et isolée. Lorsque sèches, ces peintures peuvent se dissoudre dans l'alcool dénaturé ou dans un solvant approprié, comme le xylène, l'acétone ou le toluène, recommandés par les fabricants. Suivez aussi les instructions du fabricant pour le nettoyage des pinceaux.

Les peintures émail, disponibles dans les boutiques de matériel d'artiste et dans certaines quincailleries, sont à base d'huile et peuvent être utilisées sur le métal, le verre, la céramique, le plastique et le bois. Diluez la peinture avec de la térébenthine ou de l'essence minérale dont vous vous servirez également pour nettoyer vos pinceaux.

Le vernis acrylique, qui est à base d'eau, est maintenant disponible à peu près partout où l'on vend d'autres peintures pour la maison. Il sèche rapidement et ne jaunit pas, et bien qu'il soit laiteux à l'application, il est clair une fois sec. Vérifiez-en la durabilité avant de l'acheter, parce que certains vernis sont plus

durables que d'autres. Le vernis peut être teinté avec des couleurs acryliques d'artiste, de la gouache ou des teintures universelles, qu'il faut diluer à l'eau avant de les ajouter au vernis. Quelques-unes des meilleures marques adhéreront aux surfaces non poreuses, mais les autres devront être utilisées comme des peintures au latex. Le vernis est à l'épreuve de l'eau lorsque sec, mais il vous faudra laver vos pinceaux à l'eau.

La laque est vendue chez les fournisseurs spécialisés et dans certaines quincailleries. On la trouve dans une grande gamme de qualités et de stades de raffinage, toutes étant à séchage rapide. On la trouve également en flocons, que l'on peut dissoudre dans de l'alcool dénaturé même lorsqu'ils sont secs. Utilisez le poli à poignée ou scellant abrasif pour les projets décrits dans ce chapitre. La laque adhère à la plupart des surfaces et on peut s'en servir pour sceller le bois naturel. On s'en sert souvent comme couche isolante entre deux peintures incompatibles. Lavez vos pinceaux à l'alcool dénaturé.

Le poli blanc, un genre de laque beaucoup plus raffiné, donne un fini transparent. Il se dissout dans l'alcool dénaturé même lorsqu'il est sec, et vous devez nettoyer vos pinceaux à l'alcool dénaturé. On le trouve aux mêmes endroits que les autres laques.

Le vernis à base d'huile contient des résines et des huiles qui causent son jaunissement avec le temps. Normalement, plus le vernis est dur – le vernis à bateaux par exemple –, plus il jaunit. Il est toutefois très durable, à l'épreuve de l'eau et disponible dans tous les magasins où l'on vend de la peinture et des vernis pour la maison. Il adhère à la plupart des surfaces et peut être teinté avec des peintures à l'huile d'artiste, qu'il faut diluer avec de l'essence minérale avant de les ajouter au vernis. Nettoyez vos pinceaux à l'essence minérale.

Le vernis à craqueler est un produit « deux étapes ». La première couche, à séchage lent, continue à sécher sous la seconde couche à séchage rapide, ce qui cause le craquelage de la couche supérieure. Le résultat peut être imprévisible, et le temps de séchage varie considérablement selon l'épaisseur de la couche, la circulation de l'air autour de l'objet peint, l'humidité, etc. Le vernis doit être patiné avec des peintures à l'huile d'artiste ou avec des poudres, pour révéler ses plus beaux effets de craquelures. Il est vendu en kit contenant un vernis à l'huile et un vernis à l'eau, mais des versions à base d'eau seulement sont également offertes. Les marques dont la première couche est à base d'huile s'utilisent sur la plupart des surfaces. Lisez les instructions du fabricant avant de commencer. Vous trouverez le vernis à craqueler dans les magasins spécialisés en peinture et dans certaines boutiques de matériel d'artiste.

La cire est vendue partout, claire ou dans différentes couleurs de bois. Elle est très utile pour donner une patine antique à une surface, et on peut aussi la teinter avec des peintures à l'huile d'artiste ou avec du poli à chaussures. La cire doit toujours être la touche finale: n'essayez pas de mettre du vernis par-dessus. Même si la surface est à l'épreuve de l'eau, il vous faudra la cirer régulièrement. Servez-vous d'essence minérale pour nettoyer vos pinceaux.

Les liquides à patine antique peuvent être achetés déjà préparés, ou vous pouvez les faire vous-même en mélangeant des peintures à l'huile d'artiste et de l'essence minérale. La consistance peut varier de la crème épaisse à très liquide. On utilise en général les couleurs de terre: terre d'ombre naturelle, terre d'ombre brûlée, vert d'ombre et gris de Payne, par exemple.

Vernis à craqueler, un: couche à base d'huile

Vernis à craqueler, deux: couche à base d'eau

Vernis à base d'huile teinté à la terre d'ombre naturelle

Cire colorée de style antique

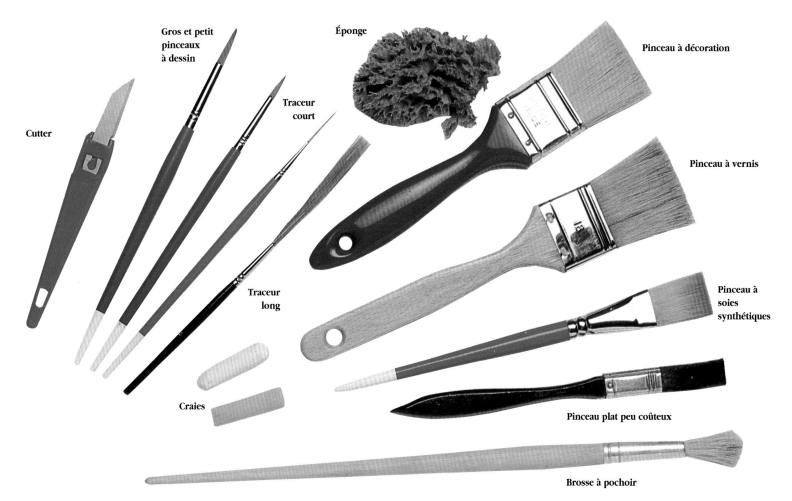

Cutter

Gros et petit pinceaux à dessin

Éponge

Pinceau à décoration

Traceur court

Pinceau à vernis

Traceur long

Pinceau à soies synthétiques

Craies

Pinceau plat peu coûteux

Brosse à pochoir

PINCEAUX

Vous aurez besoin de quelques pinceaux pour réaliser les projets décrits ici. Les meilleurs coûtent cher, mais si vous en prenez soin, ils dureront pendant des années. On trouve des pinceaux moins coûteux, et si vous ne projetez pas de grands travaux de peinture, ils peuvent fort bien convenir. Ne vous attendez toutefois pas à ce qu'ils durent longtemps. Essayez de toujours utiliser un pinceau approprié au type de projet et au genre de peinture que vous appliquez.

Les pinceaux à vernis sont plats. On en trouve de plusieurs tailles et sortes, allant des soies naturelles aux fibres synthétiques. En général, les pinceaux synthétiques sont préférables pour appliquer des peintures et des vernis à base d'eau, parce qu'ils offrent un meilleur flux et n'ont pas tendance à laisser des marques, mais ils ne sont pas obligatoires. Vous pouvez vous servir d'un pinceau à vernis pour la peinture, surtout lorsque

vous décorez des petits objets, mais en général il est préférable de prendre des pinceaux différents pour la peinture et pour le vernis, ainsi que pour les produits à base d'eau et d'huile.

Les pinceaux plats peu coûteux ont des soies plus épaisses que les brosses à vernis, bien qu'on les trouve aussi de différents types et largeurs. Pour appliquer de la peinture, prenez le pinceau le plus large possible, simplement parce qu'il vous permet de couvrir la surface plus rapidement. Si vous projetez de travailler seulement sur de petits objets, vous n'aurez sans doute pas besoin d'un pinceau plat; un choix de brosses à vernis fera l'affaire. Cela vaut quand même le coup d'acheter un ou deux pinceaux dont vous vous servirez pour la laque, parce que l'alcool dénaturé qu'elle contient ruinera vos pinceaux.

Les brosses en soies de porc sont utilisées pour la peinture à l'huile. On les trouve dans les boutiques de matériel d'artiste. Normalement, leur manche est long et leurs soies courtes et drues, et elles sont de tailles et de formes variées. Ces brosses

sont utiles pour éclabousser et pour mélanger peinture et vernis, mais elles ne sont pas obligatoires.

Également disponibles dans les boutiques de matériel d'artiste, **les pinceaux à dessin** sont offerts en plusieurs grandeurs et avec différents types de soies. Les vrais bons pinceaux peuvent coûter cher, et si vous vous servez d'acrylique, il est préférable d'utiliser une brosse synthétique. (En fait, les pinceaux à aquarelle de la meilleure qualité ne devraient pas être utilisés pour les projets présentés dans ce chapitre.) Les plus utiles pour commencer sont les nᵒˢ 4, 6 et 9.

Les traceurs de lignes sont utilisés pour peindre des lignes à main levée. Ils peuvent paraître intimidants, mais ils vous facilitent la tâche. Leurs longues soies, toutes de la même longueur, sont en forme de larme, afin que la ligne ait la même largeur d'un bout à l'autre. On les trouve avec des soies longues ou courtes et en plusieurs largeurs. Les soies courtes servent à peindre les courbes et les lignes courtes. Pour les projets de ce chapitre, le pinceau nᵒ 1 vous sera le plus utile.

ÉQUIPEMENT ADDITIONNEL

En plus des peintures et des pinceaux, vous aurez besoin des articles qui suivent pour réaliser vos projets.

◊ Éponge naturelle: son contour irrégulier produit différents motifs lorsque vous l'utilisez pour éponger. Mettez-la toujours dans l'eau avant de l'utiliser, pour l'adoucir, et ne la laissez jamais tremper dans des solvants corrosifs. Les éponges synthétiques ne sont pas une bonne solution de rechange.

◊ Cutter: il est peu coûteux et toujours utile. On en trouve qui sont jetables. Jetez les lames usagées en prenant les précautions d'usage.

◊ Laine d'acier: vous pouvez en acheter de plusieurs grosseurs. La plus fine, la 0000, sert au brunissage.

◊ Papier de verre: vous vous servirez de papier de verre ordinaire de différents grains, ou de papier humide et sec.

◊ Craie: la craie pour ardoise est pratique pour planifier vos dessins sur les meubles et autres gros objets. Faites attention à la craie de couleur qui pourrait tacher votre travail.

◊ Papier à décalquer pour traçage à plat: on se sert de papier exempt de cire pour reproduire les dessins sur la plupart des surfaces, et ceux-ci s'enlèvent facilement avec un linge humide. Ce papier est indispensable si vous projetez de tracer de nombreux dessins, et on le trouve en plusieurs couleurs. Vous pouvez choisir de vous servir d'un crayon de plomb à mine tendre pour tracer l'envers de votre dessin, avant de le tracer à l'endroit avec un crayon à mine dure bien taillé. Le papier carbone ordinaire est légèrement ciré: il est impossible de peindre par-dessus, et il peut tacher.

◊ Papier-calque: il existe un film transparent idéal pour reproduire des dessins.

◊ Stylos à dessin: la plupart des stylos à dessin sont à pointe fine, mais il est bon de les tester avant de les utiliser, pour vous assurer qu'ils ne couleront pas lors du vernissage. Pour les projets de ce chapitre, vous aurez besoin de stylos à l'épreuve de l'alcool, vendus dans les bonnes papeteries.

TECHNIQUES

PRÉPARATION DES SURFACES

Bois naturel

Le bois naturel doit être préparé, normalement avec un apprêt à peinture à l'huile ou à l'eau, ou avec une laque/scellant abrasif. Il n'y a à peu près pas de limites aux genres de peintures et de vernis que l'on peut utiliser, et le bois nu peut être teint avant d'être apprêté.

Bois verni

Avant d'appliquer une peinture au latex, poncez l'objet avec un papier de verre à gros ou moyen grain, pour permettre à la peinture d'adhérer à la surface. Si le ponçage expose beaucoup de bois nu, appliquez une couche d'apprêt acrylique/

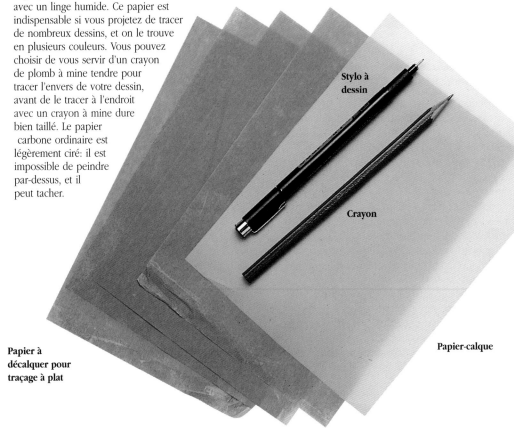

Stylo à dessin

Crayon

Papier à décalquer pour traçage à plat

Papier-calque

couche de fond, ou une couche de laque/scellant abrasif. Tous les types de peinture et de vernis peuvent être utilisés par-dessus le latex.

Assurez-vous que la surface est en bon état avant de la couvrir d'une couche de peinture ou de vernis à base d'huile. Après avoir enlevé le vernis qui se détache, vous devrez poncer légèrement avec un papier de verre fin ou moyen, pour permettre aux prochaines couches de peinture d'y adhérer. Seuls les produits à l'huile et à l'alcool peuvent être utilisés par-dessus les couches à base d'huile.

Bois peint

Si un objet est déjà peint avec un fini à base d'eau, du moment que le fini est en bon état, vous pouvez peindre par-dessus avec n'importe quelle sorte de peinture. Si la peinture existante est à base d'huile, on peut encore utiliser une peinture à base d'eau, surtout si la première a été appliquée il y a un bon moment, parce que les huiles qui résistent à l'eau auront eu le temps de sécher. Il pourrait suffire de poncer légèrement la surface pour permettre à la nouvelle peinture d'y adhérer. Préparez la surface de la même façon si vous vous proposez d'utiliser une peinture à l'huile.

Une autre façon de faire consiste à poncer légèrement la surface, puis à appliquer une couche isolante de laque, compatible à la fois avec les peintures à l'eau et à l'huile.

Si la couche d'origine est écaillée, vous devrez la réparer avec un apprêt. Si la peinture d'origine a été mal appliquée et qu'elle a coulé, mieux vaut l'enlever complètement avant de commencer. Il existe de nombreux solvants à peinture dans le commerce. Lisez toujours les instructions du fabricant avant de commencer, ou, si l'objet est transportable, faites faire ce travail par des professionnels.

Panneau d'aggloméré de densité moyenne

Il faut traiter ce matériau recomposé de la même manière que vous le feriez pour le bois ordinaire.

Métal

Servez-vous d'une brosse métallique pour enlever la rouille qui s'écaille, puis utilisez un solvant à rouille pour empêcher que le métal ne continue de se détériorer à cause de la corrosion. Appliquez une couche d'apprêt à métal avant de donner une couche de peinture métallique ou à base d'huile.

Certaines peintures font presque tout le travail à votre place: tout ce qui vous reste à faire, c'est d'enlever la rouille qui se soulève. Suivez les instructions du fabricant.

COUPS DE PINCEAU

Dans la peinture populaire traditionnelle, la plupart des dessins apparaissant sur les meubles peints sont très stylisés. Si vous regardez les meubles, bateaux et carrioles traditionnels scandinaves, européens et nord-américains, vous verrez qu'en général les dessins y sont réalisés avec des coups de pinceau très simples. Ce style n'était pas seulement rapide à réaliser, il donnait aussi une impression de spontanéité et de mouvement impossible à reproduire simplement en coloriant des formes. Il faut un peu de temps et d'efforts pour maîtriser la technique, mais cela vaut le coup de s'exercer sur du papier brouillon avant de commencer.

Répétez les mouvements décrits plus bas jusqu'à ce que vous sentiez bien comment et quand retourner votre pinceau. Pour que les coups de pinceau soient beaux, il faudra les exécuter assez rapidement et d'un seul mouvement, mais cela pourrait vous aider de travailler votre coup de pinceau au « ralenti » avant de commencer. Les mêmes règles s'appliquent que vous soyez gaucher ou droitier. Le manche du pinceau doit toujours être tourné vers l'intérieur de la courbe. Ainsi, pour les coups de pinceau orientés vers l'extérieur, tournez le manche dans le sens des aiguilles d'une montre.

Les coups de pinceau illustrés ici sont simplement un guide. Si vous les maîtrisez, vous serez capable de peindre sans problème et rapidement. Ce n'est cependant pas la seule façon de peindre, et si vous avez un style et une technique avec lesquels vous vous sentez à l'aise et qui vous permettent d'obtenir les résultats escomptés, c'est parfait. Il n'y a pas deux artistes qui travaillent de la même façon, c'est d'ailleurs ce qui fait que ce passe-temps soit aussi personnel et stimulant.

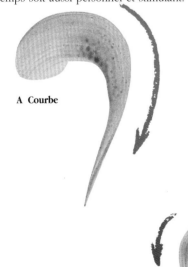

A Courbe

À droite: **Peignez chaque rose du début à la fin; il faut que la peinture reste humide pour pouvoir mélanger les couleurs.**

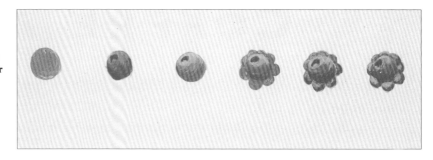

Lignes à main levée

Servez-vous d'un traceur ou d'un traceur à lame dont les longues soies vous aideront à réussir une ligne droite de la même largeur d'un bout à l'autre. Chargez bien tout le pinceau en le trempant dans la peinture sans faire tourner les soies Placez toute la longueur des soies à plat, en tenant la virole loin de la surface. Ramenez toujours le pinceau vers vous, car votre bras se déplacera naturellement en arc si vous peignez d'un côté à l'autre. Si vous peignez près d'un bord, placez votre auriculaire sur le bord pour supporter votre main. Cela vous aidera à réussir une ligne droite. Placez toujours une bordure droite – une règle par exemple – à environ 2,5 cm (1 po) de la ligne que vous dessinez, de manière à ce que votre œil s'en serve comme d'un guide, mais ne peignez jamais en suivant la ligne de la règle. Les petits tremblements et les lignes inégales peuvent être rectifiés en repassant par-dessus une fois que le dessin est sec. À mesure que vous approchez de la fin de la ligne, commencez à lever votre pinceau. Ayez un linge humide à portée de main pour pouvoir nettoyer les petits dégâts.

Roses

Terminez chaque rose avant de vous déplacer vers la suivante, car la peinture doit demeurer humide

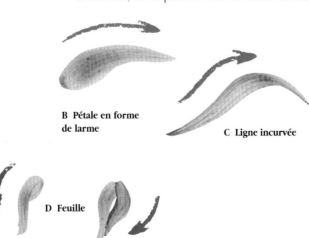

B Pétale en forme de larme

C Ligne incurvée

D Feuille

pour pouvoir mélanger les couleurs. Avant de commencer, mélangez un ton clair, un ton moyen et un ton foncé de la même couleur sur votre palette. Lorsque vous peignez une chose devant paraître tridimensionnelle, il faut décider de la position d'une source imaginaire de lumière, et toujours ombrer et éclairer en conséquence. Dans nos exemples, la lumière vient toujours du côté haut à gauche.

Servez-vous du ton moyen pour peindre une balle. Ajoutez de l'ombre en bas à droite avec le plus foncé et faites un point foncé au sommet gauche pour représenter le cœur de la fleur. Éclairez en haut à gauche avec le ton le plus clair, puis servez-vous du ton moyen pour peindre les pétales. Ombrez les pétales en bas à droite de la rose, avant d'éclairer les pétales en haut à droite et en haut à gauche de la rose.

Courbes et pétales

Servez-vous d'un pinceau à dessin à bout rond et pressez les soies fermement à plat, en le tournant dans le sens contraire des aiguilles d'une montre, pendant que vous le glissez de côté **(A)**. Graduellement, levez votre pinceau pendant que vous dessinez l'arc, toujours en tournant les soies pour donner une pointe nette.

Pour peindre un pétale en forme de larme **(B)**, utilisez un pinceau à dessin à bout rond et mettez-le bien à plat, puis relevez-le en le faisant pivoter dans le sens contraire des aiguilles d'une montre, pour que les soies se reforment en pointe fine.

Utilisez une brosse à dessin pointue pour peindre une ligne incurvée **(C)**. Placez uniquement le bout du pinceau sur la surface, en y mettant un peu plus de pression à mesure que vous le déplacez pour augmenter la largeur de la ligne. Puis, faites-le pivoter dans le sens contraire des aiguilles d'une montre, tout en le soulevant de nouveau pour réaliser la pointe.

Peignez une feuille en deux coups de pinceau **(D)**. Travaillez de la même façon que pour la forme de larme, mais dessinez cette fois un S souple. Donnez un deuxième coup de pinceau juste à côté du premier.

COFFRE À JOUETS

Pour débuter, voici un projet tout simple qui ne requiert pas de talent artistique particulier. Souvenez-vous que votre coffre doit avoir l'air peint à la main, alors ne vous inquiétez pas outre mesure si les lignes ne sont pas absolument droites. L'objet perdra de son charme s'il semble avoir été imprimé à la machine.

Il vous faudra

◊ coffre rectangulaire: le nôtre mesure 48,3 cm x 30 cm x 23 cm (19 po x 12 po x 9 po)
◊ apprêt acrylique/couche de fond
◊ papier de verre
◊ pinceau plat à vernis de 2,5 cm (1 po)
◊ peinture au latex jaune
◊ règle et craie
◊ peintures au latex ou acryliques d'artiste rose et verte
◊ soucoupe ou assiette (pour mélanger la peinture)
◊ traceur de lignes
◊ vernis à base d'eau et pinceau à vernis

1 Préparez le coffre. Si le bois n'est pas traité, scellez-le avec un apprêt acrylique/couche de fond. Lorsqu'il est sec, poncez légèrement (voir Préparation des surfaces, page 86). Appliquez une couche de latex jaune et laissez sécher. Trouvez le milieu de chaque côté et faites une marque à la craie, puis diluez une petite quantité de rose dans l'eau. Servez-vous d'une brosse à vernis plate pour peindre les bandes roses. Ne la chargez pas trop. La largeur des bandes doit être égale à celle des soies. Si vous préférez, tracez toutes les lignes à la craie avant de commencer.

TRUCS

Ramenez toujours le pinceau vers vous lorsque vous peignez des lignes droites. Penchez le coffre vers vous avec votre main libre et tenez-le en équilibre sur son bord. Pendant que vous ramenez le pinceau vers vous, repoussez lentement le coffre vers l'arrière. Vous ne bougerez à peu près pas votre bras et réussirez une ligne droite beaucoup plus facilement.

Pour tracer de minces filets, il vous faut très peu de peinture. Essayez les petits contenants d'essai offerts par certains fabricants de peinture. Ils coûtent moins cher que les peintures acryliques d'artiste; vous éviterez ainsi les pertes inutiles.

2 Laissez sécher la peinture rose, puis diluez la peinture verte. Travaillez de la même façon, mais à angle droit par rapport aux bandes roses. L'espace entre les bandes roses et les bandes vertes devrait être plus étroit que celui entre les bandes roses.

3 Servez-vous d'un traceur de lignes et de peinture rose pour tracer deux lignes parallèles entre les bandes roses. Utilisez ensuite le vert pour peindre une ligne entre les bandes vertes. Finissez l'extérieur du coffre en peignant la bordure moulée avec le latex vert non dilué. Donnez une couche d'apprêt à l'intérieur avant d'y appliquer le latex vert.

4 Appliquez une couche de vernis à base d'eau sur toutes les surfaces du coffre. Comme il devra subir de fréquentes manipulations, servez-vous d'un vernis à parquet durable dont vous étendrez trois ou quatre couches, en laissant sécher complètement chaque couche avant d'appliquer la suivante.

ARROSOIR

Ce joli arrosoir tout simple fera de l'arrosage de vos plantes d'intérieur un plaisir à chaque fois renouvelé.
Nous avons choisi un motif représentant un étang artificiel – poissons rouges et libellules –
dont les lignes sont faciles à tracer et à colorier, de sorte qu'il ne requiert aucun talent artistique particulier.

Il vous faudra

◊ arrosoir de métal
◊ peinture métallique bleue (nous avons utilisé
  une peinture avec un fini martelé)
◊ pinceau pour peinture métallique
◊ solvant pour nettoyer le pinceau
  (voir les instructions du fabricant)
◊ papier-calque
◊ papier à décalquer
◊ crayon
◊ ruban adhésif
◊ peintures acryliques d'artiste blanche,
  rouge et jaune de cadmium, turquoise
  et bleu phthalocyanines
◊ soucoupe ou assiette (pour mélanger la peinture)
◊ pinceau à dessin n⁰ 4
◊ vernis et pinceau à vernis

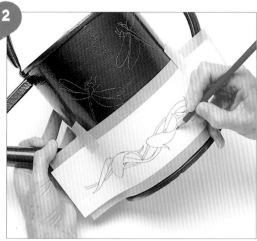

1 Couvrez l'arrosoir avec une couche de peinture métallique. Certaines peintures métalliques sont très épaisses et peuvent dégouliner ou couler au séchage. Gardez votre pinceau à portée de main et surveillez l'arrosoir jusqu'à ce que la peinture soit sèche.

2 Reproduisez le dessin du poisson (voir page 120) sur le papier-calque que vous fixerez autour de la base de l'arrosoir avec du ruban adhésif. Insérez le papier à décalquer et servez-vous d'un crayon bien taillé pour tracer par-dessus le dessin. Copiez et reportez les libellules (voir page 120) de la même manière.

3 Utilisez deux tons d'acrylique bleu pour peindre les vagues entre les poissons, pour suggérer l'eau.

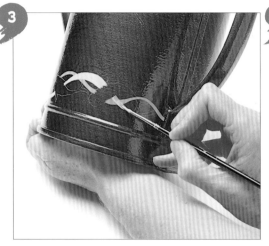

4 Mélangez le rouge et le jaune pour obtenir une riche couleur orange et peignez le poisson rouge. Éclairez le haut de chaque poisson avec un mince trait jaune.

5 Peignez les libellules en blanc. Cette étape est nécessaire parce que l'arrière-plan est foncé, et on ne pourrait pas les voir autrement.

6 Laissez sécher la peinture blanche avant d'appliquer un lavis turquoise. En mélangeant simplement le turquoise et le blanc, vous auriez obtenu un ton pastel, mais le fait d'appliquer le turquoise par-dessus le blanc donne une couleur vibrante.

7 Décorez le rebord et la poignée du bec de l'arrosoir avec des petites vagues orangées, pour rappeler la couleur du poisson.

8 Appliquez plusieurs couches de vernis en laissant sécher chacune avant d'appliquer la suivante.

TRUC

Certains solvants recommandés pour nettoyer les pinceaux pour peintures métalliques sont très chers. Il sera plus économique de vous servir de pinceaux peu coûteux, que vous pourrez jeter après usage.

CADRE POUR MIROIR

Ce joli cadre dessiné à la main a l'apparence du bois incrusté, mais en vérité, le dessin est aussi simple qu'il peut sembler complexe, car les motifs sont tracés sur le bois, alors que la peinture est appliquée autour. Choisissez un cadre de bois léger et sans relief.

Il vous faudra
◊ cadre en bois
◊ règle et crayon
◊ laque et pinceau peu coûteux
◊ papier de verre
◊ papier-calque
◊ papier à décalquer
◊ ruban adhésif
◊ stylo à dessin à l'épreuve de l'alcool
◊ petit pinceau à dessin
◊ peinture acrylique d'artiste noire
◊ alcool dénaturé (pour nettoyer le pinceau)
◊ poli blanc
◊ laine d'acier fine: 0000

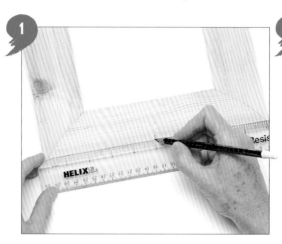

1 Servez-vous d'une règle et d'un crayon pour marquer le milieu de chaque côté du cadre.

2 Appliquez une couche de laque sur le cadre, pour sceller le bois. Lorsque la laque est sèche, poncez légèrement pour enlever la rugosité du grain soulevé.

3 Reproduisez le motif (voir page 120) sur le papier-calque, et centrez-le sur les côtés du cadre, en vous guidant sur les marques faites à l'étape 1. Fixez le papier-calque avec du ruban adhésif, et faites glisser le papier à décalquer par-dessous. Servez-vous d'un crayon bien taillé pour repasser sur les lignes.

4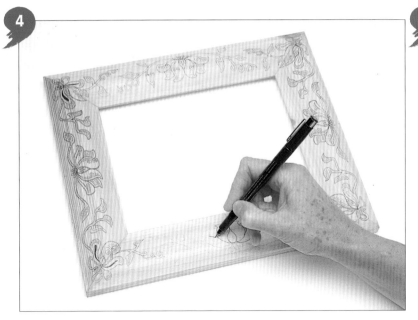

4 Passez sur les lignes tracées avec un stylo à dessin. Pour les coins, vous devrez peut-être modifier la position du motif, si votre cadre n'a pas les mêmes dimensions que le nôtre. Si nécessaire, ajoutez des feuilles ou dessinez des tiges plus longues de façon à ce que le dessin convienne, mais veillez à garder les mêmes proportions partout. Vous pouvez choisir de redessiner le motif sur un papier-calque propre avant de le reproduire sur le cadre.

5

5 Avec un petit pinceau à dessin et de la peinture acrylique noire, colorez soigneusement l'arrière-plan, de manière à ce que le dessin apparaisse en relief. Il faudra probablement deux couches pour bien couvrir le cadre, alors n'oubliez pas de laisser sécher la première couche avant d'appliquer la seconde.

6

6 Quand le cadre est peint en entier et complètement sec, appliquez une couche de poli blanc. Laissez sécher environ 15 minutes.

7

7 Frottez doucement le cadre avec de la laine d'acier pour lui donner un fini velouté. Appliquez plusieurs couches de poli blanc, en laissant sécher chaque couche avant le brunissage. Ne poncez pas la couche finale.

PLATEAU

L'art naïf a quelque chose de très rafraîchissant. À l'origine, ces dessins servaient à illustrer des événements et des objets de la vie quotidienne, et comme ils ne sont pas l'œuvre de grands artistes, leur charme et leur humour captivent. Les animaux d'élevage étaient un sujet fort populaire qui convient parfaitement à un plateau de cuisine. Nous avons choisi un mouton et avons fini le dessin avec quelques lignes à main levée.

Il vous faudra

◊ plateau (le nôtre est en bois; si vous utilisez un autre genre de plateau, référez-vous à la rubrique Préparation des surfaces, à la page 86, avant de commencer)
◊ laque et pinceau
◊ papier de verre fin
◊ peinture au latex bleu-vert foncé
◊ papier-calque
◊ crayon
◊ ruban adhésif
◊ papier à décalquer
◊ peintures acryliques d'artiste blanche, terre d'ombre naturelle et noire
◊ pinceaux à dessin nos 8 ou 9 et 4
◊ soucoupe ou assiette (pour mélanger la peinture)
◊ traceur court
◊ vernis et pinceau à vernis

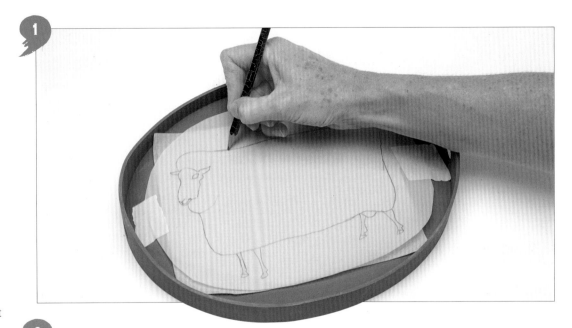

1 Scellez le plateau avec une couche de laque. Poncez légèrement pour adoucir la surface, avant d'appliquer une couche de latex bleu-vert. Reproduisez le dessin (voir page 120) sur le papier-calque, fixez-le en position avec le ruban adhésif, et servez-vous du papier à décalquer pour reproduire le modèle sur le plateau.

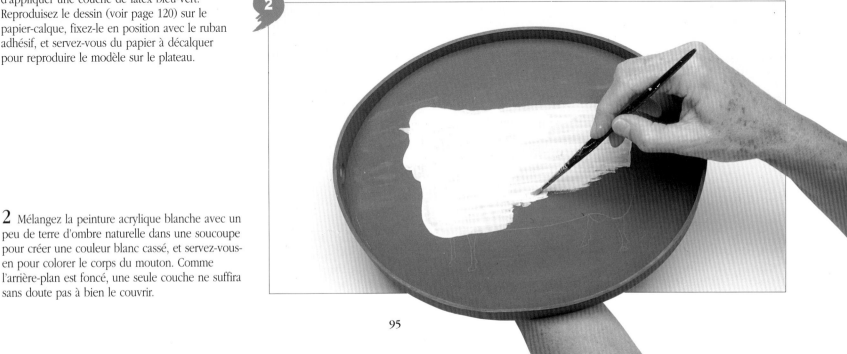

2 Mélangez la peinture acrylique blanche avec un peu de terre d'ombre naturelle dans une soucoupe pour créer une couleur blanc cassé, et servez-vous-en pour colorer le corps du mouton. Comme l'arrière-plan est foncé, une seule couche ne suffira sans doute pas à bien le couvrir.

3 Quand la première couche de peinture est sèche, servez-vous de la même couleur pour appliquer une seconde couche en pointillé grossier, pour imiter la texture de la toison.

4 Ajoutez plus de terre d'ombre naturelle à la couleur de départ, et nuancez le corps du mouton en ajoutant de l'ombre sous le ventre, à l'arrière et autour du cou, pour créer un effet tridimensionnel.

5 Servez-vous de la terre d'ombre naturelle mélangée à un peu de blanc pour peindre les détails de la tête: yeux, mufle et oreilles, et pour ombrer sous le menton. Utilisez l'acrylique noir pour les pupilles et pour les pattes.

6 La peinture acrylique blanche doit servir à mettre un éclat dans l'œil et à éclairez les sabots.

7 Tenez le plateau par le côté pour que l'une de ses extrémités soit face à vous. En vous servant d'un traceur et de peinture blanche ou blanc cassé, dessinez une ligne autour du bord extérieur du plateau, tout près du rebord supérieur.

TRUC

Ayez un linge humide à portée de la main quand vous peignez des lignes à main levée. Vous pouvez réparer toute erreur sérieuse à condition de le faire avant que la peinture n'ait le temps de sécher. Si la ligne tremble légèrement, laissez-la sécher avant de repasser par-dessus. On répare normalement les petites erreurs de cette façon.

8 Utilisez un pinceau fin à dessin pour peindre le bord supérieur du plateau. Tenez-le de manière à ce que son côté soit à plat sur le bord supérieur, et réalisez une belle ligne nette tout autour. Pour finir, appliquez une couche de vernis.

TRUC

On trouve un grand choix de vernis dans le commerce. Gardez toujours à l'esprit l'usage que vous voulez faire de l'objet à vernir. Un plateau, par exemple, a de bonnes chances de recevoir des tasses chaudes; alors pour éviter que votre beau travail soit ruiné, il faut choisir un vernis assez durable pour supporter une chaleur intense.

CHAISE

Nous possédons tous des meubles qui ont connu des jours meilleurs, mais l'idée de nous en séparer nous attriste. Du moment que leur forme est attrayante, il y a mille façons de les transformer en pièces magnifiques. Le fini que nous décrivons ici conviendrait à un décor d'époque et se marierait bien avec d'autres antiquités.

Il vous faudra

◊ chaise
◊ papier de verre à gros grain
◊ apprêt acrylique/couche de fond
◊ pinceau plat de 2,5 cm à 4 cm (1 po à 1 ½ po)
◊ peintures au latex blanche et bleu-vert foncé
◊ alcool dénaturé
◊ papier absorbant ou vieux chiffon
◊ craie
◊ papier-calque
◊ crayon
◊ papier à décalquer
◊ ruban adhésif
◊ peintures acryliques d'artiste vert de Hooker, bleu et blanc phthalocyanines
◊ soucoupe ou assiette (pour mélanger la peinture)
◊ pinceau à dessin n⁰ 4
◊ vernis et pinceau à vernis

1 Cette chaise abîmée et rayée gardait des traces de son vernis original qui, vu l'âge de la chaise, était probablement de la laque. Comme la chaise recevra plusieurs couches de peinture, servez-vous de papier de verre à gros grain pour enlever le vieux fini. Si possible, travaillez à l'extérieur, parce que cela est très salissant. Si vous devez le faire à l'intérieur, portez un masque et veillez à ce que la pièce soit bien aérée.

2 Une fois que votre chaise a retrouvé l'apparence du bois naturel, scellez-la avec un apprêt ou couche de fond acrylique. Peignez d'abord les pieds et les montants, puis autour des montants tournés. Si les pieds ne sont pas tournés, suivez le grain du bois et peignez par petits coups de haut en bas. Retournez ensuite la chaise à l'endroit pour peindre le dossier.

3 Appliquez trois couches de latex blanc en laissant sécher complètement après chaque couche. Peignez du mieux que vous le pouvez, parce que les coups de pinceau paraîtront quand vous aurez terminé. Quand le latex blanc est sec, appliquez une couche de latex bleu-vert foncé dilué: une part de peinture pour cinq parts d'eau. Laissez sécher.

4 Humectez du papier absorbant ou un vieux chiffon avec de l'alcool dénaturé, et frottez soigneusement la chaise, une section à la fois. L'alcool dénaturé est un solvant pour la peinture au latex sèche, alors allez-y avec grand soin, car vous pourriez enlever non seulement le bleu-vert pâle, mais aussi assez de latex blanc pour faire réapparaître le bois. Vous devez obtenir un aspect granuleux, le bleu-vert ressortant sur les marques de pinceau, alors que le blanc pointe à travers.

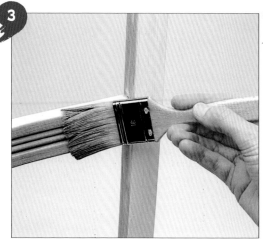

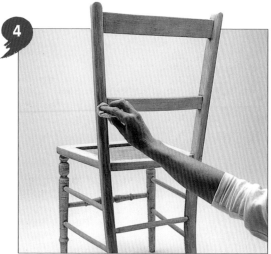

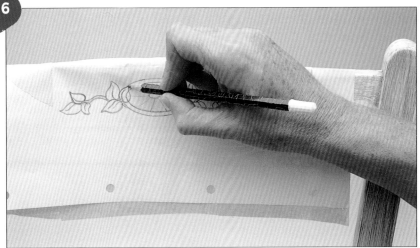

5 Pour toutes les parties tournées, moulées ou sculptées, ne frottez pas dans les creux, de manière à ce que le bleu-vert ne soit pas enlevé et que ces derniers demeurent assez foncés. Pour les parties en relief, enlevez plus de bleu-vert, de façon à ce qu'elles apparaissent plus claires que le corps de la chaise. Cela aidera à souligner les détails de la forme de la chaise.

6 Avec la craie, marquez le milieu du dossier. Reproduisez le dessin (voir page 120) sur le papier-calque et fixez-le au centre du dossier avec du ruban adhésif. Avec du papier à décalquer et un crayon bien taillé, reproduisez le dessin sur la chaise.

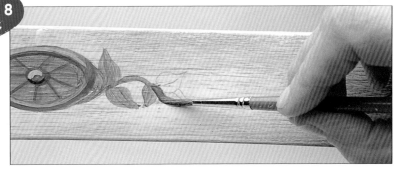

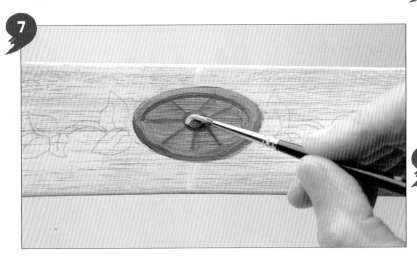

7 Mélangez les peintures acryliques verte et bleue avec un peu de blanc, et servez-vous-en pour colorer l'ovale central. Pour donner de la profondeur au dessin, il faudra y ajouter l'ombre et la lumière. Nous avons décidé que la lumière émanait du haut gauche et avons placé une ombre sous l'ovale, à droite de la courbe, puis en haut à gauche de la courbe intérieure, là où la rondeur imaginaire de la moulure extérieure de l'ovale aurait projeté une ombre. Peignez des lignes foncées irradiant du centre vers les bords intérieurs. Ajoutez plus de blanc à la couleur originale et éclairez les facettes qui font face à la source de lumière. Dans le cas illustré, c'était le côté gauche en haut, le bord droit intérieur au bas de l'ovale, et le côté gauche de l'ovale central.

8 Servez-vous d'un ton de vert légèrement plus foncé pour colorer les tiges et les feuilles de chaque côté de l'ovale.

9 Avec un vert encore plus foncé, mettez de l'ombre sur les feuilles, en respectant la même source imaginaire de lumière qu'à l'étape 7. Ajoutez aussi de l'ombre sur le bord inférieur de la tige, en traçant une fine ligne verte.

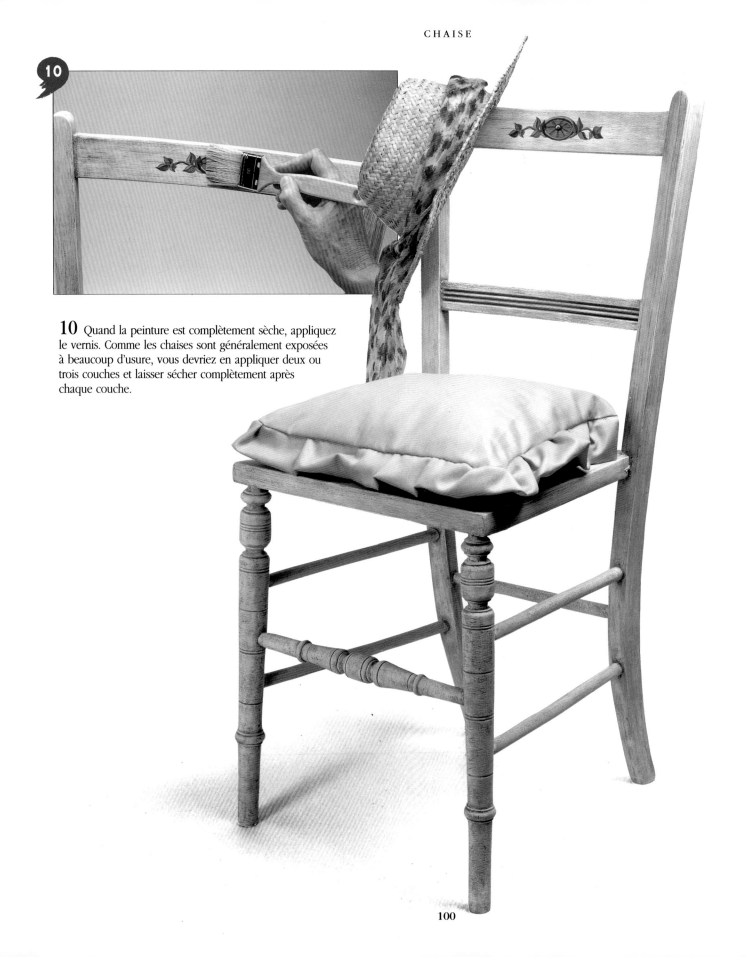

10 Quand la peinture est complètement sèche, appliquez le vernis. Comme les chaises sont généralement exposées à beaucoup d'usure, vous devriez en appliquer deux ou trois couches et laisser sécher complètement après chaque couche.

Boîte en forme de livre

Il est agréable de pouvoir personnaliser des objets, surtout si vous projetez de les offrir en cadeau.
Cette boîte avait déjà la forme d'un livre, ce qui nous a donné envie d'y ajouter une initiale en enluminure,
mais la décoration en aurait été un peu limitée. Le modèle que voici permet d'y inscrire différents caractères.
Vous trouverez des livres avec différents styles de lettrage que vous pourrez adapter à votre guise.

Il vous faudra

◊ boîte
◊ laque ou apprêt acrylique/couche de fond
◊ pinceau pour laque
◊ papier de verre
◊ peinture au latex bleue
◊ pinceau de 2,5 cm (1 po)
◊ peintures au latex ou acryliques d'artiste blanche, bleue, jaune, rouge vénitien, noire et vert de Hooker
◊ soucoupe ou assiette (pour mélanger la peinture)
◊ éponge naturelle
◊ petit pinceau à soies dures, comme une brosse en soies de porc
◊ crayon et règle
◊ traceur court
◊ papier-calque
◊ ruban adhésif
◊ papier à décalquer
◊ pinceau à dessin n° 4
◊ vernis et pinceau à vernis

1 Scellez la boîte avec un apprêt acrylique/couche de fond et poncez légèrement lorsque sec. Appliquez une couche de latex bleu, puis mélangez deux tons de bleu, l'un plus clair et l'autre plus foncé que la couleur de base, en diluant chacun dans environ cinq parties d'eau. Avec un pinceau, mettez un peu de peinture sur l'éponge humide. Ne plongez pas l'éponge dans la peinture pour ne pas trop l'imbiber.

2 Épongez la surface de la boîte par petits coups légers. De temps à autre, retournez l'éponge (pas sur la boîte) de manière à ce que le motif varie. Répétez avec la deuxième couleur en remplissant tous les espaces.

3 Mélangez un autre ton de bleu (ou une autre couleur si vous préférez) et servez-vous d'une brosse à soies dures pour éclabousser la surface, en passant votre doigt sur les soies pour produire de minuscules mouchetures.

4 Servez-vous d'une règle et d'un crayon pour tracer sur le devant de la boîte un rectangle plus petit que la boîte d'environ 2,5 cm (1 po). Peignez-le en jaune et laissez sécher. Peignez le même espace en rouge, en diluant un peu la peinture pour que le jaune pointe à travers. Peignez soigneusement pour éviter les marques de pinceau.

5 Avec un traceur de lignes, faites le contour du rectangle en vert, puis peignez une autre ligne verte à environ 1,25 cm (½ po) à l'extérieur du rectangle. Entre les deux, peignez des lignes jaunes, en laissant une ligne bleue au centre.

6 Calquez le lettrage en vous servant du motif de la page 120 si vous le désirez. Centrez-le bien avant de le fixer avec du ruban adhésif au haut de la boîte. Servez-vous de papier à décalquer pour le reproduire. Faites la même chose avec les initiales de votre choix.

7 Colorez le lettrage en noir en vous servant d'un petit pinceau fin.

8 Éclairez les lettres avec le jaune avant de vernir la boîte pour la protéger.

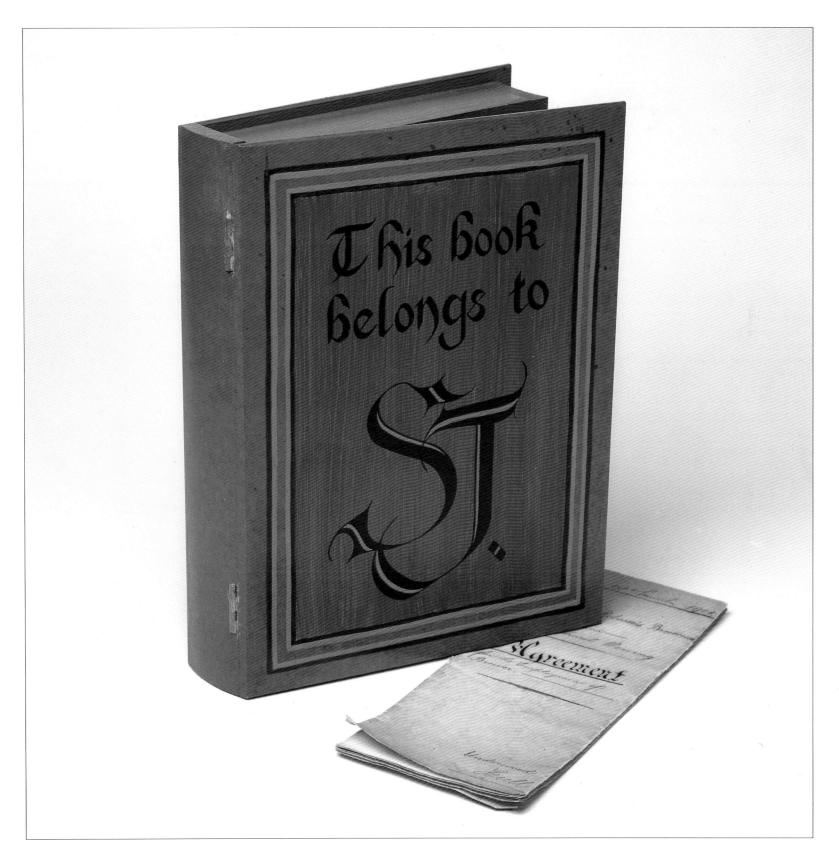

ASSIETTE COMMÉMORATIVE

Une assiette peinte à la main pour une occasion spéciale est une manière fort originale de montrer que vous n'avez pas oublié. Vous pourriez reprendre la même idée pour créer un cadeau de pendaison de crémaillère, par exemple en remplaçant le nom de l'enfant par la nouvelle adresse. Nous avons utilisé une assiette en émail peu coûteuse et choisi un dessin de facture traditionnelle. Libre à vous d'appliquer la même technique à d'autres objets émaillés.

Il vous faudra
◊ assiette en émail blanc
◊ craie de couleur
◊ peintures émail d'artiste rouge, blanche, vert pâle et vert foncé
◊ pinceau à dessin n° 4
◊ essence minérale (pour nettoyer le pinceau)

1 Indiquez la position des lettres du prénom à la craie, en veillant à ce que les espaces entre les lettres soient égaux. Peignez le prénom avec le vert pâle.

2 Ombrez les lettres avec le vert foncé, en pensant à votre source de lumière imaginaire. Dans notre exemple, la lumière émane du haut à gauche; l'ombre est donc appliquée au côté droit et au bas des lettres.

3 Dessinez le motif central à la craie, en indiquant la position des feuilles et de la branche principale. Si vous voulez peindre des roses traditionnelles, voir Coups de pinceau (page 87). Colorez les feuilles avec le vert pâle.

4 Mettez de l'ombre sur les feuilles pour une apparence tridimensionnelle, en gardant toujours à l'esprit votre source de lumière imaginaire. Mélangez un peu de rouge avec le vert pour créer le brun de la branche.

TRUC

Les objets émaillés décorés de cette façon supporteront quelques lavages, mais ils ne conviennent pas à un usage quotidien.

5 Trempez le pinceau dans le rouge et laissez tomber la peinture sur l'assiette pour former les baies rouges. Attention de ne pas trop changer votre pinceau, et testez sur le côté de l'assiette la quantité de peinture dont vous avez besoin. Essuyez-la ensuite, avant qu'elle ne sèche, avec du papier absorbant trempé dans l'essence minérale.

6 Laissez sécher les baies un moment, puis peignez les points de lumière avec la peinture blanche pour leur donner rondeur et brillance.

7 Tenez l'assiette de sorte que le prénom soit en haut, et trouvez le milieu de la base. Laissez assez d'espace pour le mot et la date, en traçant les caractères à la craie pour qu'ils soient à égale distance et symétriques. Peignez les lettres et les chiffres.

8 Peignez la bordure en rouge. La plupart des assiettes émaillées ont déjà une bordure bleue, et vous pouvez peindre par-dessus. Laissez sécher la peinture environ 24 heures, bien qu'elle vous semblera sèche au toucher après environ 6 heures.

HORLOGE DÉCORATIVE

Nous avons utilisé un morceau de contreplaqué de densité moyenne pour le cadran. Les aiguilles actionnées par une pile sont offertes dans un grand choix de styles. Bien que cela semble complexe, le dessin du bateau est calqué, et la rose des vents centrale est dessinée à la règle et au compas. Les éléments les plus difficiles sont probablement les lignes à main levée. Exercez-vous d'abord sur du papier brouillon. Le fini antique de l'horloge a été réalisé grâce à une couche finale de vernis à craqueler « deux étapes ».

Il vous faudra
◊ cadran, aiguilles et mouvement
◊ apprêt acrylique/couche de fond
◊ papier de verre
◊ pinceaux de 2,5 cm à 4 cm (1 po à 1 ¹/₂ po) pour couche de fond et vernis
◊ peinture au latex jaune
◊ carré de carton de 25 cm x 25 cm (10 po x 10 po)
◊ compas
◊ règle et crayon
◊ rapporteur
◊ ciseaux
◊ peintures acryliques d'artiste gris de Payne, terre de Sienne, rouge et blanc vénitiens
◊ pinceau à dessin n° 4
◊ traceur court n° 1
◊ papier-calque
◊ ruban adhésif
◊ papier à décalquer
◊ vernis à craqueler (facultatif)
◊ vernis à base d'huile
◊ peinture à l'huile d'artiste terre d'ombre naturelle
◊ essence minérale

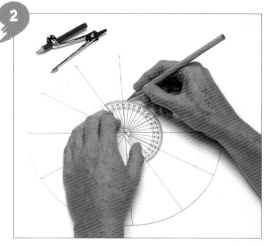

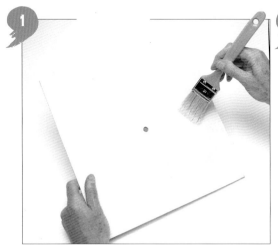

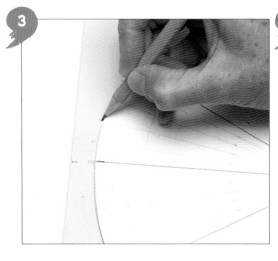

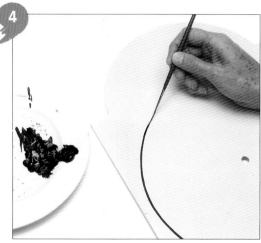

1 Scellez le contreplaqué avec une couche d'apprêt acrylique/couche de fond et, lorsque sec, poncez légèrement. Appliquez une couche de peinture au latex jaune. Si vous préférez, utilisez seulement deux couches de latex, en ponçant à chaque fois.

2 Servez-vous d'un compas pour dessiner un cercle de 25 cm (10 po) de diamètre sur le carton. Tracez une ligne passant par le centre du cercle, placez le rapporteur sur la ligne, et marquez les sections tous les 30 degrés. Reliez les marques au centre pour créer 12 sections. Subdivisez quelques-unes des sections en marquant 6 degrés pour donner les minutes. Découpez le carton.

3 Mesurez et faites une marque au centre de chaque côté de l'horloge. Placez le cadran de carton au centre de l'horloge, en veillant à ce que les points marquant 3, 9, 6 et 12 heures soient bien alignés. Dessinez le contour du carton et reproduisez les heures et les minutes à l'avant de l'horloge.

4 Peignez le premier cercle en gris de Payne avec un traceur court. Peignez-en un deuxième à environ 3 mm (¹/₈ po) à l'extérieur du premier, et entre ces deux cercles, peignez les traits pour les minutes et les heures, en marquant bien la différence entre les deux.

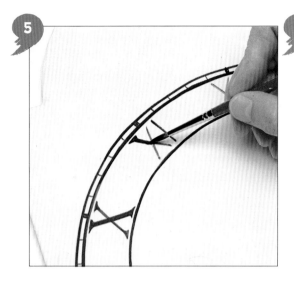

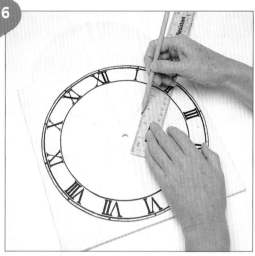

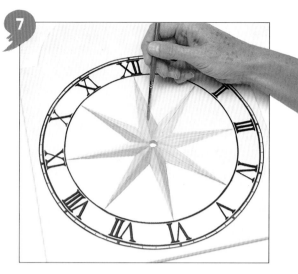

5 Tracez les chiffres au crayon avant de les peindre. La ligne commençant en haut à gauche des X et des V doit être aussi épaisse que la ligne des I, alors que les lignes commençant en haut à droite doivent être plus minces.

6 Au centre du cadran, tracez une ligne au crayon qui traverse horizontalement du 9 au 3, puis une ligne verticale qui aille du 12 au 6. Placez votre rapporteur à l'intersection de ces lignes et marquez 45 degrés entre chaque ligne. Reliez ces points en passant par le centre. Trouvez un point sur chaque ligne à environ 2,5 cm (1 po) du centre, et reliez-le au haut de la ligne adjacente pour former une étoile à huit pointes.

7 Servez-vous de terre de Sienne pour peindre la rose des vents, en diluant la peinture avec de l'eau pour faire une première couche assez mince. Utilisez un ton plus foncé de la même couleur pour ajouter l'ombre, en pensant bien à votre source imaginaire de lumière avant de commencer. Nous avons opté pour une lumière venant d'en haut à gauche, de sorte que les deux sections qui sont dans la lumière à 11 heures restent pâles, alors que les deux sections opposées sont ombrées. Les autres sections alternent entre le clair et le foncé.

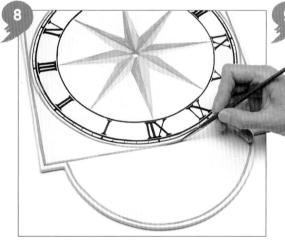

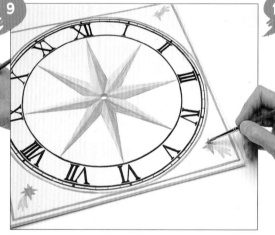

8 Avec un traceur et la terre de Sienne, peignez un autre cercle à l'extérieur du cadran. Soulignez également tout le cadran, en suivant l'arc supérieur et en reliant les lignes entre les deux coins supérieurs.

9 Calquez les motifs du bateau et des étoiles filantes (voir page 120) et servez-vous de papier à décalquer pour les reproduire sur le cadran. Peignez les étoiles dans chaque coin. Elles doivent être plus foncées que leur traînée.

10 Servez-vous de peinture terre de Sienne diluée pour l'intérieur du bateau, la lune et le soleil. Peignez les voiles en blanc et ajoutez des ombres avec un peu de gris de Payne.

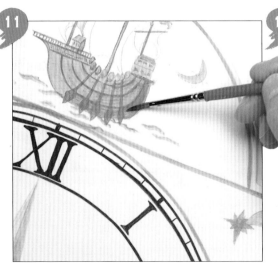

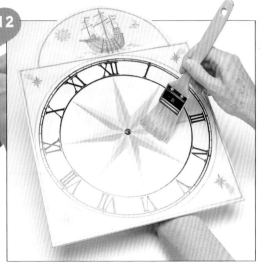

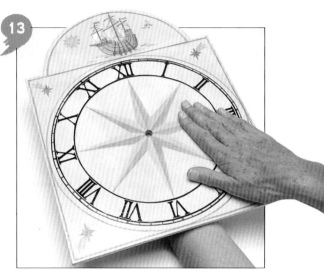

11 Mélangez une petite quantité de rouge vénitien avec la terre de Sienne et épaississez un peu la peinture avant d'ajouter les détails des fenêtres et du reste, et d'ajouter plus d'ombres au bateau. Laissez sécher la peinture.

12 Si vous ne voulez pas de craquelures, appliquez une couche de vernis. Si vous vous servez de vernis à craqueler, appliquez d'abord une couche à base d'huile. Utilisez peu de vernis, en l'étendant à partir du centre avant de changer votre pinceau de nouveau. Laissez reposer entre une et quatre heures: le vernis ne doit pas être tout à fait sec.

13 Vérifiez le vernis d'une légère pression des doigts. Il doit vous paraître presque sec, mais encore un peu collant. Appliquez la seconde couche à base d'eau, qui séchera assez rapidement. Veillez à ce que cette couche couvre bien toute la surface. Alors qu'elle est encore humide, tapotez-la doucement avec vos doigts pour l'aider à adhérer à la première. Arrêtez quand le vernis commence à rester sur vos doigts et qu'il vous semble à peu près sec.

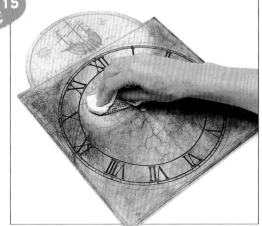

TRUC

Si le vernis à craqueler ne donne pas le résultat escompté, enlevez la couche à base d'eau du dessus en la lavant. Vous pourrez alors recommencer avec la première couche de vernis, sans endommager la peinture du dessous.

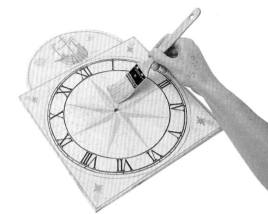

14 Laissez sécher au moins 30 minutes, mais de préférence toute la nuit. La seconde couche de vernis est soluble à l'eau, alors veillez à ce qu'elle ne soit jamais en contact avec l'eau ou dans un endroit humide. Exposez le vernis à une chaleur douce pour l'aider à craqueler. Vous devriez voir les craquelures lorsque vous tenez l'horloge face à la lumière.

15 Pour patiner le cadran, pressez environ 1,25 cm (1/2 po) de peinture à l'huile sur la surface. Ne vous servez pas de peinture acrylique qui enlèverait le fini. Humectez du papier absorbant avec un peu d'essence minérale, et étendez la peinture en mouvements circulaires sur tout le cadran pour l'aider à pénétrer dans les craquelures. Enlevez tout excès avec du papier absorbant propre.

16 Différents pigments contenus dans les peintures à l'huile ne mettent pas le même temps à sécher. La terre d'ombre naturelle met environ 24 heures à sécher, mais certaines couleurs prennent plus de temps. Quand vous êtes certain que la peinture est sèche, scellez la surface avec un vernis à l'huile.

Damier

Voici le cadeau idéal pour quelqu'un qui a déjà tout. La planche a été découpée dans une pièce de contreplaqué de densité moyenne, mais on pourrait reprendre la même idée pour décorer un dessus de table.

Il vous faudra

◊ carré de contreplaqué de densité moyenne de 45 cm x 45 cm (18 po x 18 po), ou petite table carrée
◊ laque et pinceau
◊ alcool dénaturé (pour nettoyer le pinceau)
◊ papier de verre
◊ peinture au latex rouge foncé
◊ pinceau plat
◊ longue règle et crayon
◊ peintures acryliques d'artiste noire, dorée, terre d'ombre brûlée et terre de Sienne
◊ pinceau à dessin nº 8 ou 9
◊ traceur
◊ craie
◊ vernis et pinceau à vernis
◊ feutre noir et colle blanche pour l'envers du damier
◊ cutter

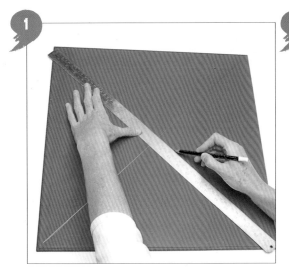

1 Préparez le panneau en le scellant avec une couche de laque. Lorsque sec, poncez et appliquez une couche de latex rouge foncé. Trouvez le centre en traçant deux lignes diagonales.

2 Mesurez à partir de l'intersection des deux diagonales les 64 carrés (8 x 8) apparaissant sur un damier standard.

TRUC

Ce projet exige une certaine maîtrise du pinceau, alors pensez à vous exercer sur du papier brouillon avant de commencer.

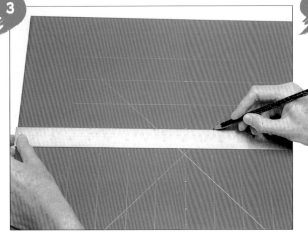

3 Marquez la position des 64 carrés. Nos carrés mesurent 4 cm x 4 cm (1 ½ po x 1 ½ po), ce qui donne une surface totale de 30 cm x 30 cm (12 po x 12 po).

4 Vérifiez que la largeur de la bordure extérieure est la même des quatre côtés avant de commencer à tracer les carrés.

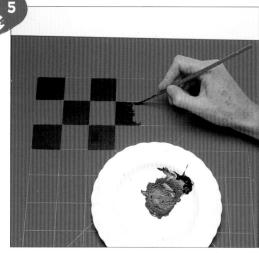

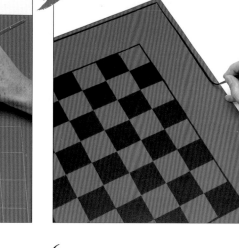

5 Servez-vous de peinture acrylique noire pour colorier les carrés en alternance. Comme il est très facile de dépasser, commencez avec votre pinceau à l'intérieur du carré, ramenez-le à la ligne, et repassez une autre fois avant de l'éloigner de la surface.

6 Avec un traceur et de l'acrylique noir, tracez une ligne autour des carrés et juste à l'intérieur du bord de la planche.

7 Tracez une ligne à la craie à environ 1,25 cm (¹/₂ po) à l'intérieur de la ligne noire de la bordure. Ensuite, en commençant au milieu, tracez des lignes ondulées symétriques en vous servant de la ligne tracée à la craie comme d'un guide pour la base de ces lignes.

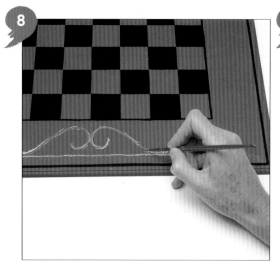

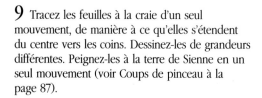

8 Peignez par-dessus les lignes à la craie avec de la terre de Sienne, en vous servant d'un fin pinceau à dessin ou d'un traceur court. Quand la peinture est sèche, enlevez la ligne de craie avec un linge humide.

9 Tracez les feuilles à la craie d'un seul mouvement, de manière à ce qu'elles s'étendent du centre vers les coins. Dessinez-les de grandeurs différentes. Peignez-les à la terre de Sienne en un seul mouvement (voir Coups de pinceau à la page 87).

10 Repassez par-dessus le dessin peint à la terre de Sienne avec l'acrylique doré, toujours en y allant d'un seul mouvement. En repassant deux fois sur le motif, vous vous assurez qu'il apparaîtra clairement sur l'arrière-plan foncé.

TRUC

Si vous avez du mal à trouver de la laque, utilisez deux couches de peinture au latex, en ponçant légèrement la surface entre les deux.

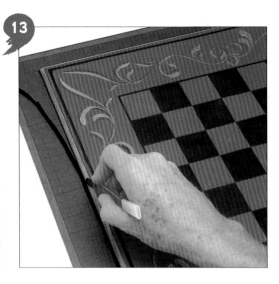

11 Servez-vous de terre d'ombre brûlée pour les ombres, en pensant à une source de lumière imaginaire. Quand la peinture est sèche, appliquez deux ou trois couches de vernis.

12 Si vous avez fait un panneau, enduisez le dessous d'une couche uniforme de colle blanche, que vous étendrez avec un petit morceau de carton, et tendez bien le feutre dessus.

13 Retournez la planche et servez-vous d'un cutter pour enlever l'excès de feutre.

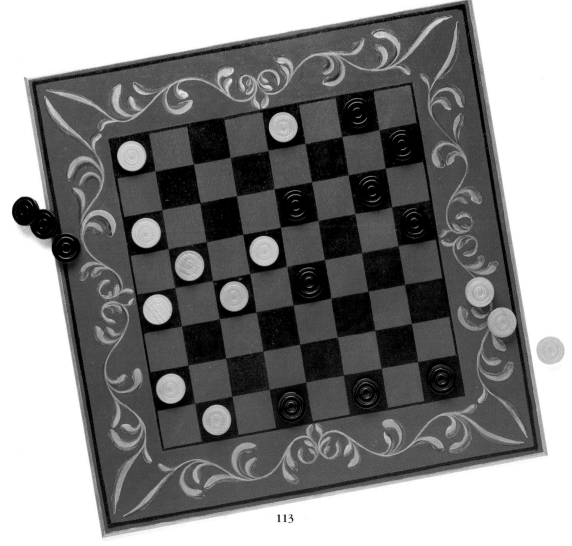

COMMODE

Cette commode miniature, fort joliment décorée, sera parfaite pour contenir vos bijoux et breloques. Vous pourriez faire la même chose avec une commode de taille normale, et appliquer le même motif agrandi sur un meuble plus grand.

Il vous faudra
◊ commode miniature
◊ apprêt acrylique/couche de fond
◊ pinceau plat
◊ papier de verre
◊ peinture au latex turquoise
◊ craie
◊ peintures acryliques d'artiste vert de Hooker, rouge et jaune de cadmium, blanche
◊ pinceau à dessin n° 4
◊ liquide à patine antique (servez-vous de terre d'ombre naturelle à l'huile d'artiste mélangée avec de l'essence minérale pour une consistance liquide)
◊ vernis à base d'huile et pinceau à vernis

1 Scellez la commode avec un apprêt acrylique/ couche de fond, et poncez légèrement lorsque sec. Appliquez une couche de latex turquoise. Pour que les tiroirs ne collent pas, ne peignez pas l'intérieur, mais passez la peinture juste autour du haut et des côtés des tiroirs et à l'intérieur de l'ouverture.

2 Remettez les tiroirs en place, et tracez le dessin à la craie à l'avant, en alignant les pendants de la guirlande de chaque tiroir. Marquez la position des roses simplement en dessinant des cercles. Ne vous occupez pas des feuilles pour le moment.

3 Peignez les roses une à une, parce que la peinture doit rester humide pour vous permettre de mélanger les couleurs (voir Coups de pinceau, page 87). Préparez trois tons de rose corail avec le rouge, le jaune et le blanc. Lorsque vous peignez les roses, pensez à les ombrer adéquatement.

114

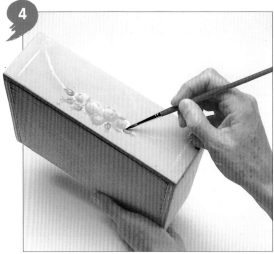

4 Peignez les boutons de roses en faisant de petits ovales avec la peinture corail. Peignez ensuite les sépales verts autour des boutons de roses. En commençant à la base de la tige, ramenez le pinceau vers le bas puis vers le haut pour former les sépales, de sorte qu'ils soient épais à la base et se terminent en pointe.

5 Peignez les feuilles pour qu'elles aient l'air de sortir de derrière les roses. Mettez-y de l'ombre d'un côté, en imaginant la même source de lumière que pour les roses. Veillez à ce que le dessin soit équilibré en remplissant tout espace vide avec des feuilles.

6 Peignez les tiges de la guirlande et les pendants en vert. La guirlande devrait émerger des roses en un point situé juste au-dessus du centre, pour donner l'impression qu'elle supporte les roses.

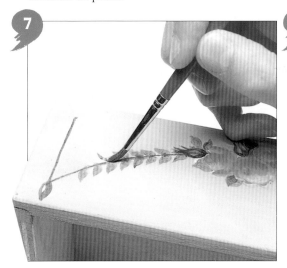

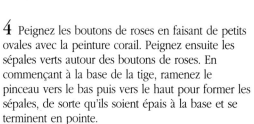

7 Peignez les feuilles le long de la guirlande (voir Coups de pinceau, page 87). Il faut qu'elles aient l'air de pousser du centre vers les côtés. Les feuilles des pendants pointent vers le bas et ceux-ci se terminent par une feuille unique.

8 Ajoutez du vert plus foncé aux feuilles de la guirlande; l'ombre doit correspondre à celle des roses.

9 Dessinez un ovale à la craie sur le dessus et de chaque côté de la commode. Si vous avez une assiette ovale de la bonne dimension, tracez-en le contour. Peignez les feuilles sur les côtés pour qu'elles semblent venir du bas, grimper de chaque côté et se rencontrer en haut.

10 Peignez la commode et les tiroirs avec un liquide à patine antique. Ne vous inquiétez pas si vous n'aimez pas l'effet produit, car on peut l'enlever avec de l'essence minérale sans endommager la peinture du dessous.

11 Essuyez l'excès avec du papier absorbant propre et sec. Enlevez-en la quantité que vous désirez, mais pensez à en enlever plus autour du dessin principal, alors que vous laisserez les contours légèrement plus salis. Laissez sécher 24 heures avant de sceller avec un vernis à base d'huile.

BANC DE PIANO

Nous avons trouvé ce banc de piano dans un magasin de meubles usagés. Il était très abîmé, mais sa forme était si jolie qu'il valait la peine de le repeindre. Il restait des traces de vieille laque que nous avons fait disparaître avec un papier de verre à gros grain, avant de sceller le bois avec un apprêt acrylique (voir aussi la Chaise, page 98).

Il vous faudra

◊ banc de piano
◊ apprêt acrylique/couche de fond
◊ peinture au latex de couleur corail
◊ pinceau plat
◊ craie
◊ règle
◊ papier-calque et crayon
◊ ruban adhésif
◊ papier à décalquer
◊ peintures acryliques d'artiste blanche,
 terre d'ombre naturelle et terre d'ombre brûlée
◊ pinceau à dessin n° 4
◊ traceur
◊ vernis coloré et pinceau à vernis

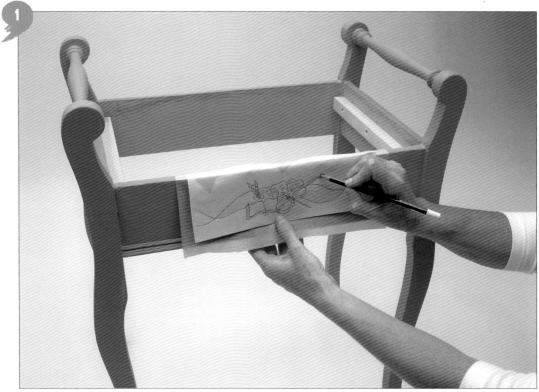

1 Appliquez une couche de latex corail au banc de piano enduit d'un apprêt, et lorsque sec, servez-vous d'une craie pour marquer le centre des panneaux avant et arrière. Copiez le dessin (voir page 120) et fixez le papier-calque en position avec le ruban adhésif. Servez-vous de papier à décalquer pour reproduire le motif.

2 Coloriez chacun des éléments du motif séparément, en gardant à l'esprit qu'ils sont éclairés par une source de lumière imaginaire. Servez-vous de peinture blanche pour le livre et, en y ajoutant de la terre d'ombre naturelle, ombrez à l'endroit où les pages forment un creux. Les pinceaux et la palette d'artiste sont peints de la même manière, mais ils sont légèrement plus foncés, pour donner l'impression qu'ils se détachent du livre.

3 Mélangez de l'ombre brûlée avec un peu de blanc pour peindre le violon. Les côtés du violon et les détails sont peints à la terre d'ombre brûlée seulement. Les masques sont peints en blanc et ombrés comme le livre, avec de la terre d'ombre brûlée pour faire ressortir les détails.

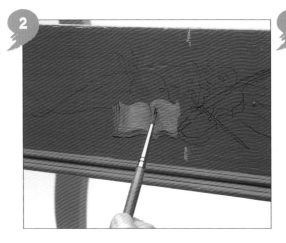

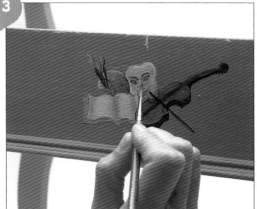

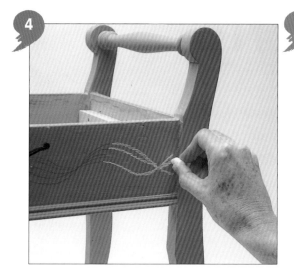

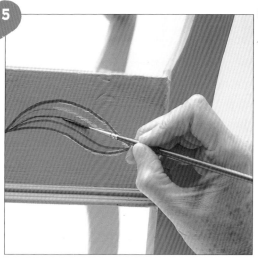

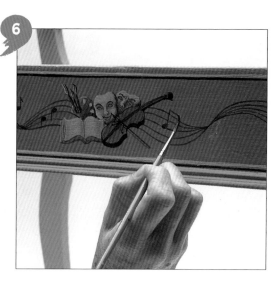

4 Si les lignes de la portée musicale ne sont pas assez longues pour votre banc de piano, allongez-les à la craie. Les marques de craie sont faciles à enlever si vous n'êtes pas satisfait. Essayez d'équilibrer le dessin en traçant des courbes symétriques dans les lignes.

5 Servez-vous d'un traceur et de terre d'ombre brûlée pour peindre les lignes de la portée.

6 Marquez la position des notes à la craie avant de les peindre avec un pinceau fin.

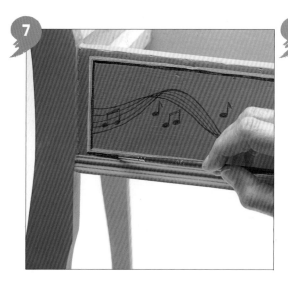

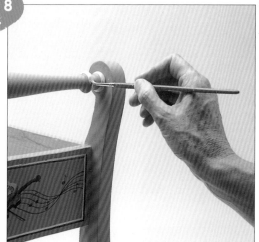

7 Encadrez le motif en traçant une ligne blanche épaisse avec un traceur tout autour. Avec de la terre d'ombre naturelle, dessinez des lignes à l'intérieur entre le haut et la ligne blanche, et sur le côté gauche, à l'intérieur de la ligne blanche, puis en bas et du côté droit, entre la ligne blanche et la bordure, pour donner l'illusion d'une moulure.

8 Faites ressortir les moulures avec du blanc. Attention à ne pas peindre juste à l'angle de rencontre avec une section droite, parce qu'il est très difficile d'éviter de dépasser sur le côté.

9 Utilisez un vernis coloré ou fabriquez votre propre vernis en mélangeant du vernis clair avec un peu de terre d'ombre naturelle. Si le vernis est à l'huile, servez-vous de peinture à l'huile d'artiste. Si le vernis est à l'eau, servez-vous de peinture acrylique d'artiste diluée avec un solvant approprié avant de l'ajouter au vernis.

GABARITS

Ce livre appartient à

Encadrements

Fabriquez vos propres cadres pour mettre en valeur
vos œuvres et vos photographies favorites.

INTRODUCTION

L'encadrement est un merveilleux passe-temps. L'un de ses grands attraits, c'est que l'on peut réaliser un cadre dans le temps de le dire. Avec quelques pièces de bois et un peu de verre, vous pouvez fabriquer un cadeau pour un ami ou encadrer une de vos photographies préférées que vous accrocherez au mur quelques minutes plus tard.

Une fois que vous maîtriserez les techniques de base, vous verrez que les possibilités sont infinies, et vous aurez beaucoup de plaisir à perfectionner les divers aspects de cet art. Toute œuvre a besoin d'être mise en valeur. Sans cadre, l'œil a tendance à s'égarer et ne peut apprécier l'image à sa juste valeur. Il faut que le cadre rehausse l'œuvre sans la reléguer au second plan. Les contours de finition – c'est-à-dire le cadre et le passe-partout – doivent la compléter sans jamais lui voler la vedette. Le cadre sert à la protéger et à lui conférer un espace qui lui soit propre dans son environnement. Grâce au cadre, l'œil est attiré sans obstacle vers le point central de l'œuvre.

Il n'y a pas de règle absolue à observer pour le choix des couleurs du cadre et du passe-partout. Certaines personnes semblent avoir l'œil; d'autres apprennent peu à peu. Allez dans les galeries d'art, les musées et les ateliers, pour voir tous les genres de cadres et de moulures pouvant servir à créer divers effets. Vous verrez comment on utilise différents matériaux pour rehausser les œuvres. Par exemple, en regardant des aquarelles victoriennes, vous verrez que l'équilibre est assuré par des passe-partout de couleur ivoire ou crème, souvent décorés au lavis, entourés de cadres de bois assez foncé ou d'un beau doré. En règle générale, un passe-partout foncé profitera d'un cadre plus pâle. Et un passe-partout plus petit et plus foncé, entouré d'un cadre étroit fini argent ou en aluminium, mettra vos photographies en valeur.

L'histoire de l'encadrement traditionnel est longue et riche, mais les nouveaux produits, qui rendent des techniques telles la dorure et la patine tellement plus faciles qu'auparavant, ont changé notre approche de cet art et encouragé les nouvelles tendances. En ce moment, les finis en bois peint sont fort populaires. Vous trouverez cette technique plus loin dans ce chapitre.

Matériel et Techniques

Quelques outils suffiront pour vous lancer; vous pouvez même commencer, comme moi, en travaillant sur le plancher du salon. Avec un peu de chance, vous vous apercevrez que vous possédez déjà presque tous les outils dont vous aurez besoin. Il y en a toutefois deux que vous devrez sans doute acquérir: une boîte à onglets et un coupoir à passe-partout, mais plutôt que de tout acheter d'un seul coup, achetez de nouveaux outils seulement quand vous en avez vraiment besoin.

Encadrement

Pour fabriquer les cadres décrits dans ce livre, il vous faudra:

◊ marteau à garnir
◊ scie à dos
◊ tournevis
◊ tenailles/pinces
◊ chasse-clou
◊ équerre
◊ perceuse manuelle et mèches

◊ pointes
◊ boîte ou serre-joint à onglets
◊ règle métallique
◊ règle de plastique et crayon
◊ cutter
◊ colle à bois

MOULURES

De nos jours, les encadreurs amateurs trouvent un choix infini de moulures dans le commerce. La difficulté est de trouver des ateliers qui offrent exactement ce que vous cherchez. Certains fabricants ont un service de commande par la poste. Vous trouverez leurs noms et adresses dans les revues d'artisanat. Certains négociants en bois gardent des moulures en stock, et il se peut qu'un encadreur compréhensif accepte de vous dépanner. Quand vous choisissez une moulure, pensez aux dimensions de l'image et à d'autres aspects, comme ses couleurs, qui peuvent être vives ou douces.

Le bois dur s'étant fait plus rare ces dernières années, les moulures de plastique ont pris le relais. Elles présentent l'avantage de ne pas se déformer et elles sont à l'abri des vers du bois. Ces moulures sont parfaites pour la dorure et les finis de couleur, bien qu'elles n'aient pas, il faut l'avouer, la merveilleuse odeur du bois véritable, ni sa chaleur.

LA FORMULE POUR LES MOULURES

Cette formule toute simple vous permettra de calculer exactement la longueur de moulure dont vous aurez besoin. Additionnez:

la hauteur de l'image x 2;
la largeur de l'image x 2;
la largeur de la moulure x 8.

Il vous faut ajouter une largeur additionnelle de moulure pour la coupe à angle faite à chaque extrémité des quatre pièces.

Par exemple, disons que vous encadrez une photo qui mesure 30 cm x 25 cm (12 po x 10 po), et que la largeur de la moulure est de 1,25 cm (1/2 po):

30 cm x 2 (12 po x 2) = 60 cm (24 po);
25 cm x 2 (10 po x 2) = 50 cm (20 po);
1,25 cm x 8 cm (1/2 po x 3 1/4 po) = 10 cm (4 po).

Ajoutez 5 cm (2 po) pour plus de sécurité, ce qui veut dire que vous aurez besoin d'un total de 1,27 m (50 po) de moulure.

UTILISER LA SCIE ET LE SERRE-JOINT À ONGLETS

Si votre scie est neuve, un peu d'huile la fera glisser mieux lorsque vous couperez vos moulures. Ne mettez pas trop de pression sur la scie quand vous coupez vos morceaux. Allez-y par coups courts, légers et égaux, et laissez la scie faire le travail. Quand vous ne vous en servez pas, couvrez-la pour en protéger les dents.

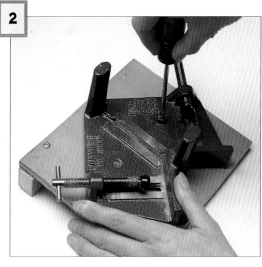

1 Le serre-joint à onglets doit être fixé sur une base en bois. Il vous faudra une planche de contreplaqué de 1,25 cm (¹/₂ po), mesurant environ 20 cm x 18 cm (8 po x 7 po). Coupez une longueur de 20 cm dans une pièce de bois de 4 cm x 2,5 cm (1 ¹/₂ po x 1 po) et vissez-la sur le côté le plus long de la planche, pour former un rebord qui viendra s'appuyer contre le bord de votre plan de travail.

2 Vissez le serre-joint à onglets de métal sur la planche de contreplaqué, de manière à ce que le rebord soit de l'autre côté.

3 Avant d'utiliser un serre-joint à onglets pour la première fois, tracez une ligne sur le caoutchouc de sa base, pour indiquer la ligne de coupe centrale.

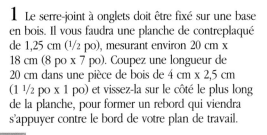

SE SERVIR D'UN SERRE-JOINT À ONGLETS

- Assurez-vous que la moulure est placée bien à plat sur la base avant de resserrer les vis.
- Servez-vous de petits morceaux de carton ou de copeaux de bois pour protéger vos moulures.
- Si la base bouge trop lorsque vous sciez vos pièces de bois, servez-vous d'un étau pour la fixer fermement à votre plan de travail.
- Quand vous avez coupé un coin et que vous voulez en adoucir les bords, frottez-le sur la surface rugueuse d'une pièce de contreplaqué, plutôt que de vous servir de papier de verre, qui risquerait de l'user outre mesure.

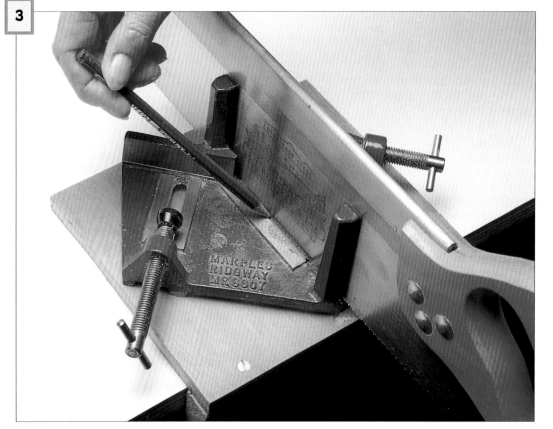

SE SERVIR D'UNE PRESSE À CADRE

Il existe des presses à cadre à bande, mais elles sont difficiles à manier. Elles peuvent être très utiles, toutefois, surtout si vous fabriquez de petits cadres ou des cadres très étroits difficiles à clouer.

Prenez les quatre pièces coupées du cadre et mettez de la colle sur l'about des côtés longs. Mettez le cadre sur votre plan de travail dans la position appropriée, et placez les quatre serre-joints. Tirez sur la bande jusqu'à ce qu'elle soit bien tendue, enlevez tout excès de colle qui dépasse des joints, et mettez de côté jusqu'à ce que la colle soit sèche. Il existe plusieurs types de presses à cadre dans le commerce.

PASSE-PARTOUT

Votre choix d'un passe-partout peut affecter l'apparence finale de l'œuvre encore plus que le cadre lui-même. Si le passe-partout est trop petit, l'image peut paraître comprimée. Aussi, pour le moins au début, vous devriez toujours couper le passe-partout légèrement plus grand que prévu au départ.

Il vous faudra les outils qui suivent pour fabriquer les passe-partout décrits dans ce livre:
◊ tapis de coupe
◊ coupoir et règle à passe-partout
◊ compas
◊ crayon
◊ ruban adhésif
◊ règle de plastique et crayon
◊ ciseaux
◊ cutter
◊ plume à dessin et pinceau

Assurez-vous que la lame de votre coupoir est bien effilée. Gardez une provision de lames et remplacez celles qui sont usées aussi souvent que nécessaire, mais certainement tous les cinq ou six passe-partout. Jetez vos vieilles lames en prenant les précautions d'usage.

Souvenez-vous que votre passe-partout doit être un peu plus large en bas qu'en haut et que sur les côtés, qui eux doivent être de la même largeur. Par exemple, si le haut et les côtés mesurent 9 cm (3 1/2 po) de largeur, le bord inférieur devrait mesurer 10 cm (4 po). Cette différence aide à attirer le regard sur l'image.

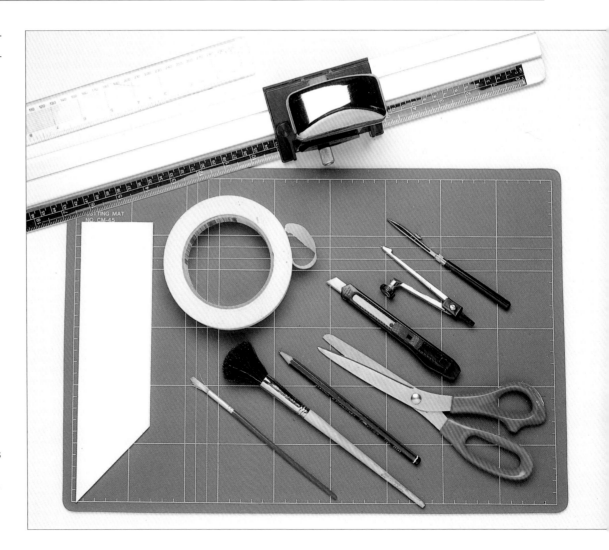

Il existe une grande gamme de passe-partout et de cartons dans le commerce. En fait, le choix est si grand que cela peut vous compliquer la tâche.

Dans la plupart des cas, il faudra choisir une couleur claire, surtout si vous encadrez une aquarelle. Choisissez une couleur appropriée parmi celles qui composent l'image, et assortissez-la de vert pâle, brun doux, ivoire, crème, etc. Si la couleur semble terne lorsqu'elle encadre l'image, une ligne au lavis ou au pastel peut être ajoutée pour attirer le regard sur l'œuvre. Une peinture aux couleurs vives peut être rehaussée par un passe-partout pâle, si le cadre est de couleur plus vive.

Il existe de nombreux types de passe-partout, et il importe de choisir celui qui est approprié à l'image que vous désirez encadrer. Les différents types sont:

◊ passe-partout à fenêtre normale;
◊ passe-partout double: environ 1,25 cm (1/2 po) de la couleur du passe-partout inférieur marque la fenêtre de celui du dessus;
◊ carte bulle: l'œuvre est posée sur un passe-partout de couleur dont elle laisse voir 2,5 cm à 3 cm (1 po à 1 1/4 po) tout autour;
◊ carte bulle et passe-partout combinés: le dessin est posé sur le passe-partout du dessous, alors que la fenêtre de celui du dessus est coupée pour révéler 1,25 cm à 2 cm (1/2 po à 3/4 po) du premier passe-partout autour de l'image;
◊ passe-partout recouvert de tissu: soie ou toile de jute;
◊ passe-partout recouvert de papier;
◊ passe-partout à lavis.

Ce sont là seulement quelques-uns des matériaux et des méthodes que l'on peut utiliser pour faire un passe-partout. Si vous portez attention au passe-partout, que vous le choisissez avec soin et que vous le coupez comme il faut, vous verrez la différence dans le résultat final.

Parce qu'elle est sépia, cette photographie a été encadrée comme s'il s'agissait d'un dessin, ce qui explique la largeur de son passe-partout. En règle générale, toutefois, les photos peuvent paraître submergées si le passe-partout est trop grand; elles sont normalement mises en valeur dans de petits passe-partout foncés.

Les gravures exigent une attention spéciale. S'il s'agit d'originaux, vous verrez la marque de la plaque imprimée sur le papier, tout autour de l'image. La fenêtre du passe-partout devrait être assez grande pour que cette marque soit visible, ce qui signifie qu'il faut laisser une marge de blanc d'environ 1,25 cm (1/2 po) tout autour de la gravure.

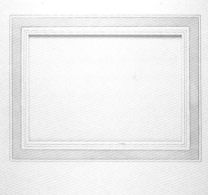

TRUC

La technique que vous choisirez pour votre passe-partout peut changer radicalement l'apparence de l'image ou de la photographie que vous encadrez, comme le montre cet exemple, où la même image a été encadrée de trois manières différentes.

Passe-partout à fenêtre normale
Carte bulle
Passe-partout double

COUPER UN PASSE-PARTOUT

Choisissez un carton à passe-partout d'une couleur appropriée. Nous encadrons une peinture aux couleurs vibrantes, qui a besoin d'un passe-partout aux couleurs plus douces qui la mettra en valeur. Pour que tout soit bien agencé, nous avons enfin ajouté un cadre coloré. En plus du carton à passe-partout de votre choix, il vous faudra:

◊ tapis de coupe (voir page 129)
◊ chutes de carton
◊ crayon bien aiguisé et règle
◊ équerre
◊ coupoir à passe-partout
◊ cutter ou lame de rasoir
◊ carton de fond
◊ ruban adhésif
◊ ruban adhésif sans acide (facultatif)

1 Mesurez l'image et décidez de son cadrage: ce qui apparaîtra dans la fenêtre du passe-partout. Pour cette image, la fenêtre mesurera 33 cm x 24 cm (13 po x 9 1/2 po). La largeur du haut et des deux côtés du passe-partout sera de 8 cm (3 po), et celle de la base sera de 9 cm (3 1/2 po). Ainsi, pour calculer la surface totale du passe-partout, ajoutez la

largeur de la fenêtre à deux fois la largeur d'un côté, et ajoutez celle de la fenêtre à celles du haut et du bas du passe-partout. Dans notre exemple, c'est 33 cm + 15 cm (13 po + 6 po), ce qui donne une largeur totale de 48 cm (19 po), et 24 cm + 8 cm + 9 cm (9 1/2 po + 3 po + 3 1/2 po), ce qui donne une hauteur totale de 41 cm (16 po).

2 Installez le tapis de coupe sur une surface plane et mettez une chute de carton à passe-partout dessus. Sur l'envers du carton, tracez un rectangle aux dimensions extérieures du passe-partout. Dans notre exemple: 48 cm x 41 cm (19 po x 16 po). Servez-vous d'une équerre pour que les coins soient exactement à 90 degrés. Découpez le passe-partout.

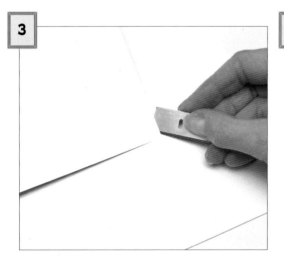

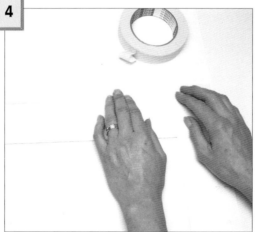

3 Toujours sur l'envers, tracez l'ouverture de la fenêtre. Mesurez à partir du bord extérieur, dans ce cas à 8 cm (3 po) du haut et des côtés, et à 9 cm (3 1/2 po) du bas. Découpez la fenêtre. Si elle ne se détache pas facilement, servez-vous d'un cutter ou d'une lame de rasoir pour finir les coins. Veillez à ce qu'ils soient coupés bien net.

4 Découpez un carton de fond aux mêmes dimensions extérieures que le passe-partout, et posez ce dernier à l'envers à côté du carton de fond, leurs côtés longs se touchant. Avec de petits morceaux de ruban adhésif, fixez ensemble leurs bords supérieurs. Le passe-partout est alors joint par une charnière au carton de fond.

5 Couchez l'œuvre sur le carton de fond. Rabattez le passe-partout sur l'œuvre et trouvez la bonne position pour celle-ci. Si l'œuvre n'a pas de valeur réelle, fixez-la sous le bord du passe-partout avec du ruban adhésif. Une œuvre de valeur devrait être maintenue en place à l'aide de ruban adhésif sans acide. Coupez deux morceaux de ruban adhésif pour coller l'œuvre en place par le haut. Coupez deux autres morceaux de ruban adhésif et couvrez-en le bord supérieur des premiers morceaux pour qu'ils adhèrent solidement.

SE SERVIR DE LA COUPEUSE À PASSE-PARTOUT

Vous devez suivre les instructions du fabricant, mais les conseils que voici s'appliquent à toutes les marques.

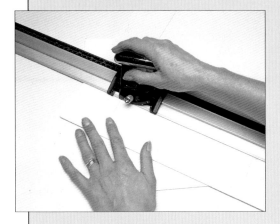 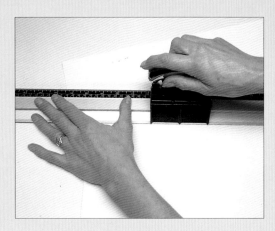 

Assurez-vous que la lame est bien effilée et juste assez longue pour traverser le passe-partout et couper dans le morceau de carton en dessous.

Placez la règle de manière à ce que la lame suive la ligne du crayon. Insérez la lame juste avant le coin et tirez-la vers vous, pour finir juste après le coin le plus près de vous.

Veillez à ce que la coupe soit bien nette. En tenant la règle en place, relevez le bord du carton pour vérifier que vous avez bien coupé à travers. Sinon, faites glisser le coupoir le long de la ligne une autre fois.

Après chaque découpage, pensez à déplacer le carton de manière à ce que la lame ne reste pas prise dans le sillon fait par la première coupe.

MATÉRIEL POUR L'ACCROCHAGE

Vous aurez besoin d'un grand choix de pitons et d'anneaux pour suspendre solidement vos cadres finis. Une liste du matériel nécessaire est présentée avec chaque projet, mais il y a des chances que vous ayez besoin de quelques-uns ou de tous les objets qui suivent :

◊ Anneaux à riveter
◊ Pitons
◊ Fil de métal ou cordelette
◊ Pinces de métal pour le verre
◊ Pattes à glace en plastique
◊ Papier kraft gommé ou ruban adhésif

FABRIQUER UNE SURFACE DE DÉCOUPAGE

Bien que l'on puisse acheter des tapis spécialement conçus pour le découpage dans les boutiques de matériel d'artiste, ils coûtent cher et le choix des grandeurs est limité. Ils sont faciles à fabriquer, et vous aurez ainsi un plan de travail adéquat et aux dimensions désirées pour le découpage des passe-partout et du verre.

Pour fabriquer un tapis de coupe qui mesure environ 76 cm x 91 cm (30 po x 36 po), ce qui devrait convenir à la plupart des cadres, coupez un morceau d'aggloméré et un morceau de passe-partout de la même grandeur. Servez-vous d'une colle au caoutchouc ordinaire pour coller le passe-partout du côté lustré de l'aggloméré, ou, si vous n'en avez pas, d'une agrafeuse d'artisan pour fixer les deux morceaux ensemble. À la longue, le carton va s'abîmer et il faudra le remplacer, mais cela se fait sans difficulté.

Placez toujours une chute de carton entre le passe-partout que vous coupez et votre tapis de découpage, et pensez à déplacer le carton après chaque coupe, de sorte que la lame ne reste pas prise dans un sillon, ce qui pourrait causer une coupe irrégulière.

DÉCOUPAGE DU VERRE

Le découpage du verre est beaucoup plus simple que vous l'imaginez, et vous serez capable de couper du verre pour tous vos cadres, sauf peut-être pour un cadre très grand. Vous aurez besoin du matériel suivant:

◊ Diamant pour le verre
◊ Règle de bois en T ou équerre en T
◊ Tenailles
◊ Crayons feutre

Achetez un bon diamant pour le verre. Meilleur sera le diamant, plus facile sera votre travail. Le meilleur type comporte un petit réservoir incorporé pour le white-spirit ou l'huile à couper le verre, qui gardent la tête du diamant propre et glissante. Si votre diamant ne possède pas ce dispositif, il vous faudra tremper sa tête dans le white-spirit avant chaque coupe.

Pour un cadre, il faut un verre de 1,5 mm ($\frac{1}{16}$ po), beaucoup plus mince et léger que le verre des fenêtres, que vous pouvez vous procurer en petites quantités chez votre marchand de verre. Au début, achetez quelques chutes sur lesquelles vous pourrez vous exercer à couper.

Il vous faut absolument travailler sur une surface plane. Vous pouvez vous servir d'un tapis à découpage ou fabriquer une surface de coupe, tel qu'expliqué à la page 129.

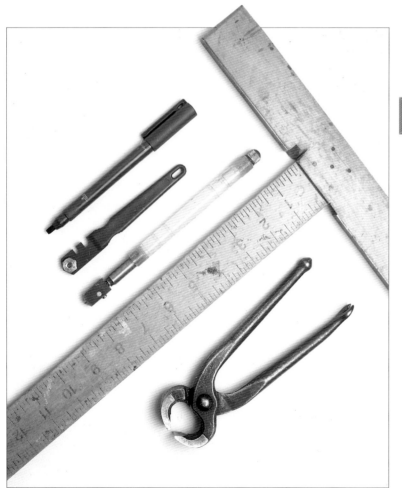

DÉCOUPAGE DU VERRE SUR MESURE

1 Placez une petite pièce de verre sur la surface plane et prenez votre diamant entre l'index et le majeur, en l'appuyant sur votre pouce pour qu'il tienne presque droit. Si vous trouvez cela inconfortable, vous pouvez le tenir entre le pouce et l'index.

2 Exercez-vous à graver le verre. Faites-le à quelques reprises en divers endroits d'une chute de verre, jusqu'à ce que vous vous sentiez à l'aise et que vous entendiez un son indiquant que vous avez bien gravé le verre à chaque fois. Jetez ce morceau.

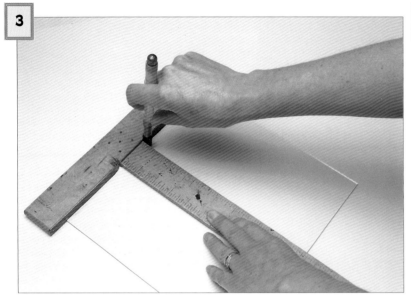

3 Placez un autre morceau de verre sur votre plan de travail. Placez le T de votre équerre contre le haut du verre, de façon à ce que la partie longue soit bien à plat sur sa surface, avec le bord supérieur calé contre le haut du verre. Prenez votre diamant et descendez-le d'un côté de l'équerre en pressant fermement. Ne passez pas une deuxième fois sur la ligne gravée, car vous pourriez endommager votre diamant.

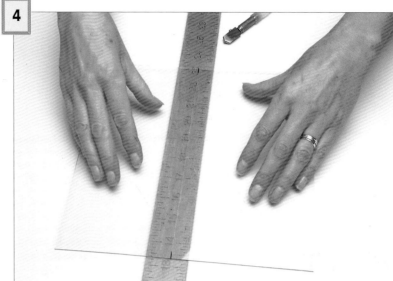

4 Soulevez délicatement le verre d'un côté, et faites glisser la règle sous la ligne de coupe, pour qu'elle soit exactement sous la ligne gravée.

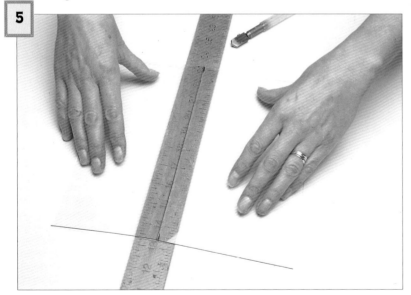

5 Avec le bout des doigts de vos deux mains de chaque côté du verre, pressez vers le bas d'un coup sec. Si votre coupe a été bien faite, le verre se cassera facilement.

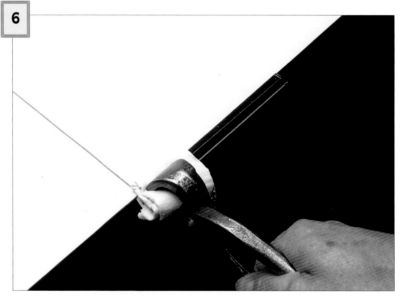

6 Si le verre ne se casse pas en douceur ou si vous avez besoin d'enlever un petit éclat sur le bord, placez le verre de manière à ce que la ligne gravée (il vous faudra peut-être tout de même passer par-dessus avec votre diamant une seconde fois) soit alignée sur le bord de votre surface de travail. Placez un morceau de tissu dans les mors de vos tenailles, attrapez le bord du verre, et faites-le casser.

CADRE DE BASE

Voici le cadre idéal pour une gravure aux riches couleurs de la Méditerranée, qui prendra toute sa valeur entourée de blanc. Le papier remplira le cadre jusqu'aux bords, sans passe-partout. La moulure est en bois assez large, plus facile à travailler qu'une moulure étroite flexible. Et il est plus facile de corriger des erreurs dans le bois.

Il vous faudra
◊ moulure (voir page 123 pour la longueur nécessaire)
◊ serre-joint à onglets
◊ scie
◊ règle de plastique et crayon
◊ colle à bois
◊ perceuse et petite mèche
◊ petites pointes
◊ petit marteau
◊ chasse-clou
◊ verre de 1,5 mm ($^{1}/_{16}$ po)
◊ équerre
◊ crayon feutre
◊ diamant
◊ aggloméré de 1,5 mm ($^{1}/_{16}$ po)
◊ règle métallique
◊ cutter
◊ anneaux à riveter ou pitons
◊ ruban adhésif
◊ papier kraft gommé
◊ fil de métal ou cordelette

1 Faites la première coupe à angle en glissant la moulure du côté gauche du serre-joint à onglets, de manière à ce que l'étau à vis s'appuie contre l'arrière du cadre. Protégez la moulure avec des bouts de carton ou de bois, et vissez fermement.

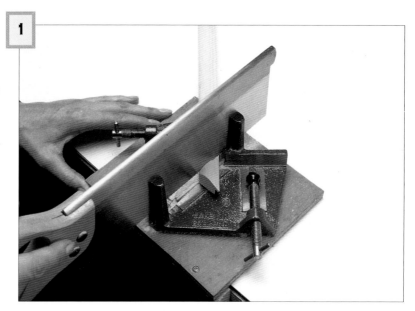

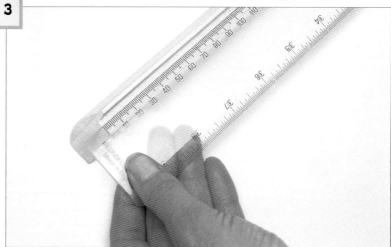

2 Poussez doucement la pointe de la scie dans la fente la plus près de vous, et glissez-la jusqu'à celle qui est plus éloignée. Sans mettre trop de pression sur le bois, glissez la scie d'en arrière en avant, sans l'incliner, par petits coups égaux.

3 Libérez la moulure et placez-la sur votre surface de travail, la rainure face à vous. Occupez-vous d'abord de l'un des grands côtés, servez-vous de votre règle pour mesurer à partir de l'intérieur du coin que vous venez juste de couper et marquez la longueur voulue.

4 Glissez la moulure du côté droit de l'étau, c'est-à-dire le côté contraire à celui de votre première coupe, et poussez-la jusqu'à ce que la marque de votre crayon soit sur la ligne du centre de votre serre-joint à onglets.

5 Serrez et coupez comme l'autre côté. Mettez la pièce finie de côté.

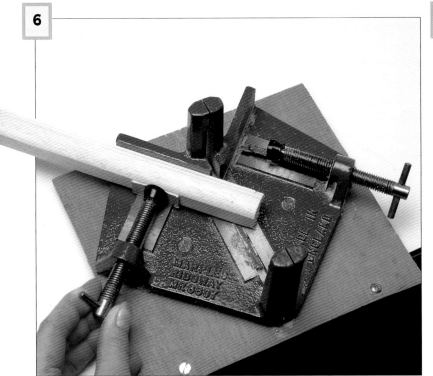

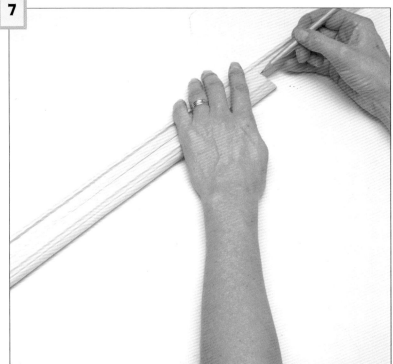

6 Il faut maintenant couper un nouvel angle de 45 degrés sur le long morceau de moulure qui reste, en enlevant le bout inutile. Glissez la moulure du côté gauche de l'étau, vissez-la bien en place, et coupez un nouvel angle.

7 Mesurez la deuxième pièce longue. Placez la première pièce coupée dos à dos avec la deuxième. Alignez bien les coins et marquez la longueur de la première pièce à l'arrière de la seconde. Glissez la moulure du côté droit de l'étau, alignez votre marque avec la ligne du centre de l'étau, serrez et coupez.

8

9

8 Répétez les étapes 3 à 7 pour les deux côtés courts. Prenez ensuite une pièce longue et une pièce courte et mettez un peu de colle à bois sur l'about de la pièce longue.

9 Placez les deux pièces, coin contre coin, dans l'étau, contrôlez la jonction pour qu'elles se marient parfaitement et soient fermement tenues ensemble.

10

11

10 Servez-vous d'une perceuse avec une petite mèche pour faire de minuscules trous pour insérer les pointes. La pointe doit être assez longue pour bien traverser les deux morceaux à la fois. Une pointe de 2,5 cm (1 po) fait normalement l'affaire, mais si vous utilisez une moulure large, il vous faudra peut-être une pointe de 5 cm (2 po).

11 Insérez la pointe en douceur, en vous servant d'un chasse-clou comme appui pour la faire pénétrer sans problème. Un chasse-clou est particulièrement pratique si le bois est dur. Répétez les étapes pour le coin opposé, en vous assurant d'insérer la seconde pièce longue dans l'étau du même côté que la première. Vous pouvez maintenant coller et clouer les derniers coins pour compléter le cadre. Si vous aviez l'intention de peindre votre cadre, c'est le temps de le faire.

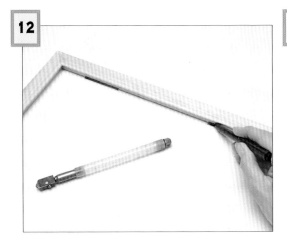

12 Taillez le verre en y reportant les dimensions de l'image avec un crayon feutre, et en alignant votre équerre sur les marques, avant de couper à l'intérieur de celles-ci, à environ 3 mm (1/8 po), pour compenser la largeur de la tête de votre diamant.

13 Couchez la pièce de verre sur le contreplaqué et dessinez-en le contour au crayon, pour que le contreplaqué soit exactement de la même dimension que le verre coupé.

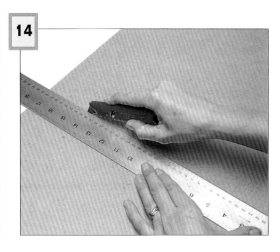

14 Couchez une lourde règle métallique le long de la ligne au crayon et passez la lame de votre cutter sur la ligne à plusieurs reprises. N'appuyez pas trop, pour ne pas couper à travers le contre-plaqué, mais seulement y faire une incision.
En tenant la règle dans la même position, soulevez un côté de contreplaqué d'un mouvement sec. Il devrait se casser d'un coup. Sinon, alignez l'incision sur le bord de votre plan de travail et donnez un autre coup dans l'autre sens.

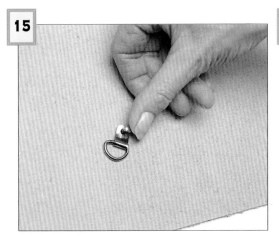

15 Marquez l'emplacement de deux anneaux à riveter sur l'aggloméré. Ils devraient être à environ un tiers du haut et à 5 cm ou 6 cm (2 po à 2 1/3 po) des côtés. Servez-vous d'un chasse-clou (ou d'un poinçon) et d'un marteau pour faire les trous.

16 Installez-y les anneaux à riveter et enfoncez-y les rivets. Retournez le panneau de contreplaqué et couchez-le sur une surface plane. Ouvrez les rivets avec un tournevis et aplatissez-les au marteau. Recouvrez-les avec un petit bout de ruban adhésif.

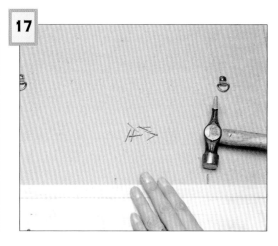

17 Mettez votre gravure en sandwich entre le panneau de contreplaqué et le verre. Couchez le tout sur votre plan de travail, et placez le cadre autour. Retournez le paquet. Faites tenir l'arrière dans le cadre en y insérant quelques petites pointes. Placez les pointes sur le contreplaqué et faites-les délicatement pénétrer dans le cadre.

TRUC

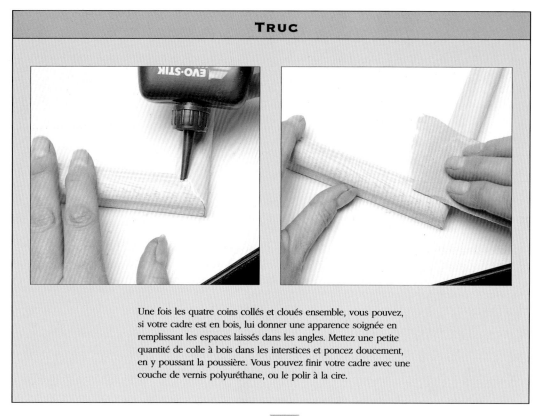

Une fois les quatre coins collés et cloués ensemble, vous pouvez, si votre cadre est en bois, lui donner une apparence soignée en remplissant les espaces laissés dans les angles. Mettez une petite quantité de colle à bois dans les interstices et poncez doucement, en y poussant la poussière. Vous pouvez finir votre cadre avec une couche de vernis polyuréthane, ou le polir à la cire.

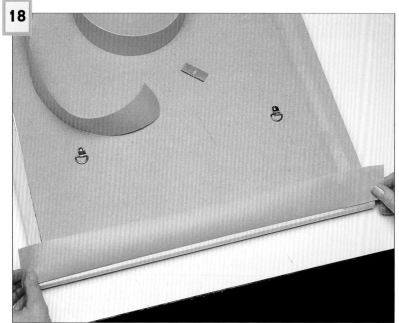

18 Servez-vous de ruban adhésif ou de papier kraft gommé pour couvrir les joints sur l'envers, ce qui protégera votre gravure des insectes et de l'humidité. Un mouilleur est pratique pour humecter le papier gommé. Utilisez un cutter pour couper l'excès de ruban ou de papier gommé.

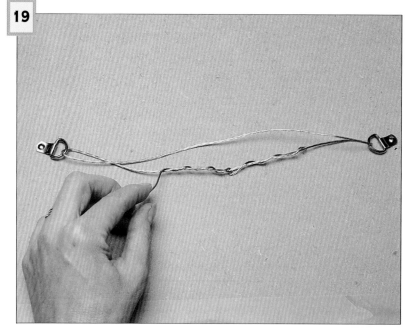

19 Si vous utilisez des pitons plutôt que des anneaux à riveter, insérez-les maintenant, avant d'attacher le fil de métal ou la cordelette.

20 Quand vient le temps de peindre le cadre
(voir étape 11), vous pouvez lui donner beaucoup de
caractère en reprenant l'une des couleurs de la gravure.

CADRE AVEC VERRE ET PATTES À GLACE

Voici une façon très simple de mettre en valeur vos petites affiches, cartes postales, dessins d'enfants et photographies. Ce genre d'encadrement est idéal pour les petites images ne dépassant pas 61 cm x 61 cm (24 po x 24 po), parce que les pattes exercent une pression sur le verre qui, si la surface est trop grande, pourrait se briser. Nous avons utilisé pour ce projet des pattes de plastique pour miroir et un cadre en bois. La gravure flotte sur un fond noir, pour un contour bien défini, et le cadre en bois a été peint en noir.

Il vous faudra
◊ règle de plastique et crayon
◊ passe-partout
◊ cutter
◊ ruban adhésif ou ruban adhésif double face
◊ moulure de bois de 2,5 cm x 2,5 cm (1 po x 1 po) (voir page 123 pour le calcul de la longueur)
◊ serre-joint à onglets
◊ scie
◊ colle à bois
◊ perceuse et petite mèche
◊ petit marteau et chasse-clou
◊ petites pointes de 2 cm (3/4 po)
◊ mastic à bois
◊ papier de verre et papier sec et humide
◊ peinture
◊ verre
◊ équerre
◊ crayon feutre
◊ diamant
◊ pattes à glace
◊ crochets

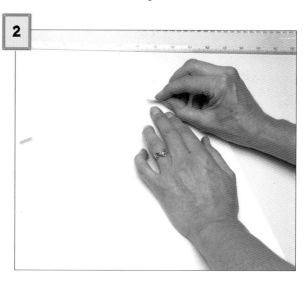

1 Mesurez votre gravure – la nôtre mesure 36 cm x 28 cm (14 po x 11 po) – et ajoutez 2 cm (3/4 po) tout autour. Coupez un morceau de passe-partout de cette plus grande dimension.

2 Pour fixer la gravure sur le passe-partout, servez-vous de ruban adhésif double face ou faites une boucle avec du ruban adhésif. En cas d'erreur, il sera plus facile de déplacer la gravure, si elle est retenue par la boucle de papier adhésif plutôt que par le ruban adhésif double face.

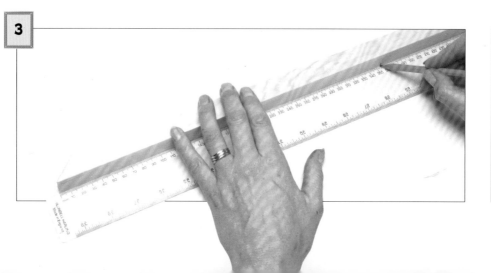

3 Coupez le premier angle du cadre, puis mesurez à partir du coin extérieur, en commençant par la dimension la plus longue. Faites une marque.

TRUC

Si vous fabriquez un cadre plus grand, placez un panneau derrière le passe-partout, pour lui conférer plus de solidité.

4

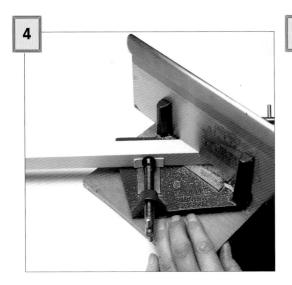

5

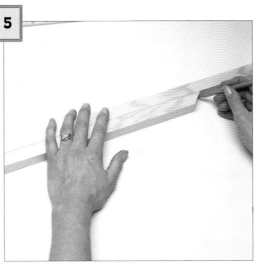

4 Glissez la pièce de bois dans l'étau, alignez la marque sur la ligne de coupe centrale, vissez fermement et sciez. Comme le bois n'est pas rainuré, inutile de couper un autre angle, le seul fait de retourner la pièce de bois vous donnera l'angle voulu.

5 Servez-vous de cette première pièce coupée pour mesurer le deuxième côté long, en les plaçant dos à dos et en marquant les coins extérieurs. Coupez les deux côtés courts de la même façon.

6

7

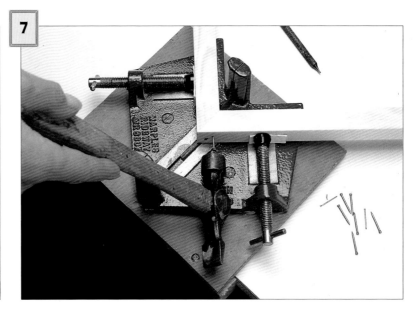

6 Appliquez un peu de colle à bois sur l'about d'une pièce longue, et placez-la dans l'étau avec un côté court. Mariez les angles et resserrez l'étau.

7 Avec une perceuse, faites deux petits trous pour les pointes et servez-vous d'un chasse-clou pour les noyer dans le bois.

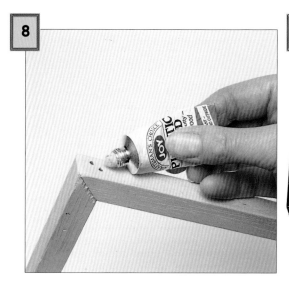

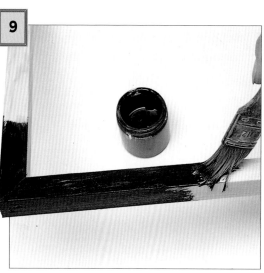

8 Comblez les trous avec du mastic à bois. Laissez sécher et poncez avec un papier de verre très fin.

9 Peignez le cadre d'une couleur adéquate. Nous avons choisi le noir pour l'assortir au passe-partout, mais vous pouvez utiliser une couleur qui s'harmonise avec la gravure que vous encadrez ou avec votre mobilier. Laissez sécher.

10 Servez-vous du cadre fini comme guide pour tracer les contours du verre. Couchez le cadre sur un coin du verre et marquez les deux autres côtés à l'extérieur du cadre avec un crayon feutre.

11 Servez-vous d'une règle de bois à bord droit pour couper le verre, puis poncez les bords avec un papier de verre sec et humide, en faisant bien attention aux coins. Nettoyez le verre et mettez-le sur le passe-partout et la gravure. Couchez les trois sur le cadre.

12 Utilisez deux pattes à glace de chaque côté, en veillant à ce qu'elles soient en face les unes des autres. Marquez la place des trous pour fixer les pattes tout autour, et servez-vous d'une perceuse pour les percer. Vissez les pattes en place. Elles doivent être assez bien vissées pour retenir le verre solidement, mais pas trop, parce que le verre pourrait se casser. Vissez les crochets à l'arrière du cadre.

TRUC

Les ateliers sont remplis de cadres faits avec du contreplaqué et des pinces de métal, et leurs prix sont si raisonnables que vous pourriez décider que ça ne vaut pas la peine de faire vos propres cadres. Toutefois, c'est une excellente façon d'utiliser les chutes de verre et de contreplaqué utilisés pour de plus grands cadres. Pour faire un cadre avec du verre et des pinces de métal, coupez le contreplaqué et le verre aux mêmes dimensions. Poncez les bords du verre. Installez des anneaux à riveter sur le contreplaqué, mettez la gravure en place, et glissez les pinces de métal en enfonçant leur patte de métal dans l'envers du carton de fond.

CADRES EN TISSU ET EN PAPIER

Les cadres ainsi fabriqués font de parfaits cadeaux d'anniversaire ou de Noël, et ils sont très pratiques pour encadrer tous vos souvenirs d'université. Vous pouvez utiliser à peu près n'importe quel papier que vous aimez: papier d'emballage, papier fait à la main, ou coton léger. Il serait bon de faire des essais avec des matériaux peu coûteux avant de vous servir de papier fait à la main, comme nous l'avons fait pour ce cadre double.

Il vous faudra
◊ passe-partout ou l'équivalent
◊ règle de plastique et crayon
◊ coupoir à passe-partout
◊ bourre de polyester
◊ colle blanche
◊ ciseaux pointus
◊ papier fait à la main ou tissu pour couvrir les cadres
◊ ruban adhésif double face

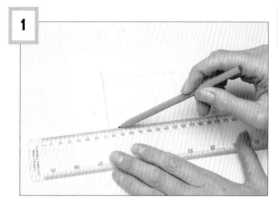

1 Coupez quatre morceaux de carton. Dans notre exemple, les dimensions extérieures de chaque morceau sont de 16,5 cm x 14 cm (6 1/2 po x 5 3/8 po). Coupez aussi un morceau de carton de 16,5 cm (6 1/2 po) de long x 1 cm (3/8 po) de large, qui servira de dos au cadre.

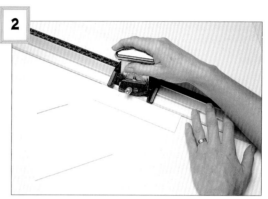

2 Découpez une fenêtre dans deux des plus grands rectangles de carton. La nôtre mesure 8 cm x 6 cm (3 1/4 po x 2 1/2 po). (Voir page 129 pour vous servir d'un coupoir à passe-partout.)

3 Coupez deux morceaux de bourre aux mêmes dimensions que les passe-partout à fenêtre, et collez-les à l'avant des passe-partout avec un peu de colle.

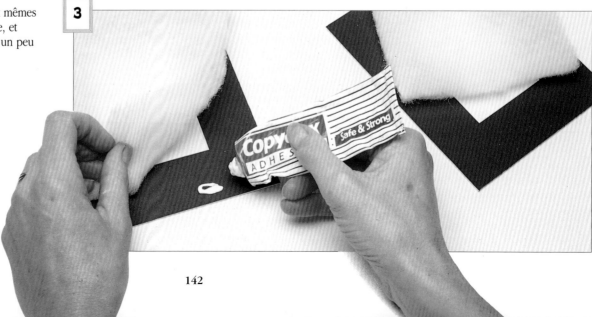

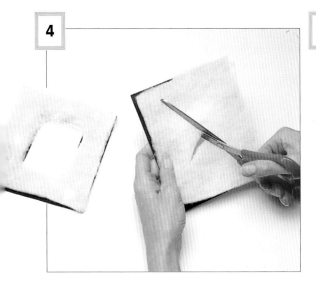

4 Servez-vous de ciseaux pointus pour percer un trou au centre de la bourre, puis enlevez l'excès jusqu'aux bords de la fenêtre.

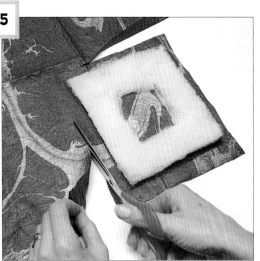

5 Coupez un morceau de papier fait à la main pour l'arrière (le nôtre mesure 34 cm x 19 cm [13 ½ po x 7 ½ po]) et deux morceaux pour l'avant (les nôtres mesurent 19 cm x 17 cm [7 ½ po x 6 ¾ po]).

6 Placez le plus grand morceau de papier à l'envers sur votre surface de travail. Couchez les deux cartons de fond par-dessus, en laissant un espace de 2 cm (¾ po) entre les deux. Collez l'étroite pièce de carton dans cet espace. Appliquez de la colle sur le contour du papier, et collez-le soigneusement sur le carton, en commençant par le haut et par le bas, avant de le coller sur les côtés. Étirez bien le papier au delà des bords, pour qu'il soit bien tendu tout le tour du cadre. Taillez les coins pour qu'ils soient bien plats et parfaitement tendus.

7 Coupez une bande de papier à couvrir pour cacher le dos, et collez-la au centre. Mettez de côté jusqu'à ce que la colle soit complètement sèche.

8 Prenez les deux petites pièces de papier et placez-les à l'envers sur la surface de travail. Couchez les passe-partout à fenêtre dessus, de manière à ce que le papier dépasse également de tous les côtés. Collez le papier tout autour, en veillant à ce qu'il soit bien tendu et à ce que les coins soient bien plats.

9 En tenant l'envers du passe-partout face à vous, servez-vous de ciseaux pointus pour faire un trou au centre. Faites quatre incisions en direction des coins, en arrêtant un peu avant chaque coin.

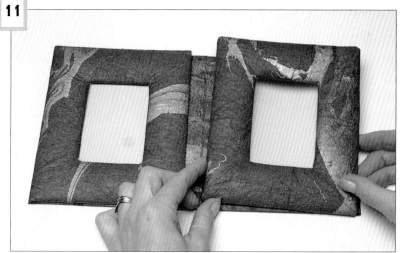

10 Coupez le bout qui dépasse des triangles de papier, puis collez et repliez les rabats intérieurs, en vous assurant que l'avant est bien tendu et sans plis, surtout dans les coins. Enlevez tout excès de papier ou, si vous avez utilisé du tissu, tout bord effiloché ou fil qui dépasse.

11 Servez-vous de ruban adhésif double face pour coller les deux sections du devant soigneusement sur le fond, en laissant le haut ouvert de façon à pouvoir y glisser une photographie.

Cadre double en bois

Voici le cadre idéal pour les photographies et les cartes postales. Parce que le délicat cadre intérieur est combiné au cadre extérieur plus large, il mettra l'image en valeur sans que vous ayez besoin d'un passe-partout.

Il vous faudra
◊ moulure en bois étroite (voir page 123 pour le calcul de la longueur)
◊ règle de plastique et crayon
◊ serre-joint à onglets
◊ scie
◊ cutter
◊ colle à bois
◊ perceuse et petite mèche
◊ pointes
◊ petit marteau
◊ moulure large en bois, sans rainure (voir page 123 pour le calcul de la longueur)
◊ chasse-clou
◊ émulsion blanche
◊ peintures acryliques
◊ verre de 1,5 mm ($^1/_{16}$ po)
◊ équerre
◊ crayon feutre
◊ diamant
◊ aggloméré de 1,5 mm
◊ pitons
◊ fil de métal ou cordelette

1 Mesurez l'illustration et assemblez le cadre à partir de la moulure étroite, tel que décrit à la section Cadre de base (voir page 132).

2 Servez-vous du cadre intérieur fini pour déterminer les dimensions du cadre extérieur. Celui-ci est fait dans un bois d'œuvre sans rainure et mesure 3 cm x 6 mm (1 $^1/_4$ po x $^1/_4$ po).

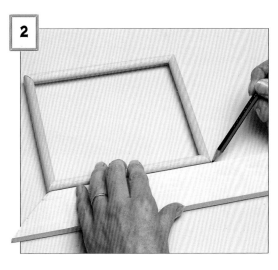

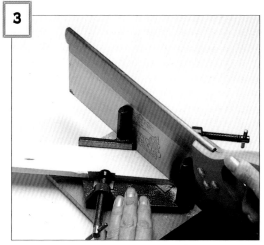

3 Coupez le premier angle, puis préparez les deux côtés longs et les deux côtés courts, tel que décrit dans les instructions pour le Cadre avec verre et pattes à glace (voir page 138). Encore une fois, cette moulure n'a pas de rainure.

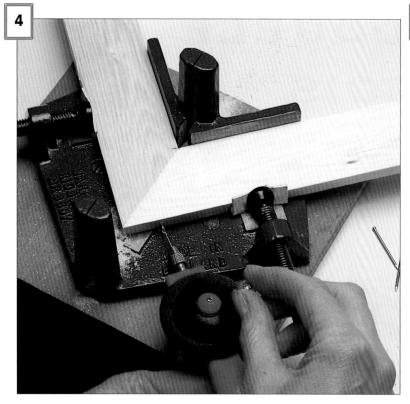

4 Collez et serrez le premier coin assemblé, puis percez des trous pour les pointes. Nous avons utilisé des pointes de 2,5 cm (1 po), mais vous choisirez la longueur qui peut tenir les deux pièces de bois solidement. Servez-vous d'un chasse-clou pour enfoncer les clous bien droit.

5 Peignez les cadres. Utilisez des couleurs contrastantes en mélangeant des peintures acryliques avec une émulsion blanche, jusqu'à ce que vous ayez trouvé le ton recherché. Faites un essai sur un bout de bois avant de peindre directement sur le cadre.

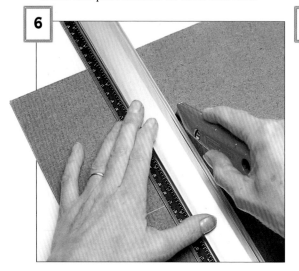

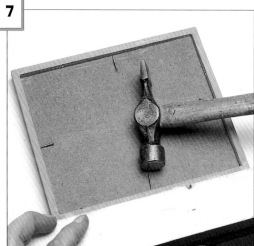

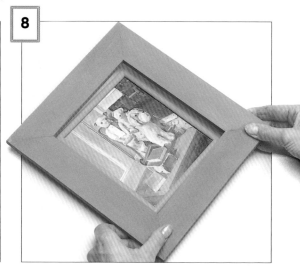

6 Coupez le verre et un morceau de contreplaqué aux mêmes dimensions, en vous servant du cadre intérieur comme guide. Assemblez le verre, l'illustration, le contreplaqué et le cadre intérieur.

7 Maintenez le contreplaqué en place en enfonçant soigneusement quelques pointes dans les bords du cadre intérieur.

8 Appliquez de la colle à bois sur le rebord intérieur du cadre extérieur, et poussez-y le cadre intérieur par l'arrière. Insérez les pitons et attachez le fil de métal ou la cordelette qui vous permettra de suspendre votre cadre.

VITRINE

Les vitrines sont fort pratiques pour mettre en valeur des objets tridimensionnels tels que médailles, fleurs séchées, broderie, etc. On peut les fabriquer de plusieurs façons, mais en voici une simple et efficace. La grandeur du cadre dépend du carton de fond, qui peut être recouvert avec du carton de couleur ou avec de la bourre de polyester et du tissu. Celui-ci a été conçu pour encadrer de jolies fleurs séchées.

Il vous faudra
◊ aggloméré
◊ règle de plastique et crayon
◊ cutter
◊ bourre de polyester
◊ ciseaux
◊ tissu
◊ colle blanche
◊ moulure à bâton de hockey de 2,5 cm (1 po) (voir page 123 pour la longueur)
◊ serre-joint à onglets
◊ scie
◊ colle à bois
◊ perceuse et petite mèche
◊ petites pointes
◊ petit marteau
◊ verre de 1,5 mm (¹/₁₆ po)
◊ diamant
◊ équerre
◊ morceaux de carton
◊ ruban adhésif ou papier kraft gommé
◊ pitons
◊ fil de métal ou cordelette

1 Coupez un morceau de contreplaqué aux dimensions voulues. Le nôtre mesure 32 cm x 22 cm (12 ¹/₂ po x 8 ¹/₂ po). Recouvrez ce panneau avec de la bourre de polyester et coupez un morceau de tissu mesurant environ 1,25 cm (¹/₂ po) de plus de tous côtés que le contreplaqué.

2 Tendez le tissu sur la bourre et collez-le fermement à l'arrière du carton de fond, en vous assurant que les coins sont bien au carré.

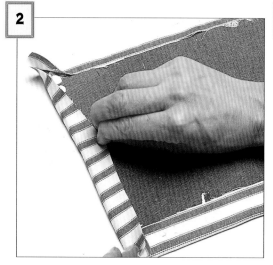

3 Taillez le premier angle de la moulure et, en commençant par un des côtés longs, mesurez le panneau recouvert. Reportez cette dimension sur le bord extérieur de la moulure, en mesurant d'un coin à l'autre.

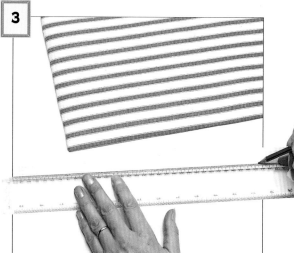

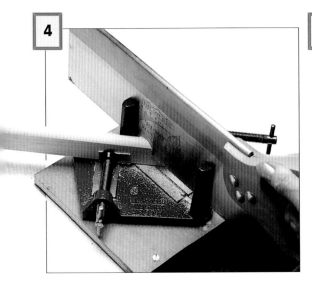

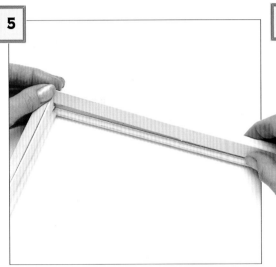

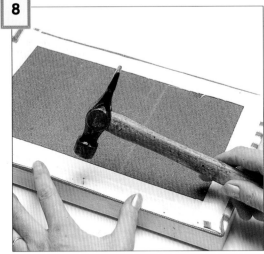

4 Glissez la moulure dans le serre-joint à onglets et alignez la marque sur la ligne centrale de l'étau. Coupez les trois côtés restants et assemblez le cadre, tel que décrit à la page 132 (Cadre de base). Une fois le cadre terminé, taillez un morceau de verre qui s'y insère parfaitement. Couchez le cadre à l'endroit sur la table, nettoyez le verre et insérez-le dans le cadre.

5 Mesurez la profondeur du côté à partir du verre jusqu'à l'arrière du cadre – pour notre cadre, c'est 2 cm (3/4 po) – et coupez quatre languettes de carton épais de cette largeur et assez longues pour être placées le long de l'intérieur du cadre. Collez-les en place, en commençant par les pièces longues. Ces languettes de carton maintiendront le verre en place à l'avant du boîtier.

6 Fixez l'objet ou les objets au carton de fond. Nous avons utilisé de la colle blanche pour tenir le carton en place.

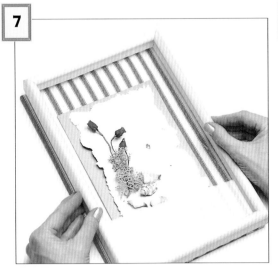

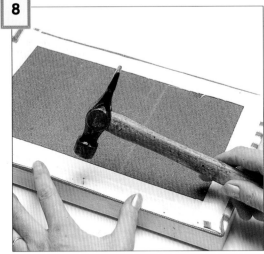

7 Placez le cadre sur le carton de fond et recouvrez le boîtier délicatement.

8 Pour assembler les deux, enfoncez de petites pointes dans le cadre à travers le carton de fond. Couvrez les joints avec des morceaux de ruban adhésif ou de papier kraft gommé.

9 Avec votre perceuse manuelle, percez des trous de chaque côté du cadre, à environ un tiers de la hauteur à partir du haut, et vissez-y des pitons. Attachez-y un fil de métal ou une cordelette pour le suspendre.

CADRE AVEC COQUILLAGES

Si vous avez un vieux cadre qui a connu des jours meilleurs, vous pouvez lui donner une toute nouvelle vie en le décorant de coquillages, de plumes ou même de petits bouts d'algues marines. Vous pouvez également fabriquer votre propre cadre, mais vous devrez vous servir d'une moulure unie, ou alors avec à peine une petite courbe.

Il vous faudra
◊ cadre de bois
◊ peinture émulsion blanche
◊ peinture acrylique
◊ laine d'acier ou chiffon
◊ bougie blanche (facultatif)
◊ pitons
◊ miroir
◊ petites pointes et marteau
◊ ruban adhésif ou papier kraft gommé
◊ colle forte
◊ plâtre d'intérieur (facultatif pour les cadres avec courbe)
◊ peinture dorée

1

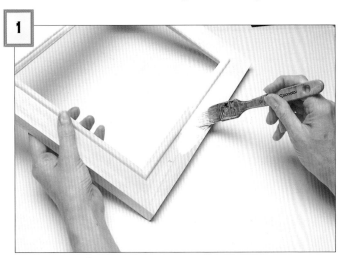

1 Si le cadre doit être peint, appliquez une couche d'émulsion blanche et laissez sécher.

2

2 Mélangez la peinture acrylique en la diluant avec un peu d'émulsion blanche pour lui donner une belle consistance lisse et liquide. Faites des essais jusqu'à ce que vous ayez trouvé le ton que vous aimez. Peignez le cadre, et avant que la peinture ne soit complètement sèche, servez-vous de laine d'acier ou d'un chiffon sec pour enlever un peu de peinture.

3

3 On peut aussi se servir du bout d'une bougie pour dessiner des motifs sur la couche de fond sèche.

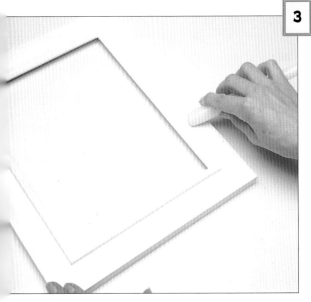

4 Quand vous appliquerez la peinture acrylique, la cire l'empêchera de bien adhérer et laissera transparaître le fond blanc.

4

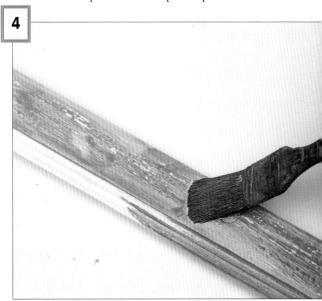

5

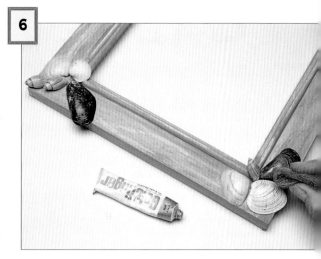

6

5 Vissez les pitons à l'arrière du cadre et, si désiré, insérez le miroir en le fixant avec des petites pointes. Couvrez les joints avec du ruban adhésif ou du papier kraft gommé. Servez-vous d'une colle forte pour fixer les coquillages et autres décorations. Si la surface du cadre est très irrégulière, il pourrait être plus simple de mélanger une petite quantité de plâtre d'intérieur et d'y presser les coquillages.

6 Quand vous serez satisfait de l'arrangement des coquillages, ajoutez-leur une touche de peinture dorée d'artiste pour en rehausser l'éclat. Enlevez tout excès avant qu'elle ne sèche.

152

REDONNER VIE À UN VIEUX CADRE

Vous avez trouvé un vieux cadre chez le brocanteur, mais il est en plus mauvais état que vous ne l'aviez d'abord cru, et il ne convient pas à la gravure que vous désirez encadrer. En vous servant de ce que vous avez appris jusqu'ici, vous pourrez le démonter et fabriquer un tout nouveau cadre avec un nouveau verre qui fera parfaitement l'affaire.

Il vous faudra
◊ pinces
◊ marteau
◊ tournevis
◊ règle de plastique et crayon
◊ serre-joint à onglets
◊ scie
◊ cutter
◊ colle à bois
◊ perceuse et petite mèche
◊ petites pointes
◊ laine d'acier fine
◊ peinture émulsion rouge brique foncé
◊ peinture dorée (liquide, en poudre ou en tube)
◊ verre de 1,5 mm (1/16 po)
◊ diamant
◊ équerre
◊ ruban adhésif ou papier kraft gommé
◊ pitons
◊ fil de métal ou cordelette

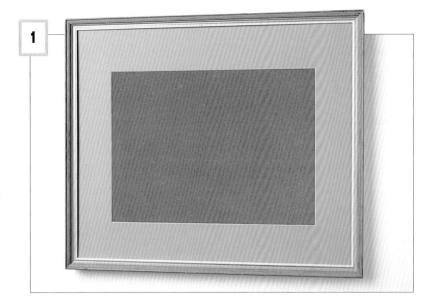

1 Enlevez d'abord le carton de fond et le verre du vieux cadre. Allez-y doucement, car le verre peut être vieux et fragile. Appuyez le cadre sur un coin, tenez le coin opposé et poussez doucement vers le bas jusqu'à ce que les coins craquent.

TRUCS

S'il s'agit d'un vieux cadre en bois, poncez-le et teignez-le avant d'appliquer un fini à la cire.

Pour avoir un cadre uni, appliquez deux couches de peinture noire.

2 Si l'on a utilisé des pointes, écartez les côtés et détachez-les. Si le dessous du cadre a été agrafé, enlevez les agrafes avec un tournevis et un marteau.

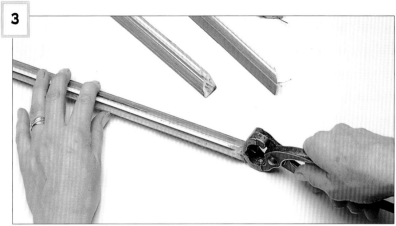

3 Une fois que le cadre est en morceaux, servez-vous de vos pinces pour enlever les pointes qui restent. En commençant par l'un des côtés longs, coupez un nouvel angle.

4

4 Mesurez le côté long de l'image que vous voulez encadrer et reportez cette mesure sur l'intérieur de la pièce que vous venez de recouper.

5

5 Glissez la moulure dans le serre-joint à onglets et alignez la marque sur la ligne de coupe centrale. Coupez tous les côtés, tel que décrit à la page 132 (Cadre de base) et assemblez les morceaux.

6

6 Vous pouvez maintenant décorer le cadre, en choisissant un style adapté au sujet. Nous avons pris une vieille gravure avec grenouilles et nous voulions que le cadre ait un air vieillot. Pour ce faire, frottez tout le cadre avec une laine d'acier fine.

7

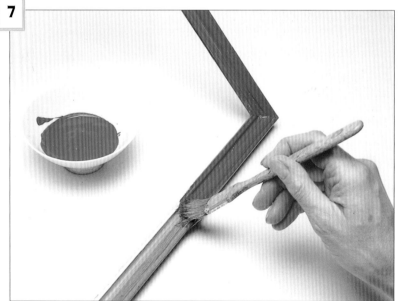

7 Appliquez une couche d'émulsion rouge brique foncé sur tout le cadre. Laissez sécher. Vous aurez peut-être besoin d'appliquer une seconde couche si la première n'a pas recouvert complètement le cadre.

8

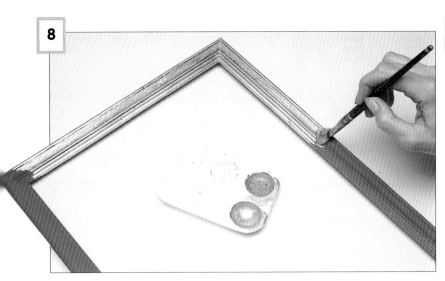

9

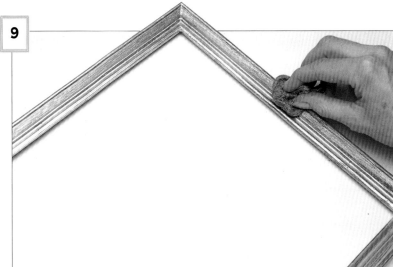

8 Une fois la peinture sèche, lissez-la bien avec une laine d'acier fine, puis appliquez une couche de feuille d'or liquide ou une autre peinture dorée appropriée. Lisez toujours les instructions du fabricant, car certaines poudres d'or doivent être mélangées avec de la laque ou du poli à poignées.

9 Quand la peinture dorée est sèche, frottez-la doucement avec une laine d'acier fine afin que la peinture rouge transparaisse à certains endroits pour lui donner un air vieillot. Insérez le verre et finissez le cadre tel que décrit à la page 136 (Cadre de base).

CADRE EN PAPIER MÂCHÉ

La fabrication de ce cadre pour miroir vous permettra de mettre à profit vos talents d'encadreur. Par surcroît, vous pourrez vous amuser avec le papier mâché. Nous avons créé un dessin très simple de poissons nageant autour du miroir, mais cette technique vous permettra de laisser libre cours à vos talents créatifs.

Il vous faudra
◊ 1,25 cm x 1,25 cm (¹/₂ po x ¹/₂ po) de moulure en bois unie (voir page 123 pour la longueur)
◊ règle de plastique et crayon
◊ serre-joint à onglets
◊ scie
◊ cutter
◊ colle à bois
◊ perceuse et petite mèche
◊ petites pointes
◊ petit marteau
◊ papier-calque
◊ passe-partout ou carton épais
◊ feuille de papier journal, déchirée en petits morceaux
◊ ruban adhésif
◊ colle faite avec de l'eau et de la farine, ou colle à papier peint
◊ papier kraft gommé (facultatif)
◊ colle acrylique (facultatif)
◊ colle blanche
◊ papier de soie blanc
◊ peinture acrylique
◊ polyuréthane
◊ pitons
◊ fil de métal ou cordelette

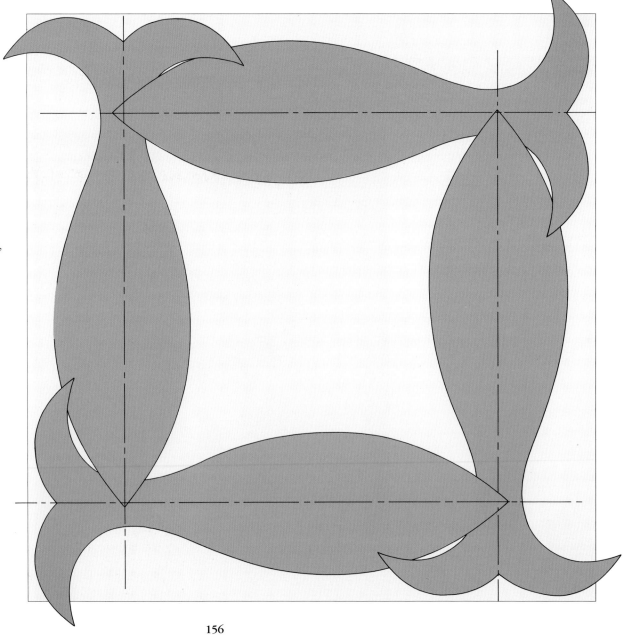

1 Servez-vous de la moulure de bois pour fabriquer un cadre à trois côtés, en suivant les instructions pour le Cadre de base à la page 132. Nous avons fait un cadre carré mesurant 16,5 cm x 16,5 cm (6 ½ po x 6 ½ po). Laissez le haut ouvert de manière à pouvoir y glisser le miroir.

2 Calquez le gabarit du poisson (ou un motif de votre choix) sur une chute de carton. Servez-vous d'un cutter pour découper quatre formes de poisson.

3 Froissez légèrement les morceaux de papier journal. Utilisez du ruban adhésif pour les fixer sur les formes de poisson pour qu'elles soient plus pleines et rondes.

4 Mélangez la colle. Si vous vous servez de colle à base d'eau et de farine, ajoutez-y une petite quantité de colle acrylique pour la rendre plus forte. Trempez les morceaux de papier journal dans la colle et commencez à couvrir le corps des poissons. Ne saturez pas le papier de colle, mais si vous le trouvez trop humide, ajoutez quelques morceaux secs par-dessus les formes. Quand vous serez satisfait de l'apparence des formes, lissez la surface des poissons et laissez ceux-ci dans un endroit chaud jusqu'à ce qu'ils soient complètement secs.

5

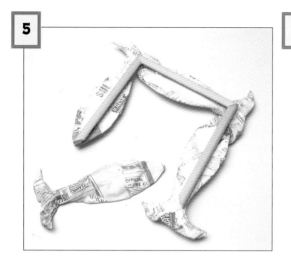

5 Placez les poissons autour du cadre. Quand vous serez satisfait du résultat, collez-les avec beaucoup de colle.

6

6 Le poisson du haut doit être collé par la tête et la queue. Placez un poids sur le cadre et laissez sécher la colle. Vérifiez que le miroir s'insère bien dans le cadre, mais ne l'y laissez pas encore. Ajoutez plus de couches de papier mâché aux poissons, en mettant plus de papier sur tout le dos de celui du haut pour vous assurer qu'il est fermement collé à ses voisins. Laissez sécher dans un endroit chaud.

7

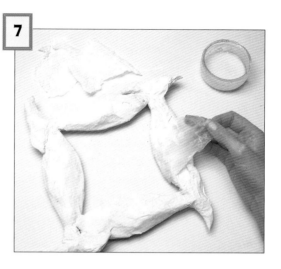

7 Pour finir, couvrez complètement les poissons avec deux couches de papier de soie blanc. Les couleurs de la peinture apparaîtront beaucoup plus brillantes et claires si elles sont appliquées sur un fond blanc.

8

8 Quand les poissons sont secs, peignez-les aux couleurs que vous aurez choisies. Laissez sécher la peinture puis appliquez une couche de polyuréthane clair.

9

9 Insérez le miroir et vissez les pitons des deux côtés du cadre pour le suspendre avec un fil de métal ou une cordelette.

Glossaire

Bois de chaux: bois traité avec un lavis de peinture blanche, de la pâte de chaux ou de la cire blanche.

Boîte à onglets: boîte de métal ou de bois dont on se sert pour couper des angles à 45 degrés sur les moulures.

Carte bulle: morceau de passe-partout coupé environ 2,5 cm (1 po) plus grand que l'œuvre. On centre l'œuvre sur le carton, elle flotte et on peut apercevoir le passe-partout tout autour.

Double passe-partout: deux passe-partout l'un par-dessus l'autre. La fenêtre du passe-partout du dessus est plus grande que celle de celui du dessous.

Fenêtre: ouverture découpée dans un passe-partout, à travers laquelle on peut voir l'œuvre.

Gesso: plâtre blanc et apprêt dont on se sert en couches successives pour faire une base pour la feuille d'or et autres finis.

Inciser: marquer une ligne sur un morceau de carton ou de verre avec un outil à découper, afin de pouvoir plier le carton ou sectionner le verre.

Lavis: couche de peinture diluée, en général de l'aquarelle, dont on se sert pour créer un effet léger et translucide. Utilisé surtout pour l'aquarelle.

Moulure: bois spécialement tourné avec une rainure pour encadrement.

Oblique: lisière inclinée d'un passe-partout.

Onglet: angle de 45 degrés servant à réaliser les coins des moulures pour cadres.

Passe-partout: carton avec fenêtre qui vous permet d'orner et de protéger une œuvre.

Rainure: fente dans une moulure, dans laquelle tous les côtés de l'image s'insèrent.

Sans acide: c'est l'expression qu'on utilise pour décrire les cartons, passe-partout et rubans adhésifs fabriqués sans acide, ce qui garantit que l'œuvre que vous encadrez ne sera pas tachée ou endommagée après un certain temps.

Terre bolaire: glaise appliquée sur un plâtre comme base pour la feuille d'or. Peut également être utilisée seule.

Tire-lignes: plume qui présente deux pointes parallèles. Lorsque remplie d'aquarelle ou d'encre, on s'en sert pour tracer les lignes de lavis sur les passe-partout.

Vieillir: faire en sorte qu'une feuille d'or ou un cadre peint ait l'air vieux en frottant la couleur de fond avec une laine d'acier.

Objets en étain

Voici des objets uniques dans leur genre, quoique fort simples,
que vous pouvez réaliser tout en apprenant les techniques
de l'art de décorer l'étain.

INTRODUCTION

Depuis son apparition au début du 18ᵉ siècle, la peinture sur étain est un type d'artisanat très prisé, sinon très répandu. Ce sont les Français, parmi d'autres fabricants européens d'étain, qui ont développé cet art très raffiné pour imiter les ravissants laques importés du Japon à la fin du 17ᵉ siècle et au début du 18ᵉ. De cette époque, datent des pièces remarquables qui ont donné naissance au style Chippendale et aux plateaux au rebord ajouré et décorés d'élégants motifs floraux ou de feuilles d'or.

Mais les colons américains allaient devenir les premiers producteurs d'objets en fer-blanc pour la maison. En 1740, les frères Patterson de Berlin au Connecticut ont commencé à importer des feuilles de tôle d'Angleterre pour fabriquer des ustensiles de cuisine. Ces premiers objets n'étaient pas décorés, en grande partie parce que les colons de Nouvelle-Angleterre et de Pennsylvanie étaient des puritains farouchement opposés à tout genre d'ornementation. Il fallut attendre la fin du 18ᵉ siècle pour que les objets en tôle soient laqués à la manière européenne aux États-Unis. Le métal fut d'abord décoré de façon très élaborée par des ouvriers talentueux, formés aux techniques utilisées à l'étranger. Ces articles étaient achetés par les familles riches. Cependant, assez rapidement, les étameurs ruraux commencèrent à produire un type de tôle plus simplement décoré, peu coûteux, et destiné à être vendu rapidement. Au 19ᵉ siècle, on trouvait beaucoup de ces objets dans les magasins, mais la plupart étaient vendus par des colporteurs qui allaient d'abord à pied, puis en voiture, parce que très vite ces marchands ambulants durent couvrir de plus longues distances. Les étameurs de la campagne décoraient leur métal grâce à une technique de coups de pinceau qui était enseignée à tous les décorateurs débutants. Les objets peints pour la maison étaient très variés: plateaux, boîtes à biscuits, pichets, contenants, cafetières et boîtes fourre-tout. Ayant passé des années entourées d'étain et de fer-blanc terne, les ménagères américaines furent très vite séduites par ces nouveaux articles colorés pour égayer leur foyer.

Aujourd'hui, nous redécouvrons le plaisir qu'éprouvèrent les artistes en créant des accessoires colorés et personnels pour embellir les maisons, et les ménagères qui les achetèrent.

ÉQUIPEMENT ET MATÉRIAUX DE BASE

PEINTURES

Les peintures et apprêts acryliques à base d'eau ont servi pour tous les projets de ce chapitre parce qu'ils s'appliquent facilement, qu'ils sèchent rapidement, qu'ils sont exempts de substances toxiques et aussi parce que les pinceaux et contenants peuvent facilement être nettoyés à l'eau et au savon doux.

Jusqu'à tout récemment, on croyait préférable de se servir de produits à base d'huile sur le métal non absorbant parce que sur la tôle la peinture a tendance à s'écailler facilement. Toutefois, le retrait graduel des produits à base d'huile ou de solvant a placé les versions à l'eau à l'avant de la scène, et les progrès en matière de fabrication ont fait qu'il existe maintenant des peintures et apprêts acryliques pour peindre des objets de métal sans problème.

APPRÊTS

Il existe deux types d'apprêts, l'un pour l'étain galvanisé ou plaqué zinc, et l'autre pour les métaux non ferreux (cuivre, laiton, etc.). La majorité des objets en tôle appartiennent à la catégorie des métaux galvanisés.

COUCHES DE FOND

On peut acheter la **peinture acrylique** dans de grands contenants dans les boutiques de matériel d'artiste. Les **peintures au latex**, que l'on peut utiliser comme couche de fond pour les objets en bois, ne conviennent pas au métal. Ces peintures adhèrent aux surfaces en les pénétrant, ce qui est impossible avec la tôle.

On peut utiliser les **couches de fond à base d'huile**, mais elles doivent être appliquées par-dessus un apprêt à l'huile. Les pinceaux doivent être nettoyés dans la térébenthine ou dans le white-spirit. Mais attention, les peintures à l'huile et les peintures à l'eau ne font pas bon ménage; alors si vous voulez peindre à l'acrylique, il vous faudra mettre une couche de laque ou de scellant abrasif par-dessus la couche de fond sèche. Une fois la laque sèche, vous pouvez peindre votre motif à l'acrylique.

On peut utiliser les **émaux** sur le métal pour lui donner un beau fini brillant comme la laque, semblable à celui des laques du Japon. Ces peintures sont à base d'huile, alors encore une fois, il faudra appliquer une couche de laque ou de scellant abrasif pour isoler la couche de base de votre dessin à l'acrylique.

Enfin, on peut aussi se servir des peintures cellulosiques à métal et des **peintures pour les carrosseries en aérosol**. Elles sont compatibles avec l'acrylique et un motif peut être peint directement sur ces finis.

PEINTURES DÉCORATIVES

L'acrylique est vendu en tubes ou en pots, ce dernier étant préférable quand on veut voir les coups de pinceau, parce qu'il est plus liquide. Il existe une immense variété de couleurs parmi lesquelles faire un choix, mais on peut aussi les mélanger. Si nécessaire, on peut les diluer avec de l'eau pour une consistance plus liquide, par exemple pour tracer des lignes ou des lettres. Nettoyez les pinceaux à l'eau et au savon.

AUTRES MATÉRIAUX

INHIBITEUR DE ROUILLE

Cette « peinture » contient des produits chimiques servant à sceller et à prévenir la rouille. On la trouve dans les quincailleries et magasins de rénovation. Vous en aurez besoin si vous apprêtez de vieux objets en métal rouillé.

LAQUE, SCELLANT ABRASIF ET POLI BLANC

Ces produits scellent et protègent. On les trouve chez les marchands spécialisés. Ils sont à base de solvant, à séchage rapide, et compatibles avec les mélanges à l'huile et à l'eau. Nettoyez vos pinceaux avec de l'alcool dénaturé.

ALCOOL DÉNATURÉ

Disponible partout, l'alcool dénaturé sert à plusieurs usages. En plus de nettoyer les pinceaux, il peut servir pour enlever les peintures acryliques et à base d'eau d'une surface, que ce soit parce que la peinture a été répandue par accident, ou parce que vous voulez enlever un peu de peinture pour « vieillir » l'objet.

FEUILLE D'OR

On trouve la feuille d'or véritable (très coûteuse), mais aussi la feuille imitation or, beaucoup plus économique. C'est cette dernière que nous avons utilisée pour nos projets. Elle est vendue en feuilles à décalquer ou sans support de papier. La feuille à décalquer est plus facile à manipuler, parce qu'elle repose sur un papier qui lui sert de support. Essayez de ne pas trop toucher la feuille de métal, car elle marque facilement. Contrairement aux vraies feuilles d'or, la feuille imitation or va ternir. Il faut donc qu'elle soit vernie ou laquée pour prévenir cela.

POUDRES MÉTALLIQUES

Les poudres métalliques sont de fines poudres à base de cuivre, d'argent, d'aluminium ou d'alliages. Il faut les protéger avec du vernis ou de la laque.

MIXTION À DORER

La mixtion à dorer permet à la feuille d'or d'adhérer à une surface. On en trouve une variété dont le temps de séchage va de 30 minutes à 24 heures. Pour les projets de ce chapitre, nous avons utilisé une mixtion à dorer qui sèche en trois heures.

VERNIS

Ils sont soit à base d'huile, soit à base d'eau, et les deux types peuvent être appliqués sur vos objets, que vous les ayez décorés de motifs à l'huile ou à l'acrylique. Le seul cas exigeant un vernis à base d'huile, c'est lorsqu'un vernis à craqueler est utilisé.

Les **vernis à base d'huile** prennent du temps à sécher, 24 heures ou plus, et peuvent « jaunir » vos couleurs parce qu'ils contiennent de l'huile de lin. Les **vernis à l'eau** sèchent rapidement, ce qui signifie que vous pouvez en appliquer plusieurs couches le même jour si vous le désirez. Comme ils ne contiennent pas d'huile, ils ne jauniront pas avec le temps.

Vous pouvez aussi acheter des vernis à craqueler « deux étapes »: un vernis à base d'huile, que l'on étend en premier, puis un vernis à l'eau, appliqué par-dessus le vernis à l'huile sec. L'objet décoré ainsi aura un fini craquelé et vieilli.

PINCEAUX ET APPLICATEURS

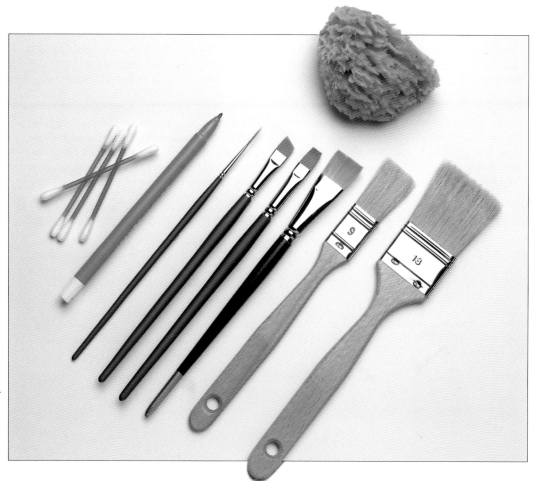

ÉQUIPEMENT ADDITIONNEL

BROSSE MÉTALLIQUE

Pratique pour brosser la rouille qui s'écaille sur les vieux objets que l'on veut préparer afin d'y appliquer un inhibiteur de rouille.

PAPIER DE VERRE

On se sert du papier à très gros grain pour poncer les objets émaillés avant d'y mettre un apprêt. Celui à grain plus fin sert à poncer entre les couches de vernis.

La craie est pratique lorsque l'on veut déterminer la position d'un motif sur des objets plus volumineux.

PAPIERS

On se sert de papier-calque pour calquer des dessins et des motifs. Pour reproduire ces dessins, il faut du papier à décalquer. Ce papier carbone sans cire est offert en quelques couleurs (blanc, jaune, bleu, noir) et s'enlève avec une gomme à effacer. On l'utilise en complément du papier-calque pour décalquer les dessins sur les objets à décorer. On ne doit pas confondre papier à décalquer et papier carbone ordinaire. Les nouvelles variétés offertes dans le commerce incluent les papiers dont les traces disparaissent lorsqu'on peint par-dessus.

RUBAN ADHÉSIF

On s'en sert soit pour maintenir en place le papier-calque ou à décalquer lorsqu'on reproduit un dessin sur un objet, ou pour masquer les surfaces attenantes à celle que l'on peint. Le ruban adhésif que vous utilisez doit être à faible adhésion. Un ruban adhésif trop collant risquerait de faire décoller la peinture lorsqu'il est retiré.

On trouve une gamme infinie de pinceaux à tous les prix. Pour la peinture décorative, on en trouve deux types: les brosses à vernis et couches de fond, et les pinceaux à dessin.

BROSSES À VERNIS

Les brosses à vernis sont plates et on les trouve en différentes tailles. Les plus pratiques pour les petits objets mesurent 2,5 cm et 4 cm (1 po et 1 1/2 po). On s'en sert pour les apprêts, couches de fond et vernis. Les pinceaux plats peu coûteux de 1,25 cm (1/2 po) suffisent pour appliquer les produits à base d'essence minérale comme la laque, car ces produits abîment les pinceaux.

PINCEAUX À DESSIN

Les pinceaux à dessin font partie des pinceaux d'artiste. La plupart des projets de ce chapitre ont été

réalisés avec des pinceaux ronds nos 2 et 4. Pour les lignes fines ou les vrilles, on utilise un traceur; pour les bordures plus larges, on se sert d'une brosse plate ou coudée. Les brosses synthétiques sont parfaites pour l'acrylique. Ne soyez pas tenté d'acheter des pinceaux en poil de martre trop coûteux.

ÉPONGE

Il est préférable d'utiliser une éponge naturelle, car elle donnera des motifs plus variés qu'une éponge synthétique. Passez-la à l'eau avant usage, et ne la laissez jamais tremper dans des solvants forts.

STYLET

Un stylet est un outil qui sert à de multiples usages. On l'utilise pour tracer des dessins sur des objets en métal; on s'en sert aussi pour pointiller un dessin avec de la peinture.

TECHNIQUES

APPRÊT

Les objets à décorer que vous trouverez ou achèterez seront de trois catégories: tôle neuve, vieille tôle ou tôle émaillée (cette dernière incluant le métal ayant déjà été peint).

La première chose à faire avec ce genre d'objet consiste à le nettoyer à fond. Si le métal est vieux, il est probablement poussiéreux et sale. S'il s'agit d'étain galvanisé neuf, il sera probablement recouvert d'une couche protectrice huileuse qu'il faudra enlever avant de le peindre. Une fois lavé, l'objet aura besoin d'un bon séchage, pour enlever toute trace d'eau dans les joints. Sinon, il rouillera et

votre beau travail sera gâché. Les petits objets peuvent être mis au four à température basse pendant quelques minutes. Si ce n'est pas possible, installez-les un jour ou deux dans un endroit sec et chaud. Si l'objet est émaillé, ou s'il a déjà été peint, donnez-lui un bain pour enlever toute saleté ou crasse.

Une fois qu'il est propre, l'objet peut recevoir un apprêt. S'il s'agit de vieux métal, l'étape suivante consiste à vérifier que l'objet ne présente ni plaques ni taches de rouille. S'il y en a, enlevez toute rouille qui s'écaille avec une brosse métallique ou un papier de verre à très gros grain.

Traitez ensuite avec un inhibiteur de rouille. Une fois sec, l'objet pourra être apprêté. S'il est émaillé ou peint, poncez-le bien avec du papier de verre à gros grain, pour lui donner une texture à laquelle la peinture pourra adhérer.

Une fois toutes ces étapes accomplies, vous pouvez appliquer l'apprêt. Assurez-vous d'utiliser l'apprêt qui convient au genre de métal que vous allez peindre. Quand l'apprêt est sec, vous pouvez mettre la couche de fond. Il arrive souvent que le métal exige deux couches de fond. Laissez le temps qu'il faut à la première couche pour bien sécher avant d'appliquer la seconde.

Coups de pinceau

Tel que mentionné dans l'introduction, les coups de pinceau sont la base de la peinture décorative et de la peinture populaire, les plus connus étant la virgule et la forme en S. Il faut certes un peu de temps pour apprendre la technique pour réussir ces coups de pinceau, mais cela en vaut vraiment la peine.

La virgule

Avec un pinceau rond, commencez par la virgule en tenant le pinceau perpendiculairement au papier. Mettez doucement toute la longueur des soies à plat sur le papier, puis appliquez une petite pression de sorte qu'elles s'étalent pour former la tête ronde de la virgule. Ramenez lentement le pinceau vers vous en relâchant la pression jusqu'à ce que les soies reprennent leur place. Continuez ainsi en soulevant le pinceau jusqu'à ce que les soies forment une pointe fine. Arrêtez et relevez le pinceau.

La forme en S

Le coup de pinceau en S ressemble à un S allongé; le début et la fin du trait pointent dans la même direction. Commencez sur la pointe du pinceau. Ramenez-le vers vous en augmentant graduellement la pression. Changez de direction, toujours en augmentant la pression, jusqu'à ce que vous ayez tracé la moitié du S. Commencez à diminuer votre pression en ramenant toujours le pinceau vers vous. Reprenez la direction de départ, et continuez en diminuant la pression jusqu'à ce que vous soyez revenu sur la pointe du pinceau. Arrêtez, puis relevez le pinceau.

Après quelque temps, vous saurez exactement à quel point charger votre pinceau. À vue de nez, c'est lorsque la peinture monte environ à mi-hauteur des soies. La peinture devant avoir la consistance de la crème, il se peut que vous deviez y ajouter un peu d'eau.

Pour les vrilles des plantes ou les lignes fines, on utilise le traceur ou le pinceau à lettrage. Ajoutez de l'eau à la peinture jusqu'à obtenir la consistance de l'encre, et tenez toujours votre pinceau bien droit.

Les pointillés au stylet

On se sert d'un stylet ou de l'extrémité du manche d'un pinceau pour faire des pointillés avec de la peinture (par exemple, le centre d'une fleur). Si vous voulez que vos points soient égaux, il vous faudra tremper votre outil dans la peinture à chaque fois. Si vous continuez à faire des pointillés après l'avoir trempé une seule fois, les points seront de plus en plus petits.

Dorure

Des techniques très simples ont été utilisées pour deux des projets de ce chapitre. Nous avons fourni toutes les instructions utiles chaque fois. Voir pages 177 et 185.

Glacis à craqueler

On confond souvent ce fini avec le vernis à craqueler. On applique le glacis à craqueler entre deux couches de peinture. On commence par la couche de fond, et lorsque sec, on étend le glacis aux endroits voulus. On laisse sécher de nouveau puis on applique la dernière couche. Aussitôt, le glacis commencera à « travailler » et la peinture à craqueler. La réaction dure un bon moment, aussi est-il préférable de mettre l'objet de côté jusqu'à ce qu'elle cesse. Le mieux est d'attendre toute une nuit. Avec ce fini, la couche de fond et celle du dessus doivent être de couleurs contrastantes, de façon à ce que la couche du dessous soit visible dans les craquelures.

Vernis à craqueler

Le vernis à craqueler fait effet lorsque deux vernis spéciaux sont appliqués après la peinture. Une fois le travail décoratif terminé, on applique la première couche de vernis à base d'huile. On la laisse reposer jusqu'à ce qu'elle soit presque sèche, puis on applique la seconde couche à base d'eau. Lorsque sec, on expose l'objet à la chaleur – un séchoir à cheveux fait l'affaire – et la couche supérieure du vernis se met à craqueler. Il est parfois difficile d'apercevoir le réseau de craquelures avant que la patine ne soit appliquée, ce qui est la prochaine étape. Mélangez un peu de peinture à l'huile terre d'ombre naturelle avec une goutte d'essence minérale, et avec un linge doux, frottez bien toute la surface du vernis à craqueler. Prenez ensuite du papier absorbant et enlevez l'excès de peinture à l'huile. La patine restera dans les craquelures du vernis, et vous pourrez voir l'effet de craquelures. Terminez avec une couche de vernis à base d'huile. Cette couche ne peut pas être à base d'eau.

Essayez toujours ces techniques sur des objets à jeter avant de les appliquer à l'objet de votre choix.

Vernissage

La règle d'or en matière de vernissage, c'est d'appliquer très peu de vernis à la fois. Plusieurs couches fines sont préférables à une seule couche épaisse. Il vaut mieux vernir en plein jour dans une pièce bien aérée, sans humidité et sans poussière. Travaillez sur une petite surface à la fois, en débordant toujours légèrement sur la surface voisine. Si vous le souhaitez, vous pouvez poncer après chaque couche de vernis avec un papier de verre très fin. Vernissez toujours vos objets terminés pour protéger votre précieux travail contre les coups et la détérioration.

ARROSOIR

❀

Un peu de soins et mon motif préféré ont fait de cet arrosoir — une trouvaille dans un magasin d'objets usagés – un objet à la fois utile et décoratif. Le feuillage du fond a été fait à l'éponge. Ne soyez pas découragé à l'idée de peindre toutes les fleurs, elles émergeront de votre pinceau sans effort.

Il vous faudra
◊ arrosoir (apprêté et peint avec une couche de fond vert foncé)
◊ papier-calque
◊ papier à décalquer
◊ ruban adhésif
◊ stylet
◊ éponge
◊ papier absorbant
◊ pinceaux d'artiste ronds n°s 2 et 4
◊ pinceau d'artiste à lettrage n° 5/0
◊ palette ou assiette pour la peinture
◊ peintures acryliques fauve, blanc antique, terre d'ombre naturelle, vert de Hooker, vert océan, vert feuille et jaune oxydé
◊ vernis
◊ brosse à vernis

TRUC

Lorsque vous décorez de la tôle usagée, servez-vous d'une brosse métallique pour enlever la rouille et le métal qui s'écaillent. Un inhibiteur de rouille appliqué avant la peinture aidera à prévenir toute détérioration ultérieure.

1 Calquez le motif des marguerites (voir page 197) sur le papier-calque et maintenez-le en place sur le côté de l'arrosoir avec du ruban adhésif. Glissez un papier à décalquer entre les deux, et reportez seulement les lignes pointillées sur l'arrosoir.

2 Humectez l'éponge. Pour créer un fond de feuillage pour les fleurs, vous devrez remplir les espaces sous les lignes pointillées avec les trois tons de vert. Épongez d'abord avec le vert le plus foncé au bas du dessin, jusqu'à une hauteur d'environ 4 cm (1 ½ po). Épongez l'excès de peinture avec du papier absorbant à mesure que vous travaillez.

3 Épongez ensuite avec le vert moyen, et appliquez le vert le plus clair en dernier, cette couleur pouvant dépasser légèrement les lignes pointillées. Ne laissez pas une ligne de démarcation entre chacune des couleurs. Mêlez-les pour que le feuillage ait l'air naturel.

4 Quand la peinture est sèche, replacez le papier-calque, maintenez-le en place avec le ruban adhésif, et glissez le papier à décalquer dessous. Repro-duisez maintenant le motif complet avec un stylet, et faites de même avec le petit dessin sur le dessus de l'arrosoir.

5 Avec la peinture fauve et le pinceau nº 4, appliquez une couche de fond sur les pétales des marguerites.

6 Prenez la terre d'ombre naturelle et le pinceau nº 2 et appliquez une couche de fond au centre des marguerites.

7 Avec le pinceau nº 4, finissez maintenant les pétales avec le blanc antique.

8 Complétez le centre des fleurs en y ajoutant de l'ombre. Servez-vous d'oxyde jaune et du pinceau nº 2 et mettez un peu de couleur sur les parties centrales terre d'ombre naturelle qui capteraient la lumière.

9 Finissez les centres avec quelques petits points blancs appliqués çà et là au stylet.

10 Servez-vous du vert le plus pâle pour peindre les vrilles, les tiges et les sépales.

ENSEMBLE DE PICHETS

Voici un de mes motifs favoris, inspiré d'un modèle français du début du 19ᵉ siècle.
Le dessin est modifié selon la taille des pichets et est peint par-dessus une couche de fond,
conçue tout spécialement pour créer une apparence vieillotte.

Il vous faudra
◊ ensemble de pichets (apprêtés,
  prêts à recevoir les couches de fond)
◊ couches de fond orange profond et terre
  d'ombre orangée
◊ brosse pour appliquer les couches de fond
◊ papier-calque
◊ papier à décalquer
◊ ruban adhésif
◊ stylet
◊ pinceau à lettrage d'artiste nᵒ 5/0
◊ pinceaux ronds d'artiste nᵒˢ 2 et 4
◊ brosse plate nᵒ 4
◊ palette ou assiette pour la peinture
◊ peintures acryliques terre d'ombre brûlée,
  vert feuille, or antique, bleu poudre,
  rouge kaki, blanc antique et vert de Hooker
◊ vernis
◊ brosse à vernis

①

TRUC

Ne lésinez pas sur la préparation: appliquez deux couches de fond au métal avant de le décorer, en laissant le temps qu'il faut à la première couche pour sécher avant d'appliquer la seconde.

1 Avant de commencer le dessin, peignez les pichets avec une couche de fond orange profond, puis appliquez un lavis terre d'ombre orangée (moitié peinture et moitié eau) par-dessus. Laissez sécher.

②

③

2 Calquez le motif (page 198) sur le papier-calque, en choisissant celui qui est approprié à la taille du pichet, et collez-le sur la paroi extérieure avec du ruban adhésif. Glissez le papier à décalquer sous le papier-calque et reportez le dessin avec un stylet.

3 Avec le pinceau à lettrage, peignez les tiges à la terre d'ombre brûlée.

4 Rincez bien le pinceau à lettrage et peignez la tige des boutons de roses avec le vert de Hooker.

5 Peignez les feuilles avec le vert feuille et le pinceau n° 2.

6 Rincez le pinceau n° 2 et peignez les pétales des petites marguerites en bleu poudre.

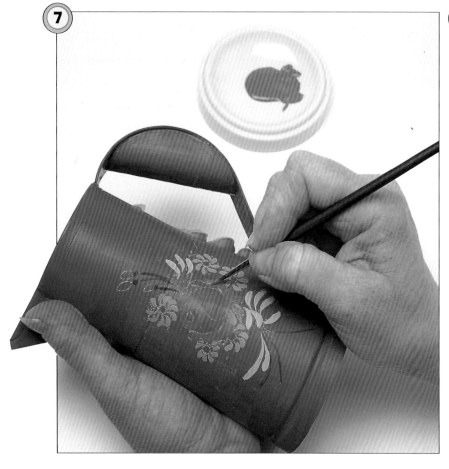

7 Avec le pinceau n° 4 et le rouge kaki, peignez les pétales à la base de la rose, le cœur de la rose et les boutons de roses.

8 Avec la terre d'ombre brûlée et le pinceau n° 2, peignez le centre de la rose et des marguerites tout autour.

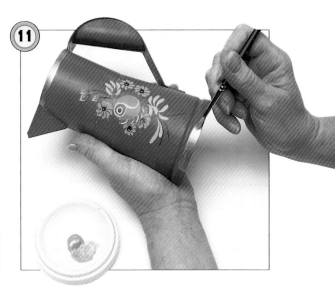

9 Mettez du rouge kaki sur votre palette et ajoutez un peu de blanc pour créer un rouge plus pâle. Servez-vous de cette couleur et d'un pinceau n° 4 pour peindre les grands pétales de la rose.

10 Complétez le dessin en ajoutant des touches de lumière dans le centre des marguerites, de la rose et des boutons de roses, en vous servant du blanc antique et du pinceau n° 2.

11 Ces pichets sont rehaussés par un contour doré. Servez-vous d'une brosse plate n° 4 et d'or antique pour peindre les rebords du pichet et de la poignée. Quand la peinture est complètement sèche, appliquez une couche de vernis.

PETITE FONTAINE

Cette fontaine originale a été conçue pour qu'on puisse s'y laver les mains souillées par la terre du jardin ou de la serre. Je me la représentais dans un vieux jardin à la campagne, aussi ai-je décidé d'utiliser un fini à craqueler pour lui conférer une apparence antique. La vigne rampante et luxuriante vient compléter le thème du jardinage.

Il vous faudra
◊ fontaine à eau (apprêtée et peinte avec une couche de fond rose)
◊ craie
◊ glacis à craqueler
◊ brosse pour appliquer le glacis
◊ couche supérieure contrastante: nous avons choisi la couleur crème
◊ brosse pour appliquer la couche supérieure
◊ papier-calque
◊ papier à décalquer
◊ stylet
◊ pinceau à lettrage d'artiste nº 5/0
◊ pinceaux d'artiste nºs 2 et 4
◊ palette ou assiette pour la peinture
◊ peintures acryliques vert de Hooker, vert océan, vert de Salem, vert feuille, blanc antique, fauve et terre d'ombre naturelle
◊ vernis
◊ brosse à vernis

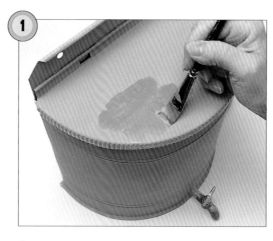

1 Choisissez les endroits où vous voulez que la peinture soit craquelée et marquez-les à la craie. Appliquez un glacis à craqueler sur ces parties. Laissez sécher.

2 Appliquez sur toute la surface la couche supérieure de peinture contrastante de couleur crème. Quand vous passerez par-dessus les parties où il y a du glacis à craqueler, peignez légèrement en donnant à peine deux coups de pinceau. Si vous en mettez trop, le glacis ne craquelera pas comme désiré.

TRUC

Certains des solvants recommandés pour nettoyer les pinceaux et utilisés pour les peintures et vernis à base d'huile sont très coûteux. Il est plus économique de vous servir d'un pinceau peu coûteux que vous jetterez après usage.

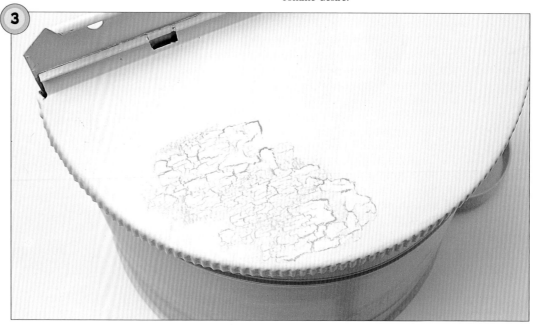

3 Laissez sécher l'objet, de préférence toute la nuit. Le glacis à craqueler commencera à travailler immédiatement, faisant craqueler la peinture, et vous verrez que cette réaction dure un certain temps.

4 Calquez la vigne (voir page 199) sur le papier-calque que vous collerez ensuite au contenant avec du ruban adhésif. Glissez le papier à décalquer sous le papier-calque pour reportez le dessin avec un stylet. À cette étape-ci, reportez seulement le contour des feuilles, sans les nervures.

5 Avec le pinceau n° 4, peignez les feuilles en vous servant du vert de Hooker pour celles où est inscrit un A; du vert océan pour celles où est inscrit un B; du vert de Salem pour les feuilles marquées d'un C, et du vert feuille pour l'envers des feuilles où est inscrit un D. Laissez sécher.

6 Replacez le papier-calque avec le ruban adhésif et glissez le papier à décalquer dessous. Reportez les nervures sur les feuilles. Avec le pinceau à lettrage, peignez les nervures vert feuille.

7 Pour compléter le dessin, toujours avec le pinceau à lettrage, peignez les vrilles à la terre d'ombre naturelle et les racines aériennes vert de Hooker. Lorsque sec, appliquez une couche de vernis.

PLATEAU À DORURES

✿

Ce projet est l'occasion rêvée de vous faire la main avec la feuille d'or. Le mariage du noir et du doré donne un fini riche aux objets familiers. J'ai utilisé pour ce plateau une technique russe jumelée à un motif Early American.

Il vous faudra
◊ plateau (apprêté et peint en noir)
◊ feuille imitation or à décalquer
◊ mixtion à dorer
◊ brosse pour appliquer la mixtion
◊ ouate
◊ laque ou scellant abrasif
◊ brosse pour appliquer la laque
◊ papier-calque
◊ papier à décalquer
◊ stylet
◊ ruban adhésif
◊ pinceaux ronds d'artiste nos 2 et 4
◊ pinceau à lettrage d'artiste no 5/0
◊ palette ou assiette pour la peinture
◊ peintures acryliques noire, turquoise et jaune oxydé
◊ poli blanc
◊ brosse pour appliquer le poli
◊ linge doux

1 Appliquez une couche de mixtion à dorer au centre du plateau où vous coucherez la feuille d'or. Reportez-vous à la photo ci-dessus.

2 Testez l'adhérence avec votre jointure: ce devrait être la même que pour le ruban adhésif.

TRUC

La feuille imitation or coûte moins cher que la vraie feuille d'or, mais elle ternit avec le temps et il faut la couvrir d'une couche de laque pour prévenir cela.

---

3 Prenez une feuille imitation or à décalquer et, en tenant le papier qui lui sert de support, couchez-la délicatement sur le plateau.

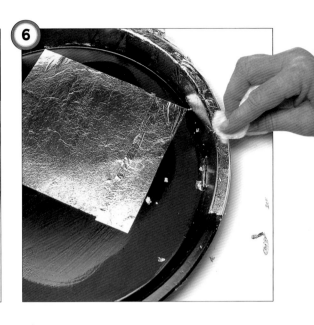

4 Avant d'enlever le papier support, passez vos doigts sur la feuille imitation or pour vous assurer qu'elle est bien collée à la surface et qu'il n'y a pas de bulles. Enlevez ensuite le papier. Quand vous appliquerez la feuille suivante, faites-la chevaucher la première d'environ 6 mm (¼ po).

5 Répétez les étapes 1 et 2 en faisant le tour du rebord du plateau, mais coupez la feuille imitation or en petites lanières et faites-les chevaucher. Laissez reposer toute la nuit.

6 Le lendemain, frottez doucement le plateau avec de la ouate pour enlever toute parcelle de feuille mal fixée. Appliquez une couche de laque ou un scellant abrasif.

7 Calquez le dessin de la page 200 sur le papier-calque et fixez-le au plateau avec du ruban adhésif. Glissez le papier à décalquer sous le papier-calque et reportez le dessin sur le plateau avec un stylet.

8 Peignez le fond du motif à la peinture noire avec un pinceau n° 4.

9 Peignez en noir les fines lignes à l'intérieur du motif avec un pinceau à lettrage.

10 En vous servant du pinceau n° 2, peignez les détails des grandes fleurs. Prenez ensuite le pinceau à lettrage et peignez les vrilles turquoise. Servez-vous aussi du turquoise pour souligner les feuilles du bas sur la bordure du plateau.

11 Avec le pinceau n° 2, finissez avec un peu de jaune oxydé sur le contour des boutons. Appliquez une couche de poli blanc sur le plateau et lustrez avec un linge doux.

179

PORTE-SERVIETTES

Ce porte-serviettes d'un bleu profond a été mis en valeur grâce à un joli motif de dentelle blanc.
C'est le complément parfait d'une table garnie de lin ou de damas. La technique pour peindre la dentelle,
perfectionnée par les artistes décorateurs australiens, est l'une de mes trouvailles préférées.

Il vous faudra
◊ porte-serviettes (apprêté et peint d'une couche de fond bleu foncé)
◊ papier-calque
◊ papier à décalquer
◊ stylet
◊ ruban adhésif
◊ palette ou assiette pour la peinture
◊ pinceau rond d'artiste n° 2
◊ peinture acrylique blanc antique
◊ vernis
◊ brosse à vernis

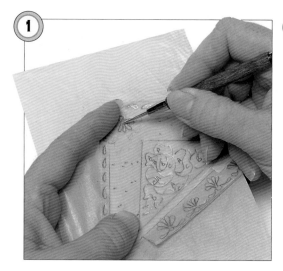

1 Calquez le dessin de la dentelle de la page 200 sur un morceau de papier-calque. Reportez-le sur le porte-serviettes avec le papier à décalquer.

2 Mélangez le blanc antique avec un peu d'eau pour un lavis léger. Appliquez celui-ci sur le devant du porte-serviettes.

TRUC

Ne chargez pas trop le pinceau avec la peinture. En règle générale, la peinture ne devrait pas dépasser la mi-hauteur des soies.

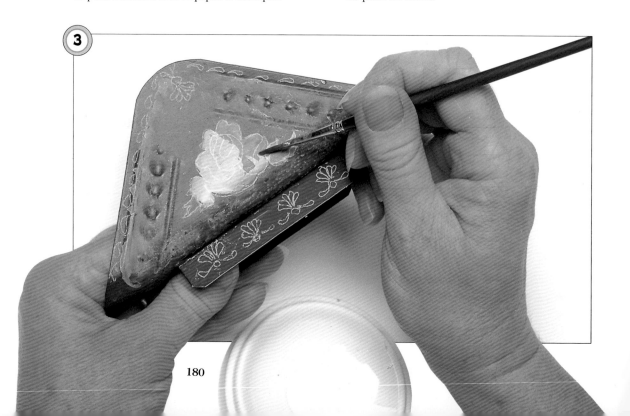

3 Avec le pinceau n° 2 et le blanc antique, appliquez un autre lavis sur la rose et les endroits marqués d'un B.

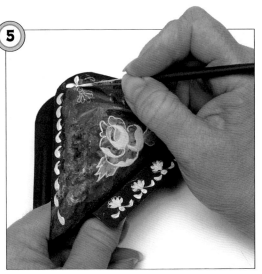

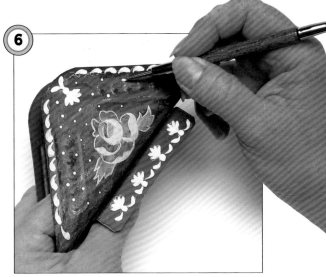

4 Appliquez un dernier lavis sur les parties marquées d'un C. Laissez sécher.

5 Jetez le lavis et reprenez la peinture blanche antique non diluée. Peignez les virgules qui longent le bord avec le pinceau n° 2. Cela crée une illusion de dentelle.

6 Enfin, faites de petits points blancs ici et là avec le stylet, pour parfaire l'impression de dentelle du dessin. Quand l'objet est tout à fait sec, appliquez une couche de vernis.

BOÎTE À LUNCH

Vieillie grâce au vernis à craqueler, cette pittoresque boîte à lunch a été décorée avec un dessin crème et bleu d'inspiration suédoise. Les couleurs se marient bien parce que les différents tons de bleu s'harmonisent parfaitement.

Il vous faudra
◊ boîte à lunch (apprêtée)
◊ couches de fond crème et bleue
◊ brosse pour appliquer les couches de fond
◊ vieille brosse à dents
◊ papier absorbant
◊ papier-calque
◊ papier à décalquer
◊ ruban adhésif
◊ stylet
◊ pinceau à lettrage nº 5/0
◊ pinceau rond d'artiste nº 4
◊ palette ou assiette pour la peinture
◊ peintures acryliques bleu adriatique, bleu poudre, bleu de Wisp et bleu Cape Cod
◊ vernis à craqueler en « deux étapes »
◊ brosses pour appliquer le vernis à craqueler
◊ peinture à l'huile d'artiste terre d'ombre naturelle
◊ essence minérale
◊ linge doux
◊ vernis à base d'huile
◊ brosse à vernis

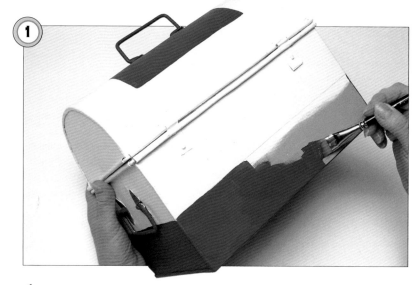

1 Faites une ligne à la craie ou au crayon à environ la mi-hauteur de la boîte à lunch. Appliquez des couleurs contrastantes, tel qu'illustré ici.

2 Avec la couleur la plus foncée et une vieille brosse à dents, éclaboussez le haut plus clair de la boîte à lunch. Pour réussir les éclaboussures, il faut tremper la brosse à dents dans un peu de peinture diluée dans de l'eau, éponger l'excès sur du papier absorbant, et enfin passer votre doigt sur les soies près de la boîte à lunch. Exercez-vous avant de le faire sur l'objet que vous peignez.

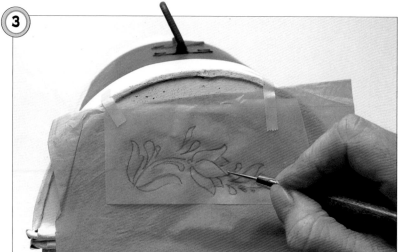

3 Calquez le dessin de la page 198 sur le papier-calque que vous collerez ensuite sur la boîte à lunch. Glissez le papier à décalquer sous le papier-calque et reportez le dessin sur le devant et sur les côtés.

4 Peignez les plus petites feuilles et les tiges avec le bleu Adriatique, en vous servant du pinceau n° 4 pour les feuilles et du pinceau à lettrage pour les tiges.

5 Peignez les plus grandes feuilles en bleu poudre.

6 Peignez les tulipes avec le bleu de Wisp.

7 Peignez les virgules autour des tulipes avec le bleu Cape Cod.

8 Appliquez sur la boîte à lunch la première couche de vernis à craqueler et mettez de côté jusqu'à ce que le vernis soit presque sec.

9 Vérifiez si le vernis est prêt à recevoir la seconde couche en pressant légèrement avec vos doigts. Il doit être presque sec, mais encore un peu collant. Appliquez la deuxième couche et laissez sécher toute la nuit de préférence. Exposez à la chaleur d'un séchoir à cheveux: un réseau de craquelures se formera, mais sera difficile à voir jusqu'à ce que vous ayez appliqué la terre d'ombre naturelle.

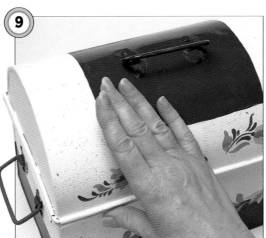

10 Mélangez un peu de peinture à l'huile terre d'ombre naturelle avec une goutte d'essence minérale et frottez-en la boîte à lunch. Enlevez l'excès avec du papier absorbant. Vernissez avec un vernis à l'huile.

TRUC

Si le vernis à craqueler ne donne pas le résultat escompté, enlevez la couche supérieure à base d'eau avec un linge humide. Vous pourrez recommencer avec la première couche de vernis sans endommager la peinture en dessous.

BOÎTE À BISCUITS

Pour cette technique très simple, on utilise les poudres métalliques.
Le magnifique lustre de ces poudres transforme tout motif banal en œuvre exceptionnelle.
Je me suis inspirée d'un classique de la Nouvelle-Angleterre.

Il vous faudra
◊ boîte à biscuits ronde (apprêtée et peinte en noir)
◊ papier-calque
◊ papier à décalquer
◊ ruban adhésif
◊ stylet
◊ mixtion à dorer
◊ petit pinceau usagé pour appliquer la mixtion
◊ essence minérale
◊ poudres métalliques or, bronze et bronze antique
◊ pinceau rond n° 4 et pinceau plat n° 4
◊ n'importe quelle grosse brosse douce
◊ ouate
◊ palette ou assiette pour la peinture
◊ peintures acryliques vert de Salem, vert English Yew, rouge Adobe, paille, vert feuille, prune et rose antique
◊ vernis
◊ brosse à vernis

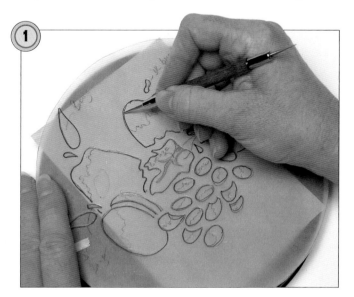

1 Calquez les fruits de la page 200 sur le papier-calque que vous collerez ensuite sur les côtés et le couvercle de la boîte avec du ruban adhésif. Glissez un papier à décalquer sous le papier-calque et reportez le dessin en vous servant d'un stylet.

2 Appliquez une mince couche de mixtion à dorer sur les petites parties des fruits marquées par les lignes brisées. Laissez-la se fixer cinq minutes. En attendant, nettoyez votre pinceau à l'essence minérale.

3 Prenez la grosse brosse douce et saupoudrez la poudre de bronze sur les parties encollées des cerises sur le côté de la boîte. Laissez reposer environ une heure, puis enlevez l'excès de poudre avec de la ouate humide.

4 Occupez-vous maintenant du couvercle. Appliquez la mixtion à dorer comme à l'étape 2. Avec la grosse brosse douce, saupoudrez le bronze antique sur les feuilles et les tiges. Faites la même chose avec la poudre dorée sur les fruits. Mettez de côté une heure et enlevez l'excès de poudre avec de la ouate humide.

5 Avec le pinceau rond n° 4, appliquez le premier lavis de couleur (moitié eau, moitié peinture) sur les fruits par petits coups pour donner un fini texturé. Lorsque sec, donnez une deuxième couche de la même manière que la première.

6 Avec les couleurs vert de Salem, vert English Yew et vert feuille non diluées, peignez les feuilles et les tiges de la bordure.

7 Peignez une bordure autour du couvercle avec le rouge Adobe et le pinceau n° 4. Vernissez la boîte lorsque complètement sec.

PORTE-PARAPLUIES

J'ai eu l'idée de transformer un grand vase de fleuriste en porte-parapluies, un objet fort pratique et décoratif pour une entrée. Les bandes décoratives ont été adaptées d'un motif apparaissant sur un plateau antique de la Nouvelle-Angleterre.

Il vous faudra

◊ contenant (apprêté et peint avec une couche de fond vert kaki)
◊ papier-calque
◊ papier à décalquer
◊ ruban adhésif
◊ stylet
◊ craie et règle
◊ pinceaux ronds nos 2 et 4
◊ pinceau à lettrage no 5/0
◊ palette ou assiette pour la peinture
◊ peintures acryliques rouge Adobe, paille, vert feuille, vert de Salem, Cayenne, mastic, terre d'ombre brûlée et or antique
◊ vernis
◊ brosse à vernis

1 Pour mettre la bande en place et bien à l'horizontale, mesurez d'abord avec une règle tout le tour du contenant et tracez une ligne à la craie.

2 Calquez le dessin (voir page 198) sur le papier-calque que vous collerez ensuite sur le contenant avec du ruban adhésif, en vous guidant sur la ligne à la craie. Glissez le papier à décalquer sous le papier-calque et reportez le dessin avec un stylet. Ne décalquez pas encore les détails des feuilles et des fleurs.

3 Avec le pinceau no 4 et l'acrylique couleur mastic, peignez les virgules.

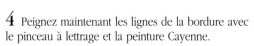

4 Peignez maintenant les lignes de la bordure avec le pinceau à lettrage et la peinture Cayenne.

5 Peignez les feuilles avec le vert feuille et le pinceau n° 4.

6 Rincez bien le pinceau n° 4 et peignez les marguerites avec le rouge Adobe.

7 Terminez les marguerites en remplissant le centre d'or antique avec le pinceau n° 2.

8 Appliquez ensuite une couche de fond couleur paille sur les roses vieux jaune avec le pinceau n° 4.

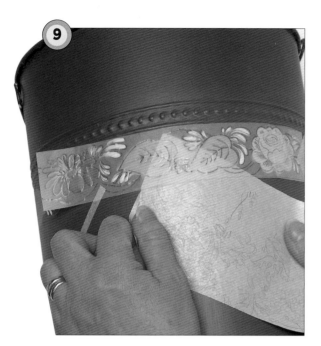

9 Remettez votre dessin calqué sur les parties peintes. Glissez le papier à décalquer sous le papier-calque et reportez les détails des feuilles et des fleurs.

10 Enfin, avec le pinceau à lettrage, peignez les nervures des feuilles avec le vert de Salem et les détails des roses avec la terre d'ombre brûlée. Quand le contenant est complètement sec, appliquez au moins une couche de vernis.

LOUCHE

Cette louche, avec son nid d'oiseaux bleus dans le cuilleron et ses oiseaux et ses cœurs qui enjolivent son manche, est le choix idéal pour les débutants. Garnissez-la avec un bouquet de rubans de couleur et suspendez-la dans la cuisine ou dans la salle à manger familiale.

Il vous faudra
◊ louche (apprêtée et peinte avec une couche de fond crème)
◊ papier-calque
◊ papier à décalquer
◊ ruban adhésif
◊ stylet
◊ pinceaux ronds d'artiste nᵒˢ 2 et 4
◊ palette ou assiette pour la peinture
◊ peintures acryliques blanc antique, bleu céruléen, rouge vif, jaune oxydé et noir
◊ vernis
◊ brosse à vernis

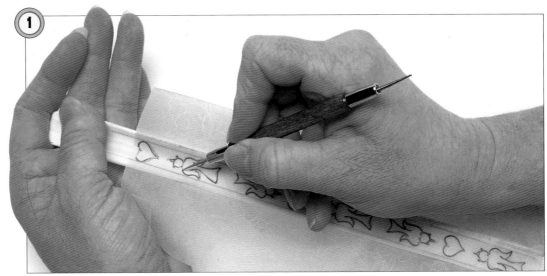

1 Calquez les trois parties du dessin (voir page 200) sur le papier-calque. Maintenez la première partie en place sur le manche de la louche avec du ruban adhésif. Glissez le papier à décalquer sous le papier-calque et copiez le dessin avec un stylet.

TRUC

Il faut une certaine habitude du pinceau. Travaillez vos coups de pinceau sur un bout de papier avant de commencer.

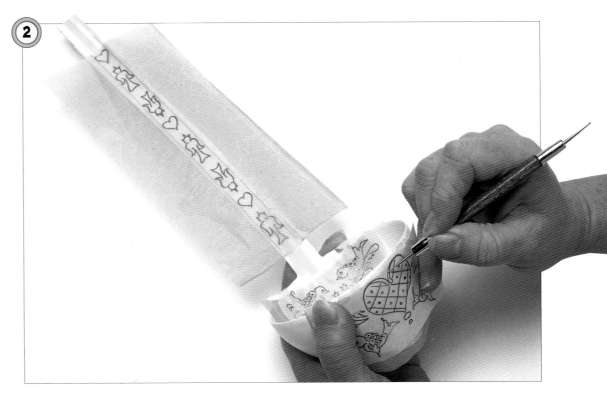

2 Reportez les deux autres parties du dessin à l'intérieur et à l'extérieur du cuilleron de la louche de la même manière.

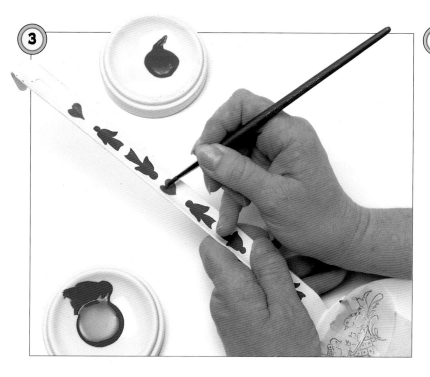

3 Travaillez sur le manche avec le pinceau n° 4. Peignez les oiseaux en bleu céruléen et les cœurs en rouge vif.

4 Sur le cuilleron, peignez les oiseaux bleu céruléen, et les cœurs, le nid et les feuilles rouge vif.

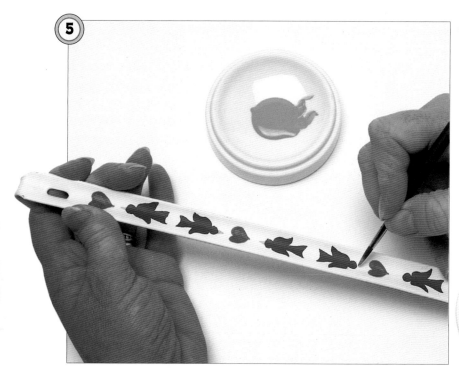

5 Les peintures acryliques sèchent très rapidement, aussi pouvez-vous déjà peindre le bec des oiseaux jaune oxydé sur le manche et sur le cuilleron avec le pinceau n° 2.

6 Mélangez un peu de blanc antique avec le bleu céruléen pour faire un bleu pâle, et en vous servant du pinceau n° 2, peignez les lignes sur les oiseaux, à l'intérieur et à l'extérieur du cuilleron.

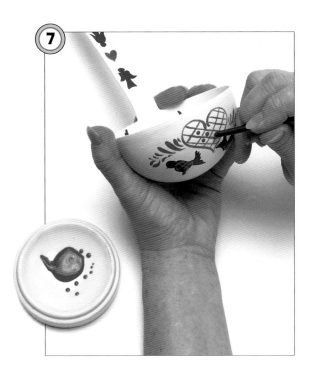

7 Avec l'autre extrémité du pinceau n° 2 et la peinture rouge vif, faites des points sur le cœur et le nid.

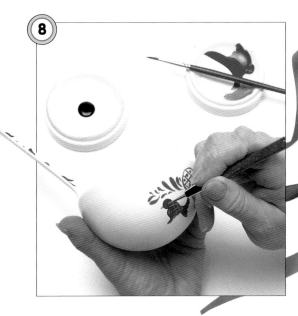

8 Pour compléter le motif, prenez le stylet et avec le bleu pâle, pointillez les oiseaux. Nettoyez le stylet, puis avec la peinture noire, faites un point pour les yeux des oiseaux. Assurez-vous que le dessin est complètement sec avant d'y appliquer un vernis. Les rubans ajoutent une note joyeuse à l'objet peint.

FER À REPASSER

Découvert dans un magasin de vieilleries, ce fer à repasser rouillé a été nettoyé et frotté avec une brosse métallique, avant d'être enduit d'un inhibiteur de rouille puis d'un apprêt. Le motif est de style traditionnel vieil anglais, un style simple où les coups de pinceau hardis produisent un effet très convaincant.

Il vous faudra
◊ vieux fer à repasser (apprêté et peint avec une couche de fond noire)
◊ papier-calque
◊ papier à décalquer
◊ ruban adhésif
◊ stylet
◊ pinceaux ronds d'artiste nos 2 et 4
◊ pinceau plat d'artiste no 6
◊ palette ou assiette pour la peinture
◊ peintures acryliques vert vif, vert houx, rouge vif, pourpre, blanc antique et jaune beurre
◊ vernis
◊ brosse à vernis

1 Avec le pinceau plat et la peinture vert houx, peignez la poignée comme indiqué. Peignez une bande verte à la base du fer avec le même pinceau.

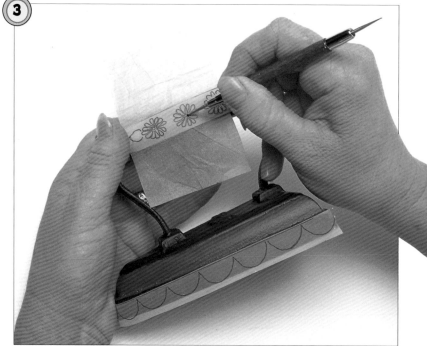

2 Calquez les trois parties du dessin pour la poignée, la base et la semelle du fer (voir page 200) sur le papier-calque. Avec le ruban adhésif, collez-le sur le fer avant de glisser le papier à décalquer dessous. Reportez sur la semelle du fer, mais à ce stade, ne calquez pas encore les lignes pointillées.

3 Calquez les feuilles et les marguerites sur la poignée, et la bordure festonnée sur la base en suivant la méthode décrite à l'étape 2.

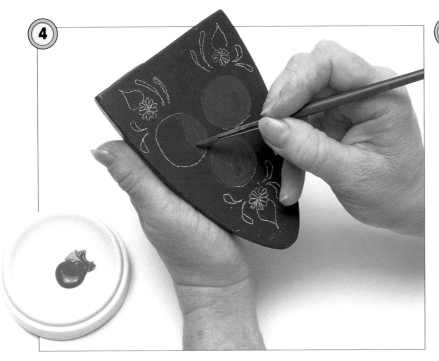

4 Retournez le fer et donnez une couche de fond sur les roses avec le pourpre et le pinceau nº 4. Laissez sécher.

5 Replacez le papier-calque et le papier à décalquer sur la semelle du fer et calquez les lignes pointillées des roses.

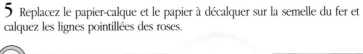

6 Avec le pinceau nº 4 et le rouge vif, peignez les pétales des roses en virgules. Ces coups de pinceau donneront leur forme aux pétales.

7 Peignez la bordure festonnée de la base en rouge vif; puis avec un stylet, soulignez la bordure de pointillés blancs.

8

9

8 Sur la poignée et la semelle du fer, peignez les feuilles vert vif avec le pinceau n° 4. En vous servant du pinceau n° 2 et du blanc antique, et avec des coups de pinceau en virgules, peignez les marguerites. Laissez sécher.

9 Pour les détails décoratifs, prenez le jaune beurre avec le pinceau n° 4 pour ajouter des coups en virgules. Puis, avec le pinceau n° 2 et le même jaune, tracez les étamines des roses. Servez-vous du stylet pour ajouter le centre des marguerites sur la poignée et la semelle. Vernir le fer lorsque complètement sec.

GABARITS

Arrosoir

Porte-parapluies

Boîte à lunch

Ensemble de pichets

Petite fontaine

Louche

Plateau à dorures

Boîte à biscuits

Fer à repasser

Porte-serviettes

Travaux de perles

Les boutiques spécialisées regorgent de perles magnifiques et fascinantes de toutes les tailles et de toutes les couleurs, pour vous permettre de créer une infinité de bijoux originaux et attrayants.

INTRODUCTION

Il y en a qui croient que les perles peuvent devenir une obsession. Si c'est le cas, voilà une obsession que je recommande à tous. Pendant vingt ans, jour après jour, j'ai travaillé avec des perles, et le plaisir que je retirais de leur diversité et de leur histoire n'a jamais cessé de croître.

Rares sont les artisanats qui, comme les perles, permettent à votre créativité de s'exprimer sans exiger des outils spécialisés ou un atelier bien organisé. Tout ce qu'il vous faut, c'est une table, un bon éclairage, quelques outils, et des perles et fournitures choisies soigneusement. Avec ces quelques objets, vous pourrez créer des bijoux uniques en leur genre et très attrayants. Vous créerez des pièces qui susciteront des compliments à chaque fois que vous les porterez; elles pourront même faire partie de l'héritage familial.

Les projets que nous vous présentons comprennent boucles d'oreilles, colliers et bracelets, et pour chaque ensemble, le degré de difficulté augmente progressivement. Il n'est toutefois pas nécessaire de commencer au début et de réaliser toutes les pièces. Si vous vous référez à la section des techniques et directives pour chaque pièce, vous serez capable de réussir n'importe quel bijou.

Dans ces projets, vous utiliserez une grande variété de techniques et de matériaux, de façon à multiplier vos connaissances et à faire fructifier vos propres dons. Si les perles suggérées ne sont pas offertes chez votre fournisseur local, vous n'aurez qu'à en choisir d'autres correspondant aux exigences du projet. Vous devriez trouver toutes les fournitures apparaissant dans la liste de chaque projet dans les boutiques spécialisées dans les perles ou boutiques d'artisanat, ou encore en les commandant par la poste.

Il est difficile de spécifier les grosseurs et les quantités requises. Si vous mesurez 1,50 m (5 pi 3 po), vous ne voudrez sans doute pas porter un collier de la même longueur que celui d'une personne qui mesure 1,58 m (5 pi 10 po). Les quantités spécifiées vous permettront de rallonger légèrement votre bijou si nécessaire, ou d'enlever quelques-unes des plus petites perles si elles sont endommagées ou si vous les laissez tomber, ce qui risque fort de se produire.

En fait, ces projets ont pour but de vous permettre d'acquérir une bonne connaissance des techniques de base et d'apprendre comment utiliser différents matériaux, de manière à pouvoir appliquer ces techniques et à les adapter à vos propres projets par la suite.

Si vous devenez vraiment obsédé par les perles et que vous voulez en savoir plus à ce sujet, vous trouverez de nombreux livres sur leur histoire et des illustrations de leur potentiel infini. Il se pourrait même que vous désiriez vous joindre à un groupe d'artisans qui travaillent avec les perles pour échanger vos idées et vos expériences avec des personnes qui partagent votre enthousiasme. Mais ce n'est pas pour tout de suite.

Commencez d'abord par les projets et idées de cette section du livre, et quoi qu'il arrive, choisissez des perles qui vous font vibrer.

Matériaux et Techniques

Avant de commencer à fabriquer vos propres bijoux, il y a certaines choses que vous devez savoir au sujet des perles, mais aussi au sujet des outils et fournitures – par exemple les fermoirs pour colliers, etc. – ainsi que des nombreux types de fils qui sont en vente dans le commerce. Il ne s'agit pas d'un apprentissage très exigeant, mais si vous apprenez les techniques de base, vos pièces seront mieux finies et auront une allure plus professionnelle, sans compter que cela améliorera votre créativité.

PERLES

De nos jours, les perles sont plus faciles à trouver et elles sont offertes dans une grande variété de matériaux. Dans la plupart des villes, on trouve un magasin d'artisanat ou de tissu qui vend des perles; et les plus grandes villes ont des boutiques spécialisées dans les perles. On peut aussi se procurer des perles par la poste, alors vous ne devriez pas avoir de mal à réaliser les projets décrits ici. Sans compter que vous pouvez toujours réutiliser des perles de colliers et bracelets brisés ou vieux. En effet, l'un des grands avantages des bijoux de perles, c'est que vous pouvez défaire une pièce qui ne vous plaît pas et vous servir de ses éléments pour créer quelque chose de totalement différent.

Il n'existe pas beaucoup de noms techniques pour les perles, mais retenez tout de même les rocailles et les clairons. Les deux sont en verre: les rocailles sont petites et rondes, on en trouve de 11/0 (les plus petites) à 6/0 (les plus grosses); les clairons sont petits et tubulaires. Les perles sont habituellement vendues au poids, en paquets. Bien qu'elles servent souvent au tissage, à la broderie et aux tricots perlés, elles sont aussi très pratiques pour d'autres genres de travaux. La plupart sont vendues selon leur taille, en millimètres correspondant à leur diamètre et non à leur circonférence.

Quand vous commencerez à vous servir de perles, il vous suffira de savoir si vous aimez leurs couleurs et leurs formes, mais elles vous fascineront et vous voudrez connaître leurs noms et les différents matériaux qui les composent. Vous découvrirez un monde: perles japonaises pour les lampes, perles indiennes en verre cuit, perles de poudre de verre du Ghana, et beaucoup d'autres. Cette section du livre vous montre seulement quelques dizaines de perles parmi toutes celles que vous trouverez dans le commerce.

Quand vous achetez des perles, vérifiez toujours si elles sont en bon état. Beaucoup de perles sont produites de manière assez grossière, alors assurez-vous que celles que vous achetez sont parfaites. Vérifiez que les trous sont bien faits et qu'on peut y passer un fil sans problème, et bien sûr, que les couleurs se marient bien ensemble.

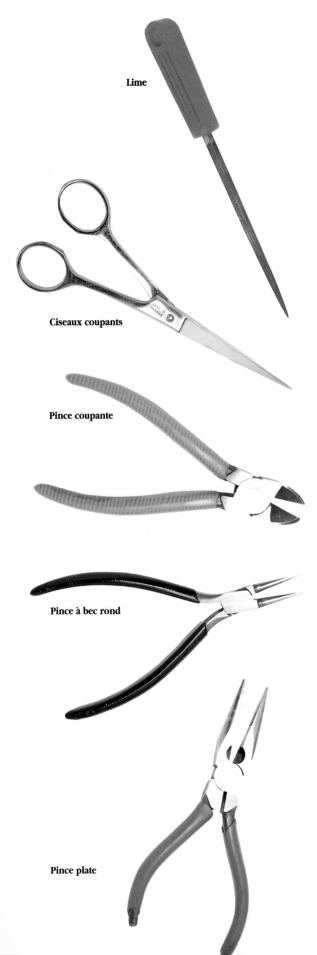

Lime

Ciseaux coupants

Pince coupante

Pince à bec rond

Pince plate

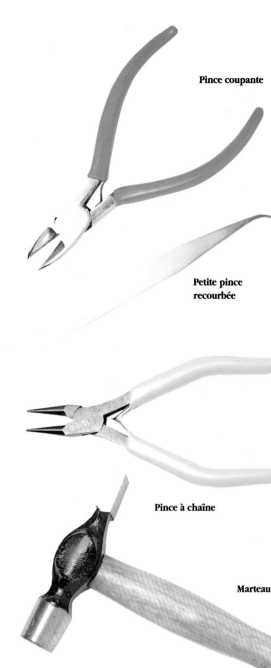

Pince coupante

Petite pince recourbée

Pince à chaîne

Marteau

OUTILS

Vous ferez des merveilles avec à peine quelques outils. Vous aurez absolument besoin d'une pince à bec rond dont vous vous servirez, entre autres, pour faire des boucles pour les boucles d'oreilles, et d'une pince à pointe courte et fine, pour que vous puissiez travailler de près. Lorsque vous ferez des colliers et que vous vous servirez d'embouts et de calottes, il vous faudra une pince plate. On trouve aussi une pince à chaîne fort utile pour les boucles d'oreilles et les colliers. Tenez votre pince tel qu'illustré ci-dessous. Si vous travaillez beaucoup avec les perles, essayez plusieurs sortes de pinces pour savoir quel type vous convient le mieux. Dans nos projets, nous recommandons la pince à bec rond lorsque c'est indispensable, autrement, choisissez celle que vous préférez.

Vous aurez besoin d'une paire de ciseaux coupants pour la plupart des projets, et quand vous travaillerez avec le fil de laiton, il vous faudra une bonne pince coupante. Il vaut mieux se servir d'une pince coupante pour le fil à ressort (voir page 207), mais vous arriverez à couper la plupart des fils avec un outil plus petit. Si vous travaillez surtout avec le fil de laiton – le Collier de lapis-lazuli et d'argent à la page 232, par exemple –, il vous faudra une lime et un marteau. La lime doit être fine et le marteau petit. Quand vous commencerez à faire des nœuds et des travaux de perles, vous aurez besoin d'un choix d'aiguilles, et une petite pince à pointe fine et recourbée vous sera fort utile, mais elle n'est pas essentielle.

Enfin, si vous voulez réaliser des travaux de tissage de perles, il vous faudra un métier à tisser. Les métiers de métal ne sont pas aussi coûteux que ceux en bois, mais ils ne sont pas aussi faciles à utiliser. Si cette technique vous emballe, cela vaudra peut-être la peine d'acheter un métier en bois.

Aiguilles à perler

Tenez vos pinces comme ceci

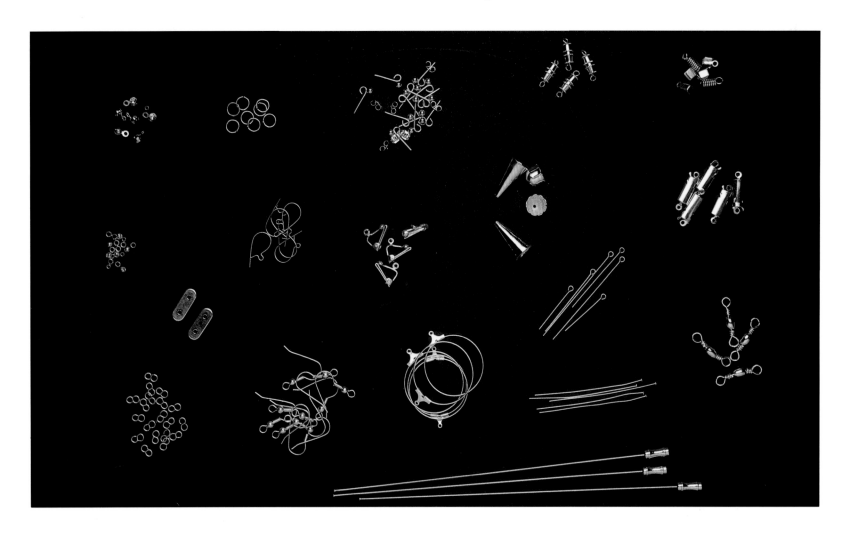

FOURNITURES ET FILS

Dans ce domaine, vous devez connaître quelques termes techniques. Toutes les fournitures mentionnées ici sont disponibles dans plusieurs bons magasins d'artisanat, dans les boutiques spécialisées dans les perles, et par la poste.

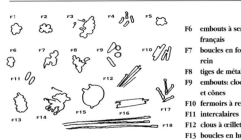

F6	embouts à sertir français
F7	boucles en forme de rein
F8	tiges de métal
F9	embouts: clochettes et cônes
F10	fermoirs à ressort
F11	intercalaires
F12	clous à œillet
F13	boucles en huit
F14	boucles
F15	anneaux
F16	clous à tête
F17	émérillons
F18	épingles à chapeau

F1	calottes
F2	anneaux brisés
F3	tiges avec boucle
F4	fermoirs tubulaires
F5	embouts à sertir le cuir

FABRIQUER DES BOUCLES D'OREILLES

Pour fabriquer des boucles d'oreilles droites, vous devrez enfiler les perles dans une tige à œillet ou un clou à tête. Les tiges à œillet sont plus polyvalentes que les clous à tête, parce que vous pouvez suspendre d'autres perles à partir de l'œillet et fabriquer des boucles plus longues en les mettant bout à bout. L'œillet à l'extrémité donne une finition parfaite. Si vous avez de grosses perles lourdes, vous pouvez les enfiler sur un fil de 0,8 mm ou de 1,2 mm, ou vous pouvez vous servir d'épingles à chapeau, mais vous devrez couper le bout des épingles à chapeau avant de les utiliser.

On peut fabriquer des anneaux avec un fil de 0,8 mm, tel qu'illustré à la page 208, ou en prendre des tout faits.

Si vous n'avez pas les oreilles percées, vous devrez utiliser des vis ou des pinces; on trouve maintenant dans le commerce des boucles d'oreilles à vis et à pince, et elles s'ajustent de la même manière que les autres boucles. Pour les oreilles percées, vous aurez besoin de tiges de métal. La plupart des boucles d'oreilles de ce livre ont été fabriquées avec des tiges ou des boucles françaises. Vous pouvez également utiliser une tige qui tient en place grâce à un papillon ou une spirale. Il y a aussi les boucles en forme de rein. Pensez aux boucles que vous avez déjà portées pour savoir quel type vous convient le mieux.

Achetez toujours des boucles exemptes de nickel pour éviter les réactions allergiques. Les fils utilisés dans nos projets sont aussi offerts en argent, et ils en valent la dépense. Certaines personnes peuvent uniquement porter de l'or: vous pourrez suivre les directives en vous servant de boucles et de boules dorées, et en achetant quelques paires de boucles d'oreilles en or. Vous deviendrez si agile dans la fabrication de vos bijoux, que vous serez capable de transférer vos boucles d'oreilles sur la tige en or en un tournemain.

FABRIQUER COLLIERS ET BRACELETS

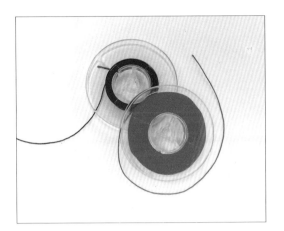

Fils de polyester

Pour fabriquer un collier ou un bracelet, vous devez connaître les différents fils et fournitures disponibles.

Les colliers et bracelets simples peuvent être montés sur un fil de nylon, qu'on trouve dans les boutiques d'artisanat ou de perles et aussi chez les fournisseurs d'articles de pêche (demandez du fil pouvant supporter environ 33 kilos/15 livres). Il vaut mieux les finir avec des embouts français parce que ce fil ne se noue pas bien. Il arrive que le fil de nylon rétrécisse, ce qui rend le collier ou le bracelet rigides; il faut donc penser à laisser environ 6 mm (1/4 po) entre les dernières perles et les embouts français.

La queue de tigre est un fil d'acier recouvert de nylon, et elle est, comme on peut s'y attendre, idéale pour les perles lourdes. Les perles légères y

pendent mal, bien qu'elle convienne aux colliers et bracelets courts. Servez-vous-en avec les embouts français, et veillez à ce qu'elle ne s'entortille pas pendant que vous travaillez.

Si vous désirez un collier qui tombe bien ou si vous voulez y incorporer des nœuds (voir page 225), servez-vous soit de fil de polyester, soit de fil de soie. On peut les finir avec des embouts français, des calottes ou des nœuds. On trouve aussi des fils de nylon dans le commerce, mais les fils de polyester ou de soie devraient convenir à la plupart de vos travaux. Certains fils de polyester colorés sont enduits de cire, et il se peut que vous n'ayez pas besoin d'utiliser une aiguille. Si vous décidez de vous servir de ce genre de fil pour des perles lourdes, suspendez la pièce enfilée pendant quelques jours avant de la finir, parce que le fil risque de s'étirer un peu.

Le fil de soie est solide et très fin, et si vous l'achetez sur un carton, vous y trouverez aussi une aiguille fine. Les projets où vous utiliserez le fil de soie ont été conçus pour vous permettre de faire le meilleur usage possible de vos aiguilles.

Servez-vous d'un fil de polyester fin et résistant avec un métier à tisser.

Il vous faudra aussi une variété de fermoirs, selon le genre de fil que vous choisirez. Si vous êtes sensible au métal, achetez des fermoirs en or ou en argent. Le fermoir à ressort, utilisé dans plusieurs de nos projets, est efficace et solide. Des modèles plus classiques peuvent exiger des fermoirs à vis ou des anneaux à cran, dont on se sert avec les anneaux brisés. Les colliers à rangs multiples exigent des embouts en forme de clochette ou de cône.

Il y a beaucoup d'autres genres de fournitures: petites boucles en huit pour pendeloques; intercalaires avec deux, trois ou quatre trous, dont on

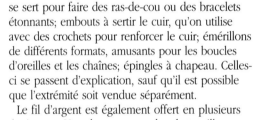

Fil de nylon

Queue de tigre

Lanière de cuir

se sert pour faire des ras-de-cou ou des bracelets étonnants; embouts à sertir le cuir, qu'on utilise avec des crochets pour renforcer le cuir; émérillons de différents formats, amusants pour les boucles d'oreilles et les chaînes; épingles à chapeau. Celles-ci se passent d'explication, sauf qu'il est possible que l'extrémité soit vendue séparément.

Le fil d'argent est également offert en plusieurs épaisseurs. Vous le trouverez chez les meilleurs fournisseurs. Les lanières de cuir sont offertes en rouleaux ou au mètre. Enfin, le fil à ressort est nouveau et on peut l'acheter au poids.

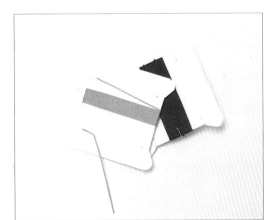

Fils de soie

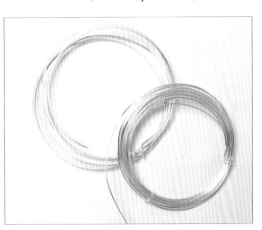

Fils d'argent

Fil à ressort

ANNEAUX

Il vous faudra
◊ fil de 0,8 mm
◊ tube noir (facultatif)
◊ 4 petites perles de verre
◊ 2 grosses perles de verre
◊ 8 boules plaquées argent
   de 3 mm
◊ 2 anneaux brisés
◊ 2 boucles de métal

Autres matériaux
◊ forme ronde
◊ pince coupante
◊ pince à bec rond

1 Formez un anneau autour d'un objet rond dont la circonférence sera celle de l'anneau fini. Nous nous sommes servis d'un gros crayon feutre. Enroulez le fil autour de la forme. Faites-le ensuite glisser doucement de la forme et coupez de façon à ce que les bouts se chevauchent d'environ 1 cm (³/₈ po).

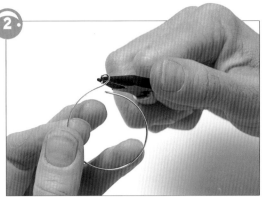

2 Enroulez l'un des bouts du fil autour de votre pince. Tournez doucement la boucle pour qu'elle soit à angle droit avec l'anneau.

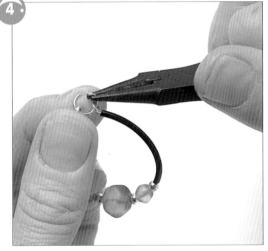

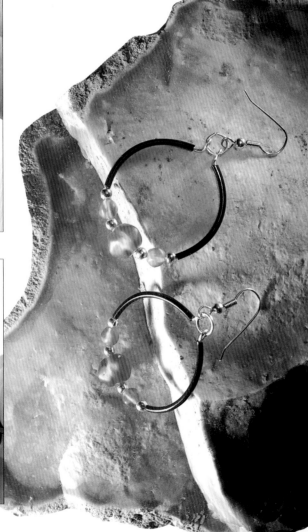

3 Si vous vous servez de tube, coupez-en quatre morceaux à mettre de chaque côté des perles; vous devrez ajuster la longueur du tube pour qu'elle corresponde aux dimensions des perles et de l'anneau. Glissez un premier tube. Enfilez les perles. Ajoutez le deuxième tube et formez une autre boucle (voir étape 2).

4 Ouvrez un anneau brisé, faites-le glisser dans la boucle, et fermez-le.

5 Ouvrez l'œillet d'une boucle de métal, accrochez-y l'anneau brisé, et refermez.

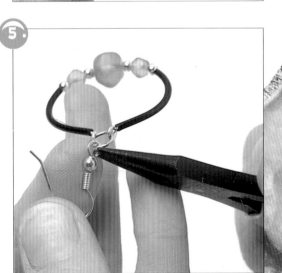

BOUCLES D'OREILLES DROITES

Il vous faudra
◊ 2 clous à œillet de 5 cm (2 po)
◊ 2 perles péruviennes rondes
◊ 2 perles péruviennes tubulaires
◊ 6 boules plaquées argent de 3 mm
◊ 2 boucles de métal

Autre matériel
◊ pince à bec rond

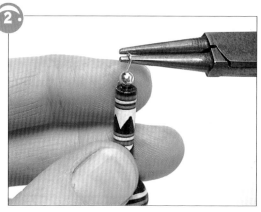

1 Enfilez les perles sur le clou à œillet en laissant un espace d'environ 1 cm (3/8 po) au haut du clou. Appuyez le clou à œillet sur votre annulaire et tenez fermement les perles en place entre le pouce et l'index. Tenez le haut du clou à œillet entre les mors de votre pince, qui doit être tout près des perles, et repliez le clou vers vous à angle de 45 degrés.

2 Commencez à faire un œillet en déplaçant la pince vers le haut du clou et en recourbant le fil vers l'arrière, autour du bout de votre pince. Si l'œillet n'est pas complété d'un seul mouvement, remettez la pince en position et recourbez encore le fil.

3 Prenez l'une des boucles de métal et ouvrez l'œillet de côté.

4 Accrochez la boucle à l'œillet et refermez-le.

TRUCS

- Dites-vous que vos premières boucles ne seront pas parfaites, et gardez quelques clous à œillet de rechange à portée de main avec une pince coupante, de manière à pouvoir couper l'œillet et recommencer avec un autre clou.
- Ouvrez toujours les boucles des clous à œillets et des boucles de côté.
- Si vous sentez que le métal d'un clou ou d'une boucle est faible, jetez-les et prenez-en d'autres.

TECHNIQUES DE BASE

NŒUDS

Lorsqu'on se sert de perles fragiles et précieuses, il faut faire un nœud entre les perles pour les protéger. De cette manière, si votre collier se brise, vous perdrez seulement une perle. Si vous remontez un vieux collier qui avait déjà des nœuds, il vous faudra probablement faire de nouveaux nœuds. Pour cela, il vous faudra 50 % plus de fil que la longueur du bijou fini. Le Collier de jaspe de la page 225 a des nœuds.

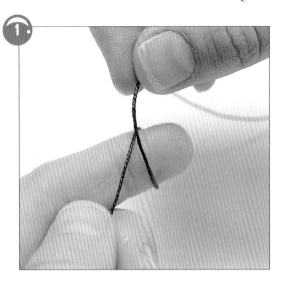

1 Commencez à faire le nœud autour de votre doigt.

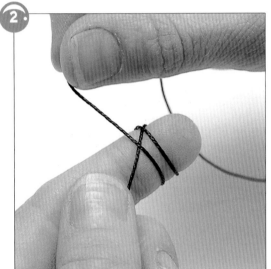

2 Faites un nœud double et tirez le fil à travers les deux cercles.

3 Avant de resserrer le nœud, placez une aiguille en son centre, de façon à pouvoir le contrôler.

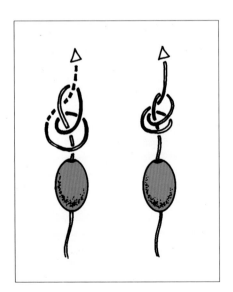

COLLIER GIVRÉ

Il vous faudra

◊ fil de nylon ou queue de tigre
◊ 4 embouts français
◊ 1 fermoir
◊ 8 perles roses givrées de 18 mm
◊ 7 perles vertes givrées de 18 mm
◊ 10 perles coniques bleues givrées de 18 mm
◊ 6 perles coniques bleues de 15 mm
◊ 16 boules plaquées argent de 3 mm

Autres matériaux

◊ ciseaux
◊ pince à bec rond ou pince plate

4 Enfilez les perles selon le motif que vous aurez choisi.

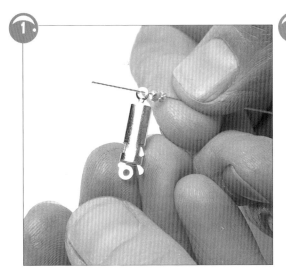

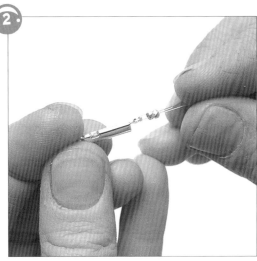

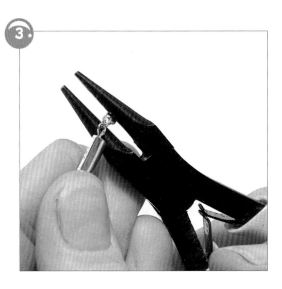

1 Coupez un fil d'environ 56 cm (22 po). Mettez deux embouts français à l'une de ses extrémités et enfilez-la dans l'un des bouts du fermoir.

2 Repassez le fil dans les embouts et formez une belle boucle. Elle doit être petite et soignée, mais pas trop près du fermoir.

3 Serrez bien les embouts avec votre pince sans endommager le fil.

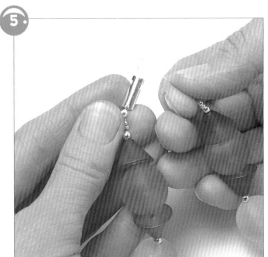

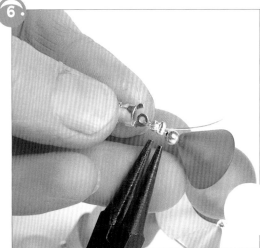

5 En arrivant à l'autre extrémité, enfilez les deux autres embouts. Enfilez le fil dans le fermoir et repassez-le dans les embouts.

6 Serrez fermement les embouts avec votre pince et coupez l'excédent avec les ciseaux.

ÉTOILES ET LUNES

Ce délicieux ensemble de collier avec boucles d'oreilles n'exige que des embouts simples et sera pour vous l'occasion de pratiquer vos techniques de base pour la confection de boucles, tout en vous familiarisant avec le fil d'acier.

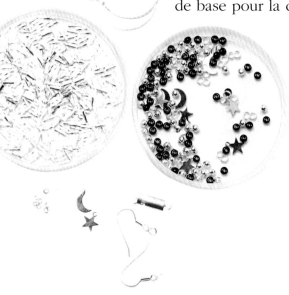

Il vous faudra

◊ 2 clous à œillet de 4 cm (1 ¹/₂ po)
◊ 4 clous à œillet de 2,5 cm (1 po)
◊ 7 étoiles
◊ 6 lunes
◊ 30 petites perles de verre noires
◊ 50 boules plaquées argent de 3 mm
◊ 2 anneaux plaqués argent de 0,8 mm et anneaux brisés ou ce qu'il faut pour en fabriquer
◊ 2 boucles
◊ 70 tubes Heishi plaqués argent de 6 mm
◊ embouts français
◊ 1 fermoir
◊ 7 boucles en huit
◊ queue de tigre

Autres matériaux

◊ pince à bout rond ou pince plate
◊ pince coupante
◊ ciseaux

TRUC

Gardez quelques clous à œillet de rechange à portée de main, au cas où le métal s'userait à force d'ouvrir et de refermer les boucles. Vous pourrez sentir si le métal perd de sa résistance en le testant avec votre pince.

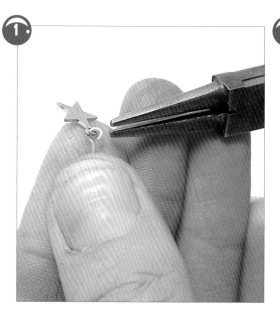

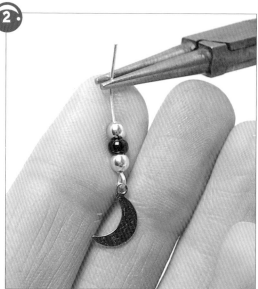

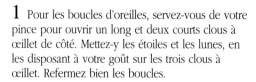

1 Pour les boucles d'oreilles, servez-vous de votre pince pour ouvrir un long et deux courts clous à œillet de côté. Mettez-y les étoiles et les lunes, en les disposant à votre goût sur les trois clous à œillet. Refermez bien les boucles.

2 Enfilez les boules argent et les perles noires sur les clous et recourbez l'extrémité à 1 cm (³/₈ po) du haut de la tige pour former un angle d'environ 45 degrés. Déplacez votre pince vers le haut et enroulez le métal autour de votre pince, en l'éloignant de vous. Si la boucle n'est pas bien refermée, servez-vous de votre pince pour la fermer complètement.

3 Si vous vous servez d'un anneau déjà formé, assurez-vous que l'un des côtés est bien refermé et ouvrez l'autre côté, que vous glisserez dans la boucle au haut de l'anneau. Enfilez les perles et les clous à œillet dans l'anneau, en commençant avec une boule d'argent et une perle noire. Rappelez-vous que les boucles au bout des clous à œillet doivent être tournées dans le même sens et qu'il doit y avoir une perle noire entre chacune.

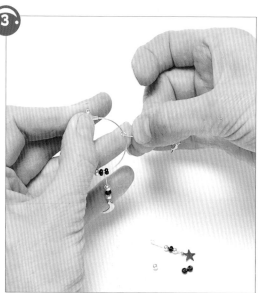

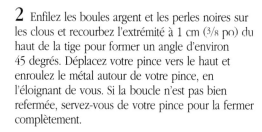

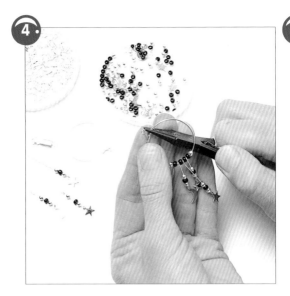

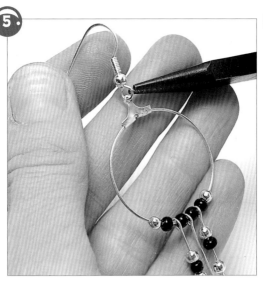

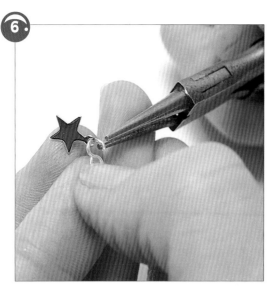

4 Refermez l'anneau du pendant et servez-vous de la pince pour écraser le métal de la boucle afin d'en coincer l'extrémité. Il faut presser assez fort pour fixer fermement l'anneau.

5 À l'aide de votre pince, ouvrez l'œillet du crochet de côté. Insérez-le dans le haut de la boucle et refermez bien, en vous assurant que la pointe du crochet et l'envers de la boucle sont tournés dans le même sens.

6 Commencez le collier en attachant la lune et les étoiles aux boucles en huit, de manière à ce qu'elles tombent à plat. Ouvrez l'un des œillets d'une boucle en huit de côté, mettez-y une lune ou une étoile, et refermez-le à l'aide de la pince.

7 Coupez un morceau de queue de tigre de la longueur que doit faire votre collier, en ajoutant 2 mm (³/₄ po) à chaque extrémité pour le sertissage. Mettez deux embouts à un bout de la queue de tigre, en veillant à ce que cette dernière ne s'entortille pas pendant que vous travaillez. Enfilez la queue de tigre dans le fermoir et une autre fois dans les embouts. Serrez les embouts fermement avec la base de la pince à bec rond, ou avec le bout d'une pince plate. Enfilez les tubes argent jusqu'au centre du motif. Enfilez les étoiles et les lunes sur leurs tiges. Quand vous aurez terminé le motif du centre, finissez avec des tubes argent pour qu'ils correspondent à la première moitié.

8 Vérifiez que le motif est symétrique, puis mettez deux embouts de plus et enfilez la queue de tigre dans l'autre bout du fermoir. Repassez la queue de tigre dans les embouts, vérifiez l'espacement pour que les perles ne soient pas trop serrées, et qu'il n'y ait pas de vide. Serrez les embouts et coupez les bouts qui dépassent.

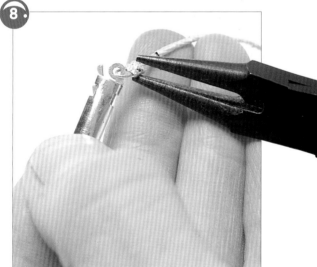

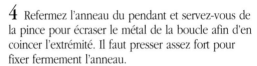

TRUC

Si vous ne trouvez pas d'anneaux, fabriquez-les en suivant la technique montrée à la page 208.

COLLIER DE VERRE DE STYLE VÉNITIEN

Ce magnifique collier et la splendide épingle à chapeau qui l'accompagne sont faits à partir d'adorables perles indiennes produites à la manière vénitienne, et de perles d'argent de Thaïlande. Ces pièces sont faciles à réaliser et vous donneront certainement des idées pour créer vos propres bijoux.

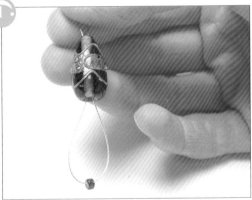

Il vous faudra
◊ queue de tigre
◊ 40 minuscules perles bleues de grosseur 7/0
◊ 12 perles ornées en forme de larme
◊ 8 perles ornées rondes
◊ 4 petites perles d'argent de Thaïlande
◊ 1 grosse perle d'argent de Thaïlande
◊ 50 perles de verre bleues de 5 mm
◊ 50 perles turquoise de 6 mm
◊ embouts français
◊ 1 fermoir
◊ 1 épingle à chapeau avec patte

Autres matériaux
◊ ciseaux
◊ pince à bec rond ou pince plate
◊ colle claire tout usage

1 Coupez une longueur de queue de tigre en ajoutant 3 cm (1 ¼ po) à chaque extrémité. Enfilez une minuscule perle bleue et faites-la glisser au centre du fil. En tenant les deux extrémités ensemble, enfilez une perle en forme de larme. Toujours en tenant les deux fils ensemble, enfilez les perles de la pendeloque, en terminant par la grosse perle d'argent de Thaïlande.

2 Séparez les deux bouts de fil et travaillez d'un côté à la fois. Enfilez une minuscule perle bleue et continuez ainsi: perle ronde turquoise, minuscule perle bleue, larme ornée, perle bleue de 5 mm, perle ronde turquoise, perle bleue de 5 mm, larme ornée (inversée), perle bleue de 5 mm, perle ronde turquoise, perle bleue de 5 mm, larme ornée, minuscule perle bleue, perle ronde turquoise, minuscule perle bleue, petite perle d'argent de Thaïlande.

> ### TRUC
> Coupez une bonne longueur de queue de tigre, mais attention qu'elle ne s'entortille pas pendant que vous travaillez.

3 On répète ce modèle une fois et demie de chaque côté du collier. Poussez bien les perles vers le centre à mesure que vous les enfilez. Assurez-vous que les deux côtés sont symétriques.

4 Enfilez à la suite les petites perles bleues et turquoise, pour qu'elles fassent bien le tour de votre cou, puis enfilez deux embouts et un côté du fermoir. Repassez la queue de tigre dans les embouts et serrez fermement avec la pince.

5 Vérifiez encore que le motif est symétrique et finissez l'extrémité. Coupez soigneusement les bouts du fil.

6 Enlevez la patte au bout de l'épingle à chapeau et enfilez une minuscule perle sur celle-ci, en vous assurant que la tête de la tige ne passera pas à travers. Enfilez les perles suivant le modèle. Lorsque vous êtes satisfait du résultat, mettez un embout au-dessous des perles et pressez fermement.

7 Pour plus de sécurité, mettez une goutte de colle au bout. Essayez de la mettre seulement sous la dernière perle, car la colle peut abîmer les perles.

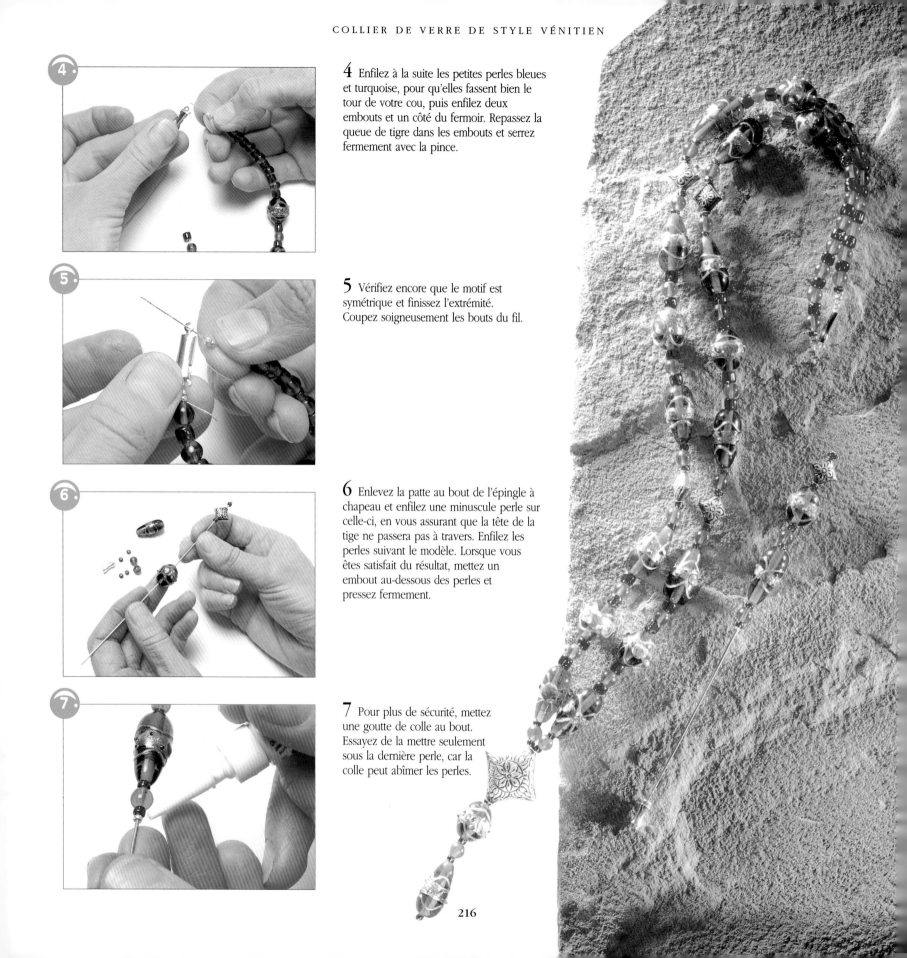

DES POISSONS À LA CHAÎNE

Des poissons de céramique et des perles du Pérou décorées de poissons nagent le long d'une chaîne pivotante.
Nous avons utilisé une technique de fabrication très simple pour réaliser
cet ensemble de chaîne et boucles d'oreilles.

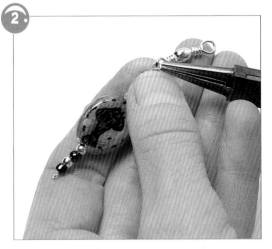

1 Commencez avec une perle décorée de poissons, un clou à œillet et quelques minuscules perles et boules. Enfilez la grosse perle et les petites perles de chaque côté. Recourbez le haut de la tige en pliant le fil vers vous jusqu'à ce qu'il forme un angle de 45 degrés. Ramenez la pince vers le haut et enroulez le fil autour pour former une belle boucle.

2 Ouvrez délicatement l'œillet de côté, insérez un émérillon et refermez.

Il vous faudra

◊ 6 perles décorées de poissons
◊ 25 clous à œillet de 5 cm (2 po)
◊ 70 minuscules perles grises, de grosseur 8/0
◊ 70 boules plaquées argent de 3 mm
◊ 17 émérillons (pivots) de 2 cm (³/₄ po)
◊ 8 perles de céramique à rayures
◊ 4 poissons de céramique
◊ 2 boucles de métal
◊ 1 fermoir ou émérillon supplémentaire

Autre matériel

◊ pince à bec rond

TRUC

Si l'un des clous à œillet vous semble faible, jetez-le et prenez-en un autre.

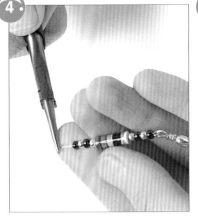

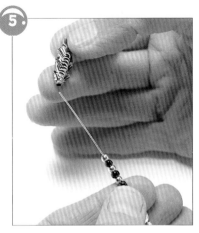

3 Ajoutez un autre clou à œillet au bout de l'émérillon en ouvrant l'œillet de côté pour l'attacher à l'émérillon. Refermez bien.

4 Enfilez une perle à rayures sur la tige avec quelques petites perles de chaque côté, et recourbez le haut.

5 Continuez à monter la chaîne de cette manière, en travaillant en alternance de chaque côté de la première perle décorée de poissons, pour que le motif soit symétrique.

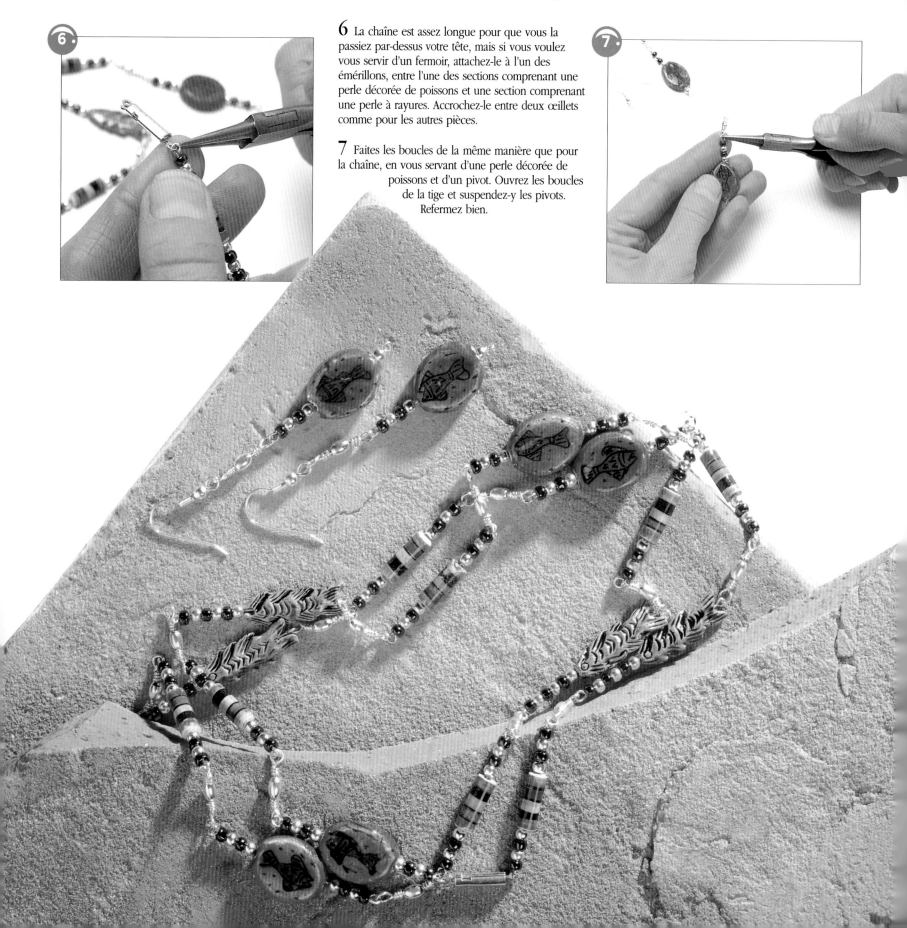

6 La chaîne est assez longue pour que vous la passiez par-dessus votre tête, mais si vous voulez vous servir d'un fermoir, attachez-le à l'un des émérillons, entre l'une des sections comprenant une perle décorée de poissons et une section comprenant une perle à rayures. Accrochez-le entre deux œillets comme pour les autres pièces.

7 Faites les boucles de la même manière que pour la chaîne, en vous servant d'une perle décorée de poissons et d'un pivot. Ouvrez les boucles de la tige et suspendez-y les pivots. Refermez bien.

COLLIER DE PORCELAINE BLEUE

Ce projet vous montrera comment des techniques fort simples peuvent donner de superbes résultats. En enfilant une variété de perles de porcelaine de Chine et différentes perles de verre, et en utilisant des techniques de sertissage de base, vous pouvez réaliser un collier sensationnel.

Il vous faudra

◊ fil de polyester noir ou bleu
◊ 10 perles de Chine rondes
◊ 1 perle triangulaire
◊ 10 perles de Chine longues
◊ 16 perles capuchons émaillées
◊ 8 perles rondes de 8 mm
◊ 80 perles de verre bleues
◊ 100 perles vertes givrées
◊ 200 petites perles noires
◊ 20 embouts français
◊ 2 cônes
◊ 1 fermoir

Autres matériaux

◊ ciseaux
◊ pince à bec rond ou pince plate

TRUC

Face à un miroir, vérifiez votre choix de perles en tenant votre collier devant vous.

1 Coupez quatre longueurs de fil d'environ 50 cm (20 po) chacune, et étendez-les côte à côte. Enfilez les perles sur les quatre fils en même temps, en cherchant à équilibrer les différents rangs. Il faut enfiler les perles selon un ordre décroissant de grosseur à partir du centre et laisser environ 8 cm (3 ¼ po) de fil de chaque côté des quatre rangs. Enfilez les capuchons émaillés de chaque côté des perles rondes unies de 8 mm pour donner à votre collier une apparence plus riche encore.

2 Quand vous serez satisfait du résultat, faites pendre les quatre rangs en les tenant de chaque côté, pour vérifier qu'ils tombent bien. Déplacez les perles qui brisent l'harmonie. À cette étape, il doit vous rester encore quelques perles de toutes les sortes.

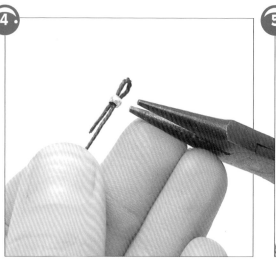

3 Faites une petite boucle au bout d'un des rangs, glissez-y un embout et serrez-le avec la pince. Déplacez les perles vers cette extrémité, faites une autre boucle à l'autre extrémité, ajoutez un embout et serrez. Répétez avec les autres rangs et coupez les fils qui dépassent.

4 Coupez deux autres longueurs de fil d'environ 20 cm (8 po), et faites une boucle à l'un des bouts de chaque fil.

5 Passez les fils courts dans les boucles aux extrémités des rangs de perles. Repassez ensuite les fils dans la boucle formée à l'une de leurs extrémités.

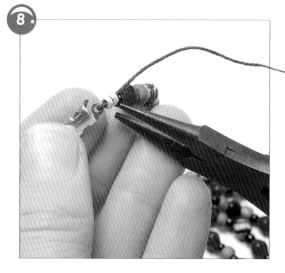

6 Enfilez un cône sur chaque fil court, de manière à bien dissimuler les extrémités des rangs de perles.

7 Enfilez les perles sur les deux bouts courts, de façon symétrique ou un peu au hasard. Quand la longueur du collier vous conviendra, mettez deux embouts à une extrémité de l'un des fils, et passez le bout dans une boucle du fermoir, puis une autre fois dans les embouts.

8 Serrez les embouts avec la pince et vérifiez qu'ils sont bien serrés. Répétez de l'autre côté avec l'autre bout du fermoir, avant de couper l'excédent de fil.

COLLIER DE PERLES D'ARGILE ET DE CÉRAMIQUE

Ce collier est plus compliqué à fabriquer, mais si vous respectez la marche à suivre à la lettre, vous réussirez une pièce remarquable.

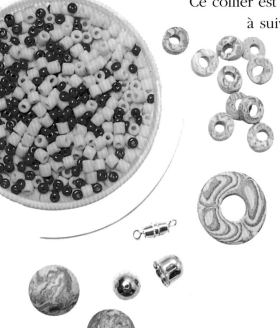

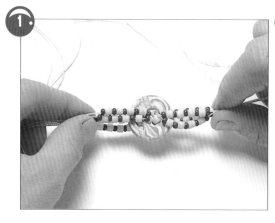

1 Coupez quatre longueurs de fil d'environ 81 cm (32 po) chacune, et enfilez 10 perles blanches et 11 petites perles marron en alternance au centre de chaque fil. Enfilez deux de ces rangs de chaque côté d'un anneau d'argile, de façon à ce que quatre longueurs émergent de chaque côté.

2 Passez ces quatre fils dans une grosse perle d'argile ronde, de chaque côté de l'anneau central.

Il vous faudra
◊ fil de polyester blanc
◊ 300 perles de céramique blanches
◊ 300 minuscules perles marron
◊ 1 anneau d'argile
◊ 2 grosses perles rondes en argile
◊ 10 disques d'argile
◊ embouts français
◊ fil de cuivre
◊ 2 embouts clochettes
◊ 1 fermoir

Autres matériaux
◊ colle
◊ pince à bec rond ou pince plate
◊ colle claire tout usage

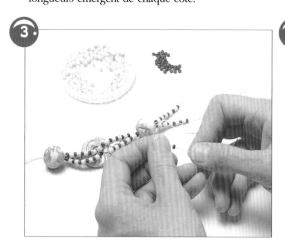

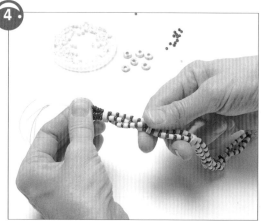

3 En travaillant d'un côté, enfilez cinq perles blanches et six petites perles marron en alternance sur chaque fil et passez les quatre fils à travers un disque d'argile.

4 Faites quatre sections en tout et poussez toutes les perles vers l'anneau central. Mettez cinq petites perles marron autour de chaque fil et poussez-les aussi.

5 Faites une petite boucle bien nette à l'extrémité de chaque fil et mettez-y un embout. Quand les boucles sont égales sur chaque fil, serrez les embouts.

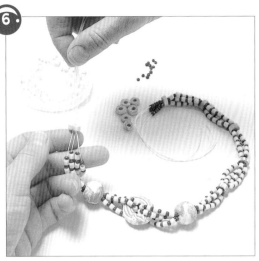

6 Répétez de l'autre côté en vérifiant la symétrie et en repoussant les perles vers le centre, avant de sertir les boucles à l'extrémité de chaque fil.

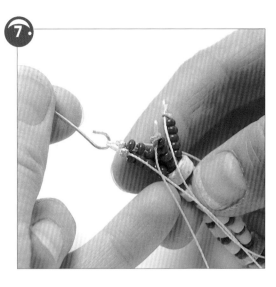

7 Avec une pince coupante, coupez un petit bout de fil de cuivre. Enroulez-le autour d'une pince à bec rond pour former une boucle. Passez la boucle à l'extrémité des fils dans la boucle du fil, et refermez celle-ci comme il faut.

8 Coupez tous les fils qui dépassent.

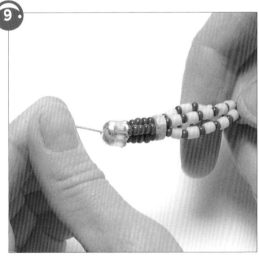

9 Enfilez l'embout clochette sur le fil. Coupez le fil en gardant juste ce qu'il faut pour former une belle boucle.

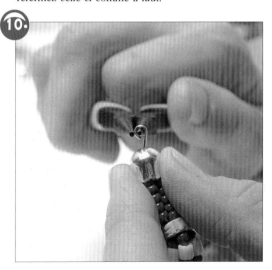

10 Faites une boucle à l'aide d'une pince, ouvrez-la de côté pour y accrocher le fermoir, et refermez bien. Faites la même chose de l'autre côté.

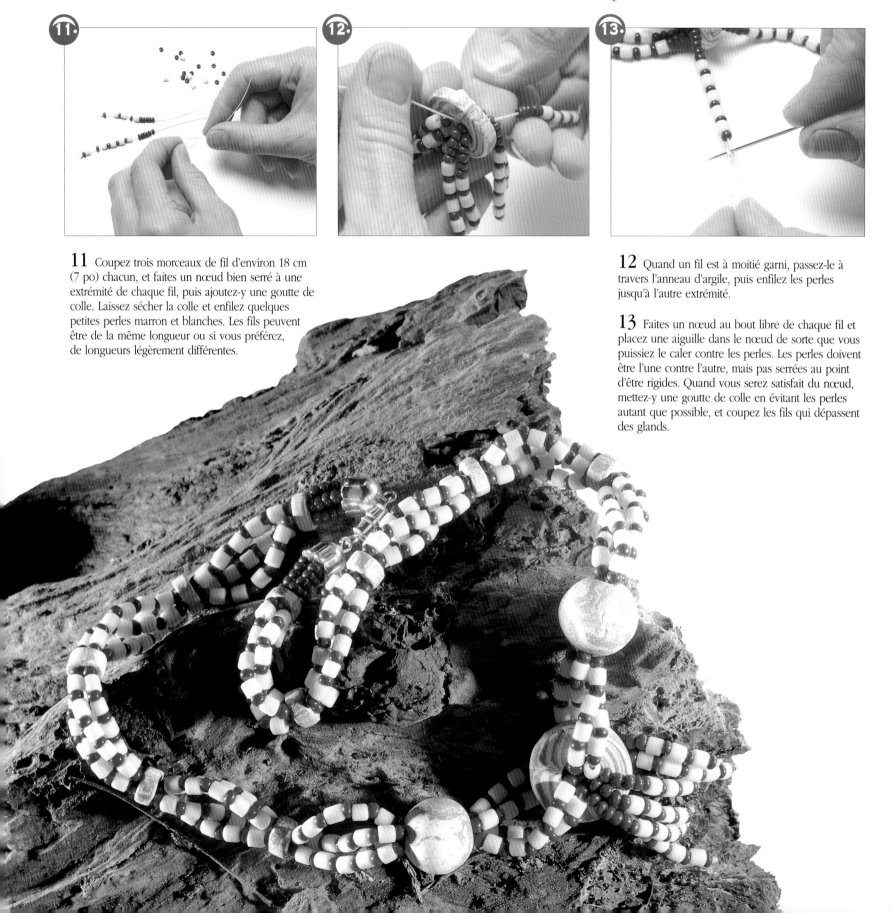

11 Coupez trois morceaux de fil d'environ 18 cm (7 po) chacun, et faites un nœud bien serré à une extrémité de chaque fil, puis ajoutez-y une goutte de colle. Laissez sécher la colle et enfilez quelques petites perles marron et blanches. Les fils peuvent être de la même longueur ou si vous préférez, de longueurs légèrement différentes.

12 Quand un fil est à moitié garni, passez-le à travers l'anneau d'argile, puis enfilez les perles jusqu'à l'autre extrémité.

13 Faites un nœud au bout libre de chaque fil et placez une aiguille dans le nœud de sorte que vous puissiez le caler contre les perles. Les perles doivent être l'une contre l'autre, mais pas serrées au point d'être rigides. Quand vous serez satisfait du nœud, mettez-y une goutte de colle en évitant les perles autant que possible, et coupez les fils qui dépassent des glands.

COLLIER DE JASPE

Ces grosses perles semi-précieuses sont nouées sur un fil épais
pour une apparence ethnique. Quand vous aurez réalisé ce collier,
vous maîtriserez la technique des nœuds qui vous servira à produire
différents effets avec différents types de perles.

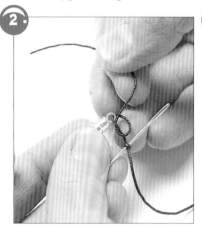

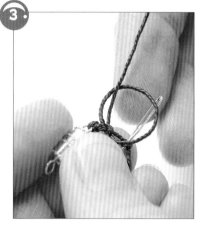

1 Coupez une longueur de fil qui fasse presque le double de la longueur que vous désirez pour votre collier. Vous aurez besoin de plus de fil pour faire des nœuds entre les perles et près du fermoir. Faites un simple nœud à environ 10 cm (4 po) d'une extrémité, et insérez-y votre aiguille. Serrez le nœud mais laissez l'aiguille en place.

2 Enfilez le fermoir dans le fil en l'attachant avec un nœud simple à environ 2 cm (3/4 po) du premier.

3 Faites une série de nœuds bien nets pour combler l'espace entre les deux premiers nœuds. Formez une boucle autour du fil principal, enfilez-y le bout court et serrez.

Il vous faudra
◊ fil de polyester, de soie, ou autre fil semblable
◊ environ 20 perles de jaspe de 20 mm
◊ 1 fermoir

Autres matériaux
◊ ciseaux
◊ aiguille
◊ colle claire tout usage
◊ petite pince recourbée à pointe fine (facultatif)

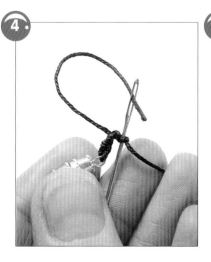

4 Quand vous atteindrez le premier nœud et l'aiguille, enfilez le bout court dans le chas et passez-le à travers le premier nœud pour qu'il soit bien rentré.

5 Enfilez la première perle. Si possible, poussez le bout court dans la perle en guise de finition. Sinon, coupez le bout court et mettez-y une goutte de colle pour le faire tenir. Attendez que la colle soit sèche avant de caler la perle contre le nœud.

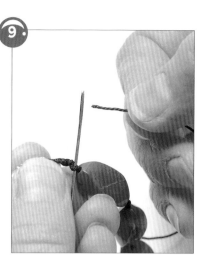

6 Faites un double nœud après la perle et insérez-y la pointe d'une aiguille. Servez-vous de l'aiguille pour contrôler le nœud, en tirant le fil avec précaution pour que le nœud soit tout près de la perle. Tirez sur le fil en retirant l'aiguille, afin que le nœud continue de se resserrer contre la perle.

7 Continuez à ajouter des perles en faisant un double nœud entre chacune. Vous ferez sans doute quelques nœuds qui ne seront pas aussi près des perles que vous le souhaiteriez, mais vous pouvez les défaire avec la petite pince. Attention, toutefois, de ne pas endommager le fil.

8 Quand le collier est de la longueur désirée, faites un nœud simple près de la dernière perle et laissez-y l'aiguille. Passez le bout du fil à travers le fermoir en laissant encore un espace de 2 cm (3/4 po). Faites des nœuds simples près du fermoir comme pour le premier côté.

9 Passez le bout court dans le chas de l'aiguille et faites-le passer à travers le nœud qui jouxte la dernière perle. Quand les nœuds sont beaux et bien serrés, enfilez le bout court du fil dans la dernière perle si vous le pouvez. Autrement, coupez-le et ajoutez une goutte de colle en prenant soin de ne pas en mettre sur les perles.

RAS-DE-COU AFRICAIN

Ce ras-de-cou est fait de perles de poudre de verre du Ghana et de vieilles perles tchèques, dont la plupart furent fabriquées pour le marché africain. Dans ce projet, vous utiliserez une technique de macramé, une façon pratique et attrayante de vous servir des fils pour finir colliers et ras-de-cou.

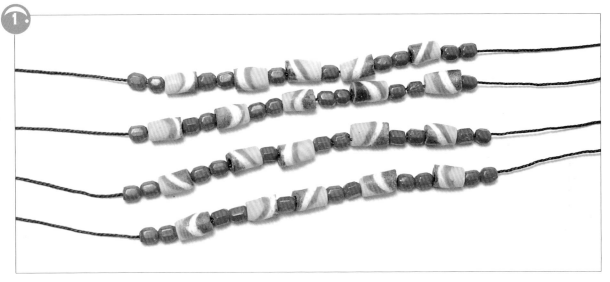

1 Coupez le fil en cinq longueurs, quatre d'environ 102 cm (40 po), et une de 51 cm (20 po). Servez-vous des quatre fils longs pour réaliser le motif central.

Il vous faudra
◊ 31 perles de poudre de verre
◊ 120 perles tchèques marron
◊ 2 intercalaires à quatre trous
◊ 5 m (5 v) de fil de polyester noir

Autres matériaux
◊ ciseaux
◊ aiguille
◊ colle claire tout usage

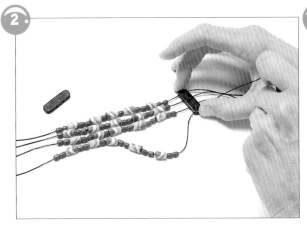

2 Enfilez les intercalaires de chaque côté, puis continuez d'enfiler les perles sur les quatre fils en suivant le modèle.

3 Utilisez toutes les perles sauf une, qui servira de fermoir, et finissez en enfilant les quatre fils à travers une perle de poudre de verre à chaque extrémité. Nouez sans serrer d'un côté, et coupez les bouts pour qu'ils soient égaux, mais pas courts.

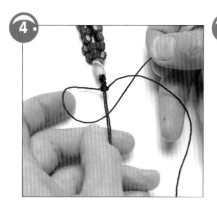

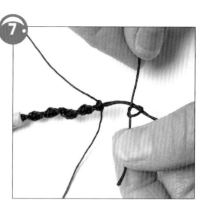

4 Faites une tresse de macramé avec les quatre fils en tenant deux fils droits au centre et en ramenant le fil gauche sous ceux du centre et par-dessus le fil de droite.

5 Passez le fil de droite par-dessus les fils du centre et sous le fil de gauche du départ.

6 Tirez les bouts uniformément à partir des côtés. En même temps, tirez les fils du centre vers le bas pour créer une tresse égale et bien tendue. Continuez à tresser les fils de cette façon jusqu'à ce que le ras-de-cou soit plus court que la longueur désirée d'environ 3 cm (1 ¼ po).

7 Attachez le fil court (coupé à l'étape 1) aux fils du centre.

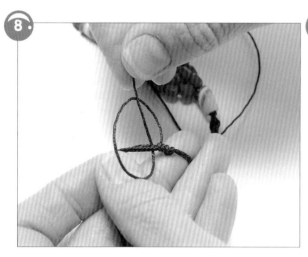

8 Servez-vous de ce fil pour attacher ceux du centre et ainsi former une boutonnière. Passez le fil par-dessus les fils du centre en le ramenant dans sa propre boucle, et serrez bien. Continuez jusqu'à ce que vous ayez attaché 2 cm (³/4 po) des fils du centre.

9 Faites une boucle avec le fil attaché et arrangez les bouts libres en direction du ras-de-cou. Il doit y avoir un espace entre la boutonnière et le travail de macramé. Reprenez les fils de macramé et continuez à travailler en utilisant la méthode de tressage de départ (étapes 4, 5 et 6). Tendez bien les fils pour que la tresse soit égale et solide.

10 Vérifiez que la perle de poudre de verre entre de côté dans la boucle, et tendez bien la tresse. Coupez tous les bouts qui dépassent près de la tresse.

11 Enfilez les fils sur une aiguille et cousez-les dans la tresse pour une finition solide.

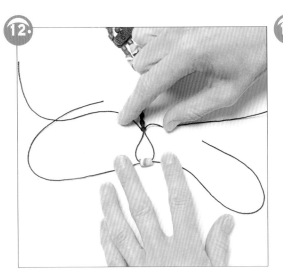

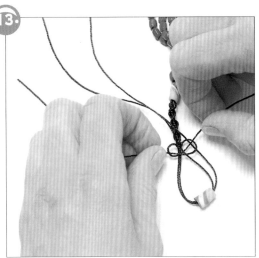

12 Défaites le nœud à l'autre extrémité et poussez toutes les perles dans l'autre direction avant de commencer à tresser. Servez-vous de la technique de macramé à quatre fils, en arrêtant à environ 2 cm (3/4 po) de la longueur finale. Enfilez ensuite les deux fils du centre, en sens inverse, dans la perle de poudre de verre.

13 Tournez ces fils vers le collier et continuez le macramé en tissant bien serré par-dessus ces fils. Quand vous atteindrez la perle de poudre de verre, tirez bien les fils ensemble.

14 Finissez de la même manière qu'à l'autre extrémité, en coupant les bouts qui dépassent et en enfilant les fils dans la tresse à l'aide d'une aiguille.

PERLES ET CUIR

Voici une excellente façon d'utiliser les perles de collection: par exemple,
des perles que vous aurez achetées lors de vacances à l'étranger, chez un antiquaire
ou dans une foire de perles. Si vous ne trouvez pas des perles exactement comme
celles qui ont servi à ce collier, cherhez quelque chose de semblable.

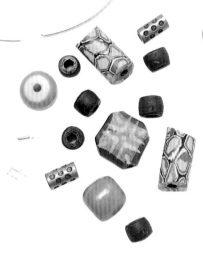

Il vous faudra
◊ 1 perle Pumtek du Mizoram
◊ 2 perles vénitiennes millefleur
◊ 2 vieilles perles de Turquie
◊ 2 perles de laiton du Mali
◊ 6 perles de verre indien mat
◊ lanière de cuir
◊ embouts pour le cuir
◊ fil plaqué argent de 1,2 mm (1/16 po)

Autres matériaux
◊ pince à bec rond
◊ lime

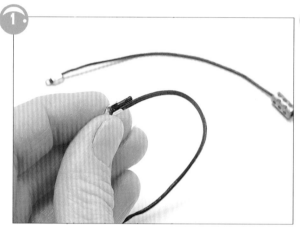

1 Enfilez les perles sur une lanière. Repliez une extrémité, et mettez le cuir dans un embout à sertir le cuir. Si vous utilisez un cuir assez épais, vous n'aurez pas besoin de le replier.

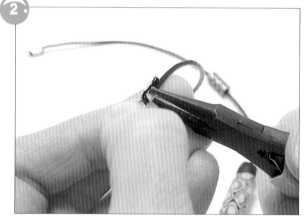

2 Servez-vous d'une pince pour écraser un côté de l'embout. Pressez ensuite l'autre côté par-dessus le premier, afin que le cuir soit coincé fermement dans l'embout.

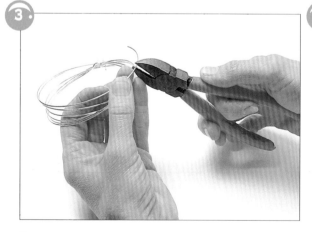

3 Si vous ne pouvez pas acheter une attache en forme de crochet, confectionnez-en une en coupant un fil de métal d'environ 3 cm (1 1/4 po).

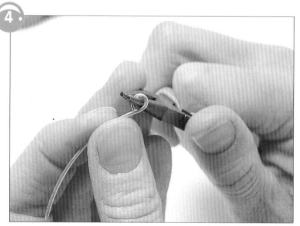

4 Tenez bien le fil entre le pouce et l'index et servez-vous de votre pince pour faire une petite boucle.

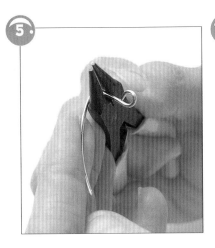

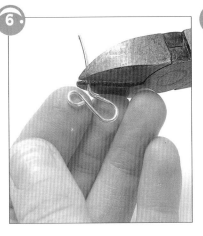

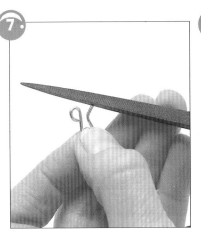

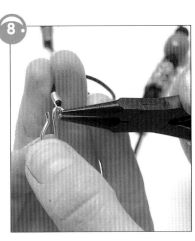

5 Servez-vous de la courbe dans le fil métallique et recourbez-le autour de la partie plus large de la pince.

6 Quand vous aurez fait un beau crochet, repliez un peu la pointe et coupez le bout qui dépasse avec une pince coupante.

7 Limez bien l'extrémité.

8 Ouvrez la boucle du crochet de côté et insérez l'un des embouts à sertir le cuir. Refermez la boucle. Le crochet s'attachera à l'embout qui est à l'autre extrémité quand vous porterez le collier.

COLLIER DE LAPIS-LAZULI ET D'ARGENT

Voici une pièce abstraite et pourtant très stylisée. Elle vous permettra d'apprendre à travailler avec le fil de métal et vous incitera à utiliser plus d'outils.

Il vous faudra

◊ 6 perles de verre corail
◊ 6 perles de verre noires
◊ 6 perles vieil argent
◊ 1 perle antique tachetée
◊ 1 grosse perle de lapis-lazuli
◊ 4 formes de lapis-lazuli
◊ fil plaqué argent de 0,8 mm
◊ fil plaqué argent de 1,2 mm
◊ lanière de cuir
◊ embouts ou attaches pour le cuir

Autres matériaux

◊ pince à bec rond
◊ lime
◊ marteau

TRUC

Avant de commencer ce projet, exercez-vous à plier le fil de métal et essayez différentes surfaces pour marteler les pièces.

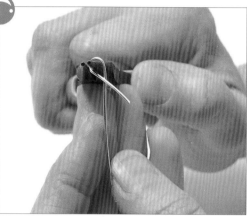

1 Enfilez les formes de lapis sur des tiges de métal pour en faire des breloques. Certaines formes sont trouées de haut en bas, alors si c'est le cas, coupez un morceau de fil de métal de 0,8 mm et faites une boucle avec un bout long.

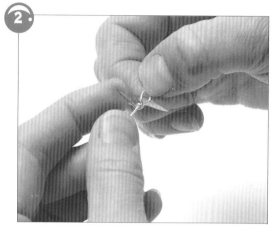

2 Avec vos doigts, enroulez ce bout autour du bas de la boucle.

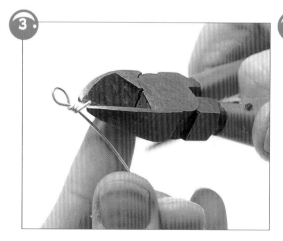

3 Enroulez bien le fil sous la boucle, coupez-le, et servez-vous d'une pince pour aplatir l'extrémité du fil à la base des volutes.

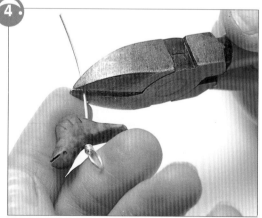

4 Enfilez le lapis, coupez le fil, puis faites une belle boucle sous la forme avec la pince pour la retenir solidement.

5 Si les pièces de lapis dont vous disposez sont trouées d'un côté à l'autre, faites une boucle dans le fil de métal et enfilez-le dans la forme en le recourbant. Laissez un espace entre la boucle et la forme de lapis.

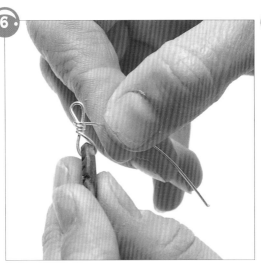

6 Avec le pouce et l'index, enroulez le fil de métal fermement à la base de la boucle à quelques reprises. Coupez le bout du fil et servez-vous d'une pince pour l'aplatir sous les volutes.

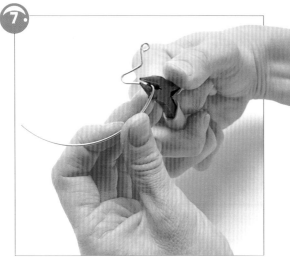

7 Créez des lignes abstraites avec des bouts de fil de métal plus gros mesurant environ 20 cm (8 po) de long. Enroulez le bout à la base du fil, puis donnez-lui des formes attrayantes en le repliant en zigzag avec votre pince.

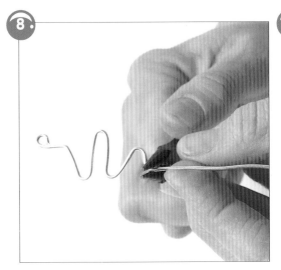

8 Continuez à travailler jusqu'à ce que vous soyez satisfait du zigzag obtenu. Il vous faut trois de ces formes en zigzag, mais elles ne doivent pas être obligatoirement identiques.

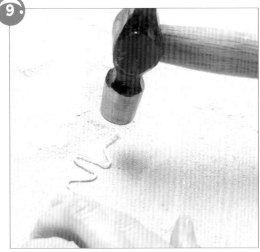

9 Pour que votre collier soit encore plus spécial, vous pouvez aplatir le fil métallique. Cela rend la surface rugueuse et permet d'entrevoir le laiton sous le placage argent.

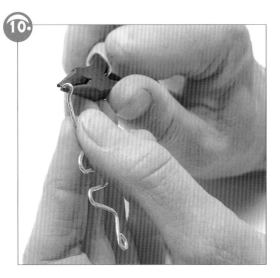

10 Formez une boucle au haut des zigzags pour pouvoir les enfiler.

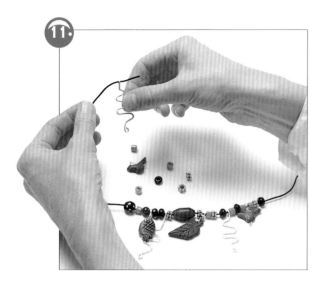

11 Enfilez les pièces sur la lanière de cuir. Elles auront meilleure apparence si leur arrangement est asymétrique.

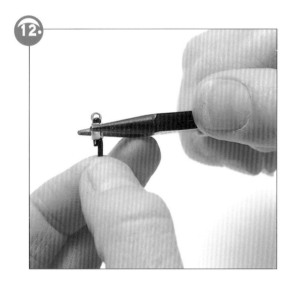

12 Mettez des embouts pour le cuir à chaque extrémité et faites un crochet (décrit aux étapes 3 à 8 du projet prédédent) pour refermer le collier.

BRACELET
TISSÉ

Voici un projet facile à réaliser sur un métier à tisser les perles. Quand vous aurez réussi ce bracelet,
vous serez prêt à tenter des projets plus complexes.

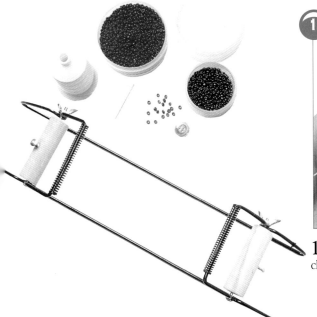

Il vous faudra
◊ 160 rocailles blanches 8/0
◊ 60 rocailles noires 8/0
◊ 30 rocailles bleues 8/0
◊ fil à tisser en polyester blanc
◊ 1 bouton à quatre trous

Autres matériaux
◊ métier à tisser les perles
◊ ciseaux
◊ aiguille fine

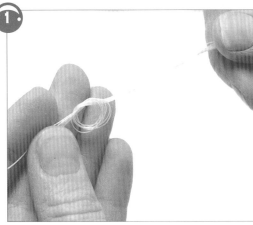

1 Coupez sept fils de chaîne de 81 cm (32 po)
chacun, et nouez-les bien ensemble à une extrémité.

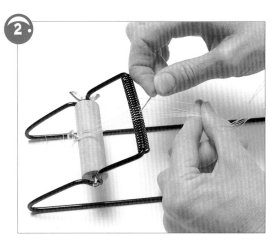

2 Tendez bien les barres du métier, puis accrochez
les fils de chaîne à l'une de ses extrémités, et
ramenez-les par-dessus la barre. Servez-vous d'une
aiguille pour séparer les fils jusqu'à ce qu'ils se
placent côte à côte dans les sillons du métier.

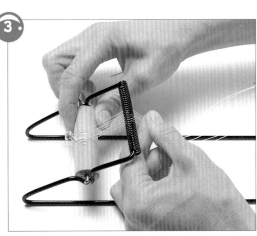

3 Tournez le rouleau à quelques reprises pour
vous assurer que les fils de chaîne sont bien tendus.

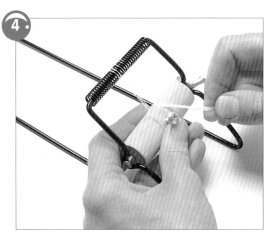

4 Prenez les fils et séparez-les dans les sillons
opposés à l'autre extrémité. Attachez-les solidement
autour de ce rouleau, en veillant à ce qu'ils soient
aussi tendus que possible.

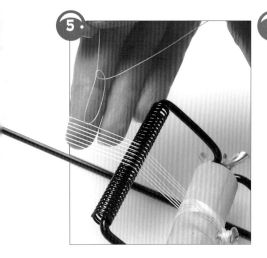

5 Coupez un fil à perler d'environ 1,5 m (5 pi) de long, et attachez-le à un fil de chaîne extérieur. Enfilez-le sur une aiguille.

6 En gardant le fil à perler sous les fils de chaîne, mettez deux perles dans les deux espaces du milieu. Ramenez votre aiguille en avant des deux fils de chaîne extérieurs.

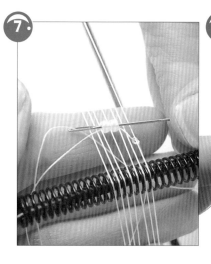

7 Enfilez l'aiguille une autre fois dans les deux perles, en travaillant par-dessus les fils de chaîne. Répétez cette étape avec deux perles trois fois de plus, puis reprenez le fil à perler, entre le premier et le deuxième fil de chaîne. Faites deux rangs de quatre perles.

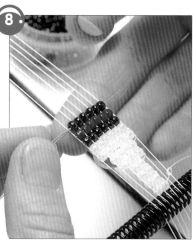

8 Commencez à travailler une largeur complète de fils de chaîne, de manière à ce que six perles s'insèrent dans les espaces. Créez le motif avec les perles bleues et noires.

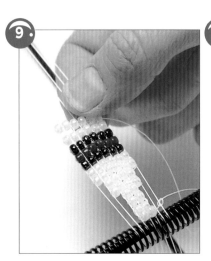

9 À mesure que vous avancez sur le métier, calez les perles contre le rang précédent pour que votre travail ne soit pas lâche.

10 Quand vous aurez complété le motif et réduit le nombre de perles à l'autre bout du bracelet, relâchez les rouleaux aux deux extrémités et retirez le bracelet du métier.

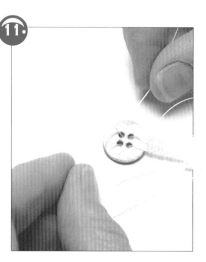

11 Placez le bouton à un des bouts et enfilez quatre fils de chaîne dans les quatre trous, puis nouez-les fermement à l'arrière. Rentrez ensuite les fils dans le bracelet.

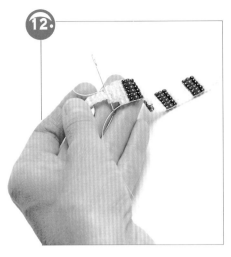

12 Passez les autres fils de chaîne à cette extrémité dans les perles et coupez-les net une fois qu'ils sont solidement arrêtés.

13 À l'autre extrémité, servez-vous d'une aiguille pour enfiler environ huit perles (suivant la grosseur du bouton) sur chacun des deux fils de chaîne du centre.

14 Rentrez chaque fil dans le rang de perles opposé pour former une boucle. Tendez les fils et servez-vous d'une aiguille pour enfiler l'excès dans le bracelet. Finissez cette extrémité en enfilant les fils de chaîne de la même manière dans le bracelet, puis coupez-en l'excédent une fois qu'ils sont solidement arrêtés.

BRACELET À RESSORT

Ce projet et celui qui suit illustrent deux différentes façons de fabriquer des bracelets. Le fil à ressort est facile à utiliser, à condition d'avoir assez de force dans les mains.

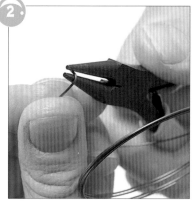

1 Vous pouvez vous procurer des longueurs de ressort de métal déjà coupées, ou en couper vous-même à même un long morceau de ressort. Vous devrez serrer très fort pour y arriver.

2 Servez-vous d'une pince pour former une boucle à une extrémité. Cela est assez difficile à faire: vous devez sans cesse manipuler votre fil en le recourbant légèrement alors que vous tenez le rouleau dans l'autre main.

3 Enfilez les perles. Vous pouvez créer votre motif au hasard, mais distribuez également les grosses et les petites perles. Il faudra dérouler le ressort de temps en temps pour que les perles puissent y glisser.

Il vous faudra
◊ 4 volutes de fil métallique d'environ 61 cm (24 po)
◊ 6 petites perles du Pérou
◊ 33 perles vertes givrées
◊ 15 perles rondes de verre turquoise et vert
◊ 65 minuscules perles de verre noires

Autre matériel
◊ solide pince à bec rond

4 Laissez environ 1,25 cm (½ po) au bout du ressort et faites une boucle à l'extrémité avec votre pince.

Pochoir

Utilisez cet art polyvalent pour décorer une multitude d'objets, allant de la simple étiquette cadeau à un vieux meuble.

INTRODUCTION

Bienvenue dans le monde merveilleux du pochoir!

Ce chapitre vous invite à un voyage facile, étape par étape, dans onze projets ingénieux, et avant que vous n'ayez atteint la fin de cette section, vous aurez expérimenté le monde merveilleux et créatif du pochoir et des trésors qu'il recèle.

Un pochoir est simplement une forme découpée dans un morceau de carton ciré, de métal mince ou de plastique. Lorsque l'on applique de la peinture dans une forme découpée, la forme est reproduite sur la surface en dessous.

Le pochoir n'est pas un art nouveau. On s'en sert depuis des centaines d'années pour décorer les tissus, les livres, la poterie et bien sûr, la maison. Partout dans le monde, on peut encore voir des exemples des premières décorations au pochoir dans les maisons et les musées, surtout aux États-Unis. Quand, au 19e siècle, furent exportés aux États-Unis les coûteux papiers peints européens, peu de gens pouvaient se les payer. Leurs motifs furent une nouvelle source d'inspiration pour les artistes du pochoir, et cette forme d'artisanat permit d'imiter le papier peint pour une fraction du coût.

Avec la production de masse, le papier peint autrefois fort coûteux se trouva à la portée d'à peu près tout le monde, et le pochoir perdit de sa popularité. Ces dernières années toutefois, le pochoir est revenu en force, alors que beaucoup de gens cherchent à donner une note originale à leur intérieur.

Les projets que nous vous présentons montrent l'extrême polyvalence de cet art. Ils vont de la simple étiquette cadeau à des articles beaucoup plus complexes, jusqu'au défi que représente la fabrication de vos propres pochoirs. Les projets ont été conçus pour vous permettre d'acquérir graduellement des connaissances et de développer vos propres talents en la matière. De cette façon, à mesure que vous maîtriserez la technique, vous vous sentirez plus sûr de vous pour essayer quelque chose de plus exigeant du point de vue créatif. Chaque projet vous propose des idées qui vous inspireront, ainsi que d'excellents trucs pour produire des pochoirs d'allure très professionnelle.

En règle générale, vous trouverez les matériaux dont vous aurez besoin chez votre fournisseur de matériel d'artiste local ou à la quincaillerie du coin, où vous trouverez également un grand choix de pochoirs. Si vous voulez fabriquer vos propres pochoirs, consultez Le bonheur du décorateur (page 270), où vous apprendrez comment dessiner et comment découper vos pochoirs. Vous trouverez tous nos modèles à la fin de cette section du livre.

Allez-y! Tout ce qui vous reste à faire, c'est de vous procurer vos outils et vos matériaux et de suivre les projets de cette section du livre. Vous participerez ainsi à la renaissance de cet art attrayant et gratifiant.

Amusez-vous bien!

Jamie Sapsford et Betsy Skinner
The Bermuda Collection

MATÉRIAUX ET OUTILS

MATÉRIAUX POUR LA PEINTURE
Il vous faudra quelques-uns ou tous ces matériaux:

Pochoirs tout faits
On en trouve une grande variété, mais pensez au format, à la forme et à la complexité du motif quand vient le temps de choisir le pochoir le mieux approprié à votre projet.

Brosses à pochoir
On se sert de brosses à soies épaisses pour appliquer la peinture sur le pochoir; on en trouve plusieurs formats. Pour débuter, nous recommandons les brosses n°s 4, 8, 12 et 16.

Ruban adhésif à faible adhésion
Il faut vous assurer que votre pochoir tient bien en place sur la surface à peindre, et le ruban à faible adhésion réduit les risques d'endommager la surface de travail, un mur par exemple. Vous pouvez utiliser un adhésif en vaporisateur pour coller votre pochoir en place temporairement.

Peintures pour pochoir
Les peintures acryliques d'artiste s'appliquent sur la plupart des surfaces. Les peintures à tissus doivent être utilisées sur les tissus et il existe des peintures spéciales pour la céramique ou le verre. Servez-vous de peinture à séchage rapide pour éviter les problèmes de peinture qui coule lorsque vous travaillez par superposition. Les peintures à base d'eau sont plus faciles à nettoyer.

Bols
Les vieux bols de porcelaine sont très pratiques pour mélanger les couleurs, et ils sont faciles à nettoyer.

Papier absorbant
Indispensable pour le nettoyage général et pour enlever l'excès de peinture sur vos brosses.

Papier brouillon
Gardez une bonne quantité de papier brouillon à portée de main, de manière à pouvoir vous exercer le temps qu'il faut.

Règle
Ayez toujours une règle pour mesurer et placer vos pochoirs.

À droite
Matériaux pour la peinture.

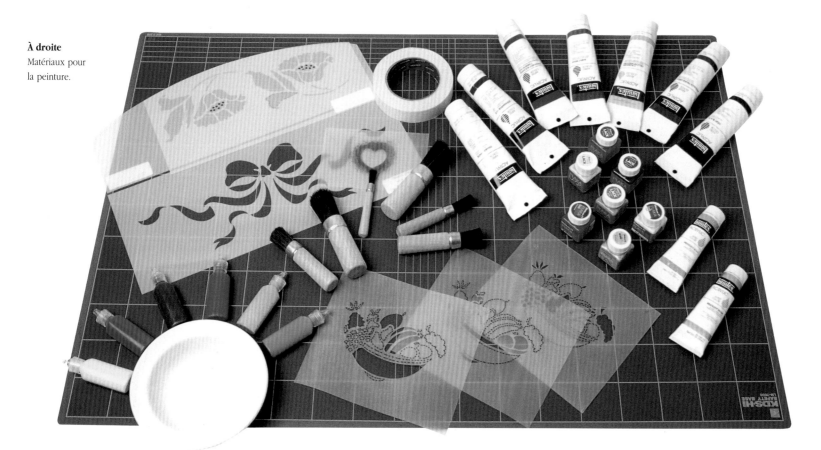

Ciseaux

Vous aurez besoin de ciseaux pour certains projets requérant du papier, mais également pour des dizaines d'autres usages.

Crayon, taille-crayon et gomme à effacer

Votre crayon doit toujours être bien aiguisé pour vous permettre de découper des formes le long d'une ligne bien nette.

> Après chaque projet, nettoyez tout et lavez vos brosses et vos pochoirs de polyester à l'eau chaude et au savon.

MATÉRIAUX POUR LE DÉCOUPAGE

Pellicule à dessin en polyester

Voici l'outil idéal pour réaliser vos propres pochoirs. La pellicule transparente givrée est parfaite pour le dessin et pour aligner lorsque vous faites des superpositions. Très résistante, elle peut servir encore et encore. On peut aussi utiliser du papier ciré épais.

Cutter

Vous aurez besoin d'un cutter à passe-partout avec des lames supplémentaires pour découper vos propres pochoirs; la lame doit absolument être très tranchante. Une lame à angle est idéale pour découper des arcs et des cercles.

Un tapis de coupe autoréparateur

Un tapis autoréparateur, que l'on trouve dans la plupart des boutiques de fournitures d'artiste, est ce qu'il y a de mieux pour découper des motifs au pochoir, parce qu'il ne se désintègre pas et ne risque pas d'émousser vos lames aussi vite qu'un tapis de coupe ordinaire le ferait.

Papier-calque et papier à décalquer

Tous deux fort pratiques pour copier et reproduire fidèlement des dessins.

Maintenant que vous avez réuni tous les matériaux et les outils nécessaires, vous êtes prêt à commencer le premier projet.

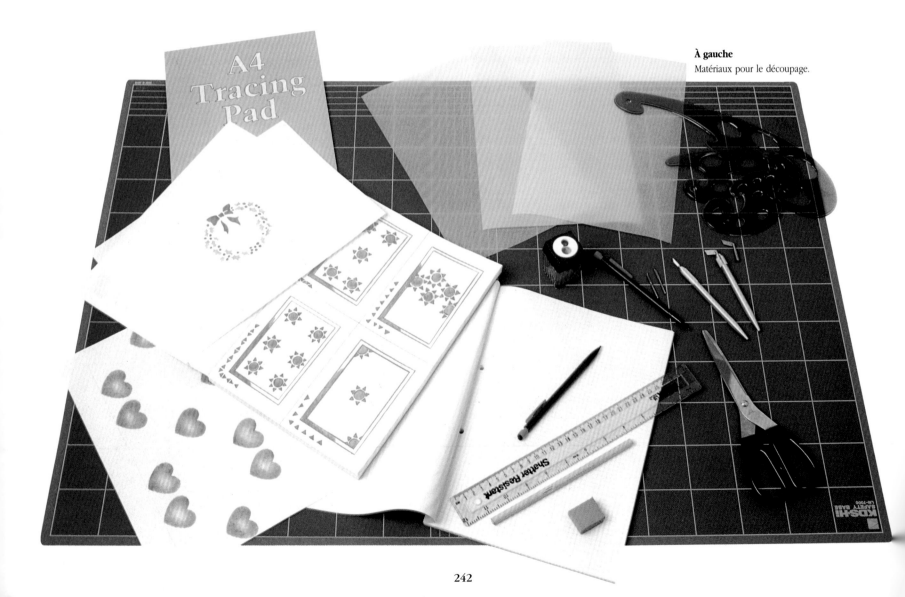

À gauche
Matériaux pour le découpage.

ÉTIQUETTES CADEAUX ORIGINALES

Voici un beau projet pour vous initier à l'art du pochoir, car il est simple et efficace. Rehaussez vos cadeaux avec une étiquette au pochoir qui ravira tout le monde.

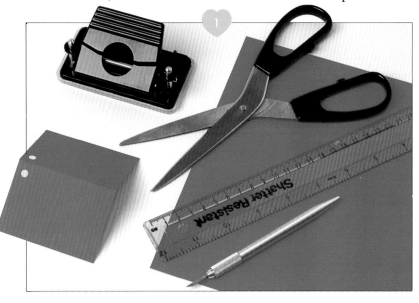

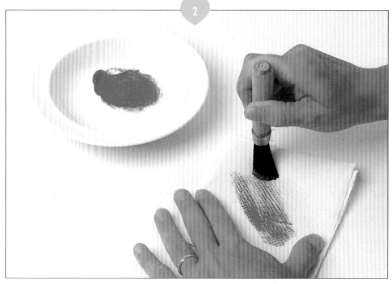

Il vous faudra
◊ matériaux pour la peinture acrylique
◊ papier de bricolage
◊ perforatrice
◊ rubans à friser

1 Nous avons opté pour un pochoir en forme de cœur sur papier rouge. Choisissez un pochoir et un papier de couleur qui conviennent. Mesurez et coupez votre papier: environ 8 cm x 10 cm (3 po x 4 po), puis pliez-le en deux le long de la ligne de 5 cm (2 po). Décidez si votre étiquette sera horizontale ou verticale, et perforez un trou dans le coin haut à gauche, en laissant assez d'espace pour votre dessin.

2 Pour nous exercer, nous avons choisi de tracer au pochoir un cœur rouge sur du papier brouillon blanc. Mettez une petite quantité de peinture dans un bol. Trempez les soies d'une brosse de grosseur moyenne dans la peinture et enlevez tout excès sur du papier absorbant. Votre brosse doit être très sèche.

3 Placez votre pochoir sur votre papier brouillon et tenez-le d'une main. Tenez votre brosse à pocher bien droite et pressez-la sur le pochoir, en la déplaçant en mouvements circulaires autour du bord intérieur du pochoir. Continuez à appliquer la couleur par petites touches successives autour du bord. Cela peut se faire assez rapidement. Essayez approximativement 10 tours, mais ne laissez pas la couleur s'accumuler au centre du motif découpé.

4 Exercez-vous encore et encore. Si votre brosse est trop chargée de peinture, la forme sera plate et la peinture s'accumulera sur les bords. Voyez le cœur du haut. La brosse doit être très très sèche – plus sèche que vous ne pourriez l'imaginer –, quoique le cœur très pâle soit vraiment à l'autre extrême. Le cœur en bas de la photographie, avec le bord bien tracé et l'espace plus clair au milieu, est parfait.

5 Une fois que vous aurez pris de l'assurance, vous pourrez appliquer exactement le même principe à votre étiquette déjà découpée. Servez-vous d'une brosse propre et sèche. Choisissez une couleur et mettez-en un peu dans un bol propre et sec. Trempez la brosse dans la peinture et enlevez l'excédent. Mettez le pochoir sur l'étiquette, maintenez bien les deux fermement en place, et appliquez la couleur en mouvements circulaires autour du bord du pochoir.

À la fin, passez un ruban assez long dans le trou et faites-le friser. Voyez les merveilleuses étiquettes cadeaux que vous pouvez créer. Pour impressionner vos amis, décorez votre papier d'emballage de la même manière.

Trucs pratiques

En plaçant une règle le long de la ligne de coupe de votre étiquette, et en suivant ce guide avec un cutter, vous obtiendrez de meilleurs résultats qu'en vous servant de ciseaux. Prenez une règle de métal, et tenez la règle et le papier fermement en place en prenant garde à vos doigts.

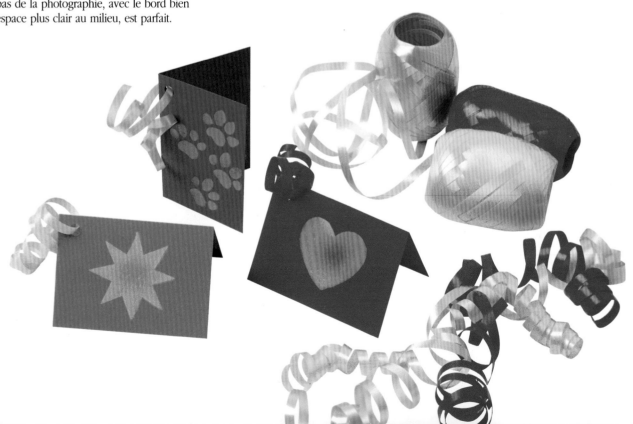

UNE TECHNIQUE EMBALLANTE

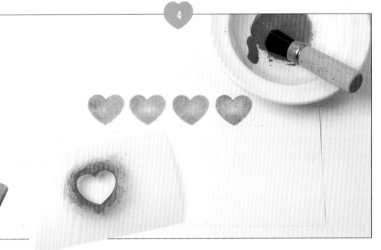

Nous irons maintenant un peu plus loin en décorant du papier d'emballage.
Apprenez à répéter votre motif sur une plus grande surface.

Il vous faudra
◊ matériaux pour la peinture acrylique
◊ 1 grande feuille de papier de couleur

1 Nous avons décidé d'utiliser le même pochoir que pour le projet précédent pour créer un papier d'emballage assorti. D'abord, tracez des points à égale distance sur des feuilles de papier brouillon. Essayez maintenant de tracer différents motifs.

2 Mettez un peu de peinture dans un bol propre. Trempez-y une brosse propre et enlevez l'excès sur du papier absorbant. Placez votre pochoir là où vous voulez commencer sur le papier brouillon et maintenez les deux fermement en place. Déplacez la brosse que vous tenez bien droite en mouvements circulaires autour du bord intérieur du pochoir.

3 Il y a de nombreuses façons de construire votre propre motif avec un pochoir. Déplacez votre pochoir le long de la grille pour voir. Disposez votre pochoir de différentes façons avant de décider laquelle vous préférez.

4 La simplicité est souvent le meilleur choix. Ce motif est facile à tracer, et vous n'avez pas besoin de penser à laisser des espaces.

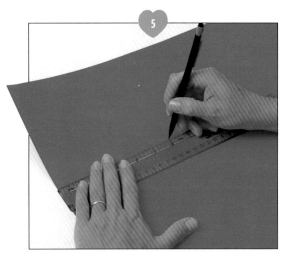

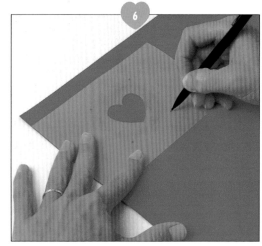

6 Placez le pochoir sur la grille. Au crayon ou à l'encre, tracez les points de la grille sur votre pochoir. Il vous sera plus facile de replacer le pochoir à chaque fois, simplement en faisant correspondre les points, de sorte que votre alignement sera toujours parfait.

7 Peignez maintenant votre papier d'emballage. Munissez-vous d'un bol et d'une brosse propres, de peinture et de papier absorbant. Placez votre pochoir sur le papier et faites correspondre les points du pochoir avec ceux du papier. Tenez bien le papier et le pochoir en place et commencez.

8 Continuez à peindre toute la feuille, en pensant à aligner le pochoir sur les points de la grille. Comparez les images obtenues les unes avec les autres, pour qu'elles soient à peu près de la même intensité, mais inutile qu'elles soient exactement pareilles, car leur différence ajoute de l'attrait à votre papier.

Le papier d'emballage et l'étiquette cadeau sont terminés. Bravo!

5 Une fois que vous avez choisi le motif que vous aimez, tracez le même sur votre papier de couleur. Tracez des points au crayon: assez foncés pour vous en servir comme guide pour aligner votre pochoir, mais pas trop pour gâcher vos efforts créatifs.

Trucs pratiques

Ne vous en faites pas si les motifs de votre pochoir ne correspondent pas parfaitement aux dimensions de votre papier. Il est fort possible que vous deviez couper votre papier au moment de l'emballage.

JOLIES CARTES DE VŒUX

Vous pouvez créer des cartes de vœux pour toutes les occasions, mais nous avons opté pour des cartes de Noël. Ce projet vous montre comment réaliser un pochoir en deux couleurs et comment produire plusieurs cartes à la fois.

Il vous faudra
◊ matériaux pour la peinture avec peintures acryliques
◊ ensemble de cartes et d'enveloppes

1 Procurez-vous au moins cinq cartes vierges et les enveloppes correspondantes. Assurez-vous que le format du motif de pochoir que vous avez choisi convient à vos cartes.

2 Un pochoir double vous permet d'utiliser deux couleurs pour différentes parties du motif. Pour la couronne, il y a un pochoir pour les feuilles vertes et un autre pour le nœud et les baies rouges. Préparez deux bols, deux brosses, deux couleurs, du papier absorbant et des morceaux de papier brouillon.

3 Essayez votre premier pochoir sur le papier brouillon. Sur un bon pochoir double, la première image est découpée et la seconde, intacte, est dessinée en pointillé. Ces lignes pointillées indiquent le reste du motif et sont inestimables quand vient le temps d'aligner la seconde image. D'une main assurée, déplacez votre brosse autour du pochoir plusieurs fois dans la même direction.

4 Tenez le premier pochoir en place et soulevez un coin pour voir le résultat de vos efforts. Si l'image n'est pas assez appuyée, replacez le pochoir et continuez à mettre de la couleur.

5 Prenez maintenant l'autre bol de couleur, l'autre brosse et le second pochoir. Placez le pochoir sur la première image. La couronne montre maintenant le nœud et les baies. Les feuilles sont intactes et apparaissent en pointillé, pour faciliter l'alignement. Peignez la deuxième image.

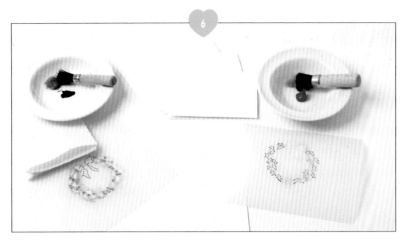

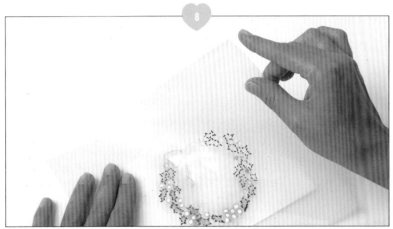

6 Quand vous serez satisfait, préparez tout ce qu'il vous faut pour réaliser votre premier jeu de cinq cartes.

7 Placez le pochoir dans la position appropriée sur la carte et tenez les deux fermement en place. Peignez les cinq cartes à la suite en vous servant de la première image et de la première couleur. Pensez à vérifier la progression du travail.

8 Placez la seconde image soigneusement, en vous guidant sur les pointillés. Maintenez-la bien en place pour qu'elle ne bouge pas.

9 Complétez les cinq cartes en peignant la seconde image avec l'autre couleur. Pensez à déplacer votre brosse en mouvements circulaires dans une seule direction.

Pour une touche finale toute spéciale, ajoutez un détail sur les enveloppes. Félicitations! vous venez de compléter une chaîne de production de cartes décorées à la main.

Trucs pratiques

Utilisez toujours une brosse propre et sèche pour chaque couleur.

Les pochoirs transparents permettent d'aligner deux couleurs ou plus.

Une règle pourrait vous être très utile si vous n'arrivez pas à aligner votre pochoir à vue d'œil.

Si les découpes sont très petites, n'essayez pas d'en peindre les bords. Vous obtiendrez de bons résultats simplement en déplaçant votre brosse à répétition sur les découpes, mais toujours dans la même direction.

MIROIR MAGIQUE

Amusez-vous avec un miroir. Ce projet vous initie au pochoir sur une surface en miroir.
Il s'agit d'une nouvelle technique qui exige des peintures différentes.

Il vous faudra
◊ matériaux pour la peinture avec peintures pour la céramique
◊ miroir à décorer
◊ miroir pour vous exercer
◊ ruban adhésif

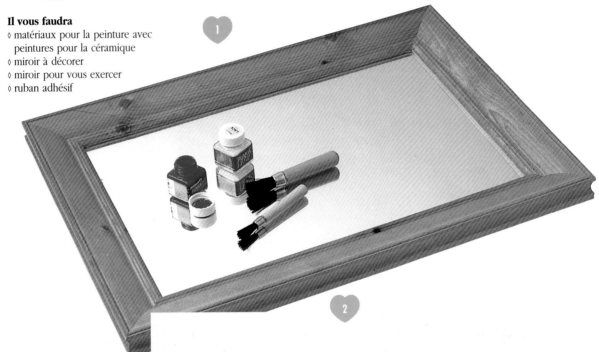

1 Tenez compte du format et de la forme de votre miroir pour choisir un pochoir qui convient.

2 Exercez-vous à tracer quelques motifs sur du papier brouillon. Notez que notre motif de coquillages a eu droit à un traitement à l'ombre rouge pour lui conférer une meilleure définition. Vous apprendrez comment réaliser à la fois la technique d'éclairage (clair sur foncé) et la technique d'ombrage (foncé sur clair) en avançant dans ce projet.

3 Essayez votre technique de pochoir sur un miroir usagé. Le verre n'est pas absorbant, alors faites attention de ne pas utiliser trop de peinture, car elle pourrait s'accumuler.

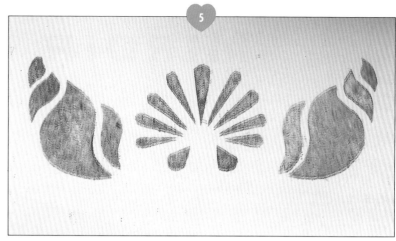

4 Attention aussi à en mettre assez. Ici, par exemple, l'image est à peine visible.

5 Voici le résultat recherché. Les propriétés de ce type de peinture et de cette surface glissante exigent que vous utilisiez plus de peinture pour construire l'image.

6 Exercez-vous maintenant au pochoir avec votre première couleur.

7 Choisissez une deuxième couleur plus claire pour la technique d'éclairage. Tenez la brosse bien droite et allez-y par petites touches successives au centre des découpes. Pour le vrai miroir, nous utilisons la technique d'ombrage.

8 Quand vous vous sentirez prêt à travailler sur le vrai miroir, essayez de voir quelle serait la meilleure position pour votre pochoir. Servez-vous de vos essais pour vous inspirer. Collez votre pochoir en place avec du ruban adhésif pour l'empêcher de glisser sur la surface.

9 Continuez votre travail avec la première couleur.

10 Pour la technique d'ombrage, servez-vous d'une couleur plus foncée et pointillez le bord des découpes par petites touches dans un mouvement ascendant et descendant.

Un miroir uni a été transformé en une pièce de décoration unique en son genre.

Trucs pratiques

Si vous désirez masquer certaines parties de votre motif, servez-vous de ruban adhésif tel qu'indiqué aux pages 267-269, ou collez simplement quelques morceaux de papier.

Suivez les instructions du fabricant pour le temps de séchage de votre peinture pour la céramique.

TASSES DE FÊTE

Ces jolies tasses au pochoir viendront égayer votre cuisine. Elles feront aussi de magnifiques cadeaux. Dans ce projet, nous avons réalisé un ensemble de trois tasses.

Il vous faudra
◊ matériaux pour la peinture avec peintures pour la céramique
◊ 3 tasses de couleur unie

1 Choisissez un motif qui conviendra à la forme et aux dimensions de vos tasses. Nous avons opté pour des étoiles.

2 Faites un essai avec les couleurs sur un morceau de papier brouillon de couleur. L'argent et l'or sont parfaits pour les étoiles, et ils sont à leur mieux sur fond bleu.

3 En collant votre pochoir avec du ruban adhésif sur la surface recourbée, vous vous faciliterez la tâche.

4 Peignez votre première image comme d'habitude. Vous pourriez avoir besoin de pointiller le bord pour que la couleur soit plus soutenue sur cette surface foncée et non absorbante.

7 Pour finir, éclaboussez les tasses avec de la peinture argent. Mettez plus de peinture sur votre brosse, puis passez votre doigt sur les soies pour qu'elles éclaboussent chaque tasse et tout autour. Avant de commencer, protégez les surfaces que vous voulez épargner, de même que l'intérieur des tasses.

8 Finissez les autres tasses de la même manière. Cette technique est particulièrement appropriée au motif étoilé, car elle suggère des galaxies lointaines.

Voilà! votre nouvel ensemble de tasses est terminé. Invitez des amis!

5 Peignez ainsi la première image sur les trois tasses. Quand vous terminerez la troisième tasse, la première devrait être assez sèche pour y appliquer la prochaine image.

6 Comme deuxième motif, nous avons opté pour de plus petites étoiles argentées. Donnez libre cours à votre imagination pour appliquer les petites étoiles sur les trois tasses.

Truc pratique

Pour le parfait cadeau, personnalisez une tasse en traçant le nom d'une personne au pochoir.

CHARMANTS POTS
À FLEURS

Le pochoir est une merveilleuse façon de transformer vos pots en terre cuite unie en jolis pots décoratifs.

Il vous faudra
◊ matériaux pour la peinture et peintures pour la céramique
◊ pots en terre cuite de différents formats
◊ ruban adhésif

1 Choisissez votre motif au pochoir selon les formats et les formes des pots. Pensez à coordonner les couleurs du motif avec celles de vos plantes.

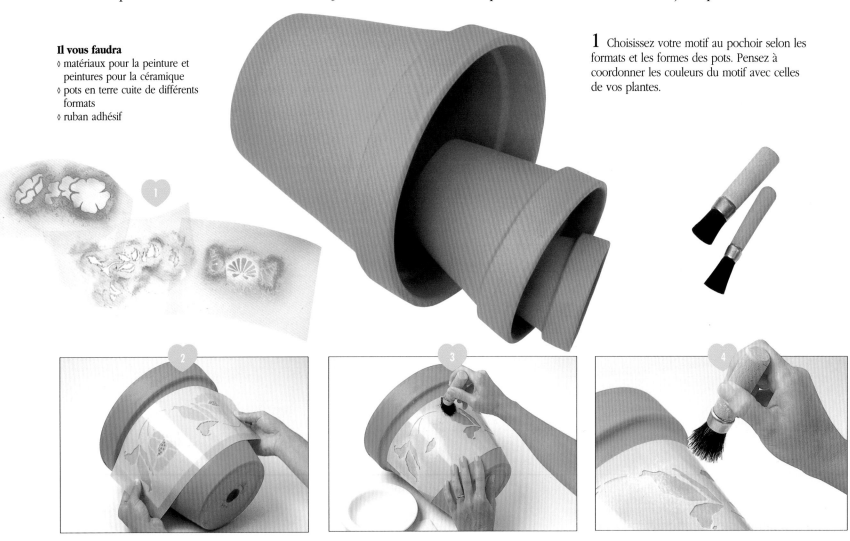

2 Déterminez la position de l'image en plaçant le pochoir sur le pot. Vous devrez peut-être agrandir ou réduire le motif.

3 Servez-vous de ruban adhésif pour coller le pochoir sur le pot et appliquez la première couleur.

4 Allez-y par petites touches pointillées pour donner de la profondeur au dessin, avant de décaler le pochoir pour continuer la première couleur.

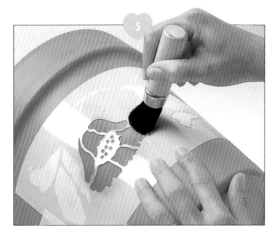

7 Le dessin fini sur un gros pot montre l'effet obtenu avec la technique du pointillé.

8 Voyez ce que vous pouvez faire. Plutôt que de faire le tour de ce pot avec le motif, nous avons pensé qu'il serait préférable qu'il serve d'élément décoratif central.

Une sélection de pots de différentes grandeurs et de motifs divers.

5 Alignez le second pochoir et appliquez la deuxième couleur.

6 Utilisez de nouveau la technique du pointillé pour donner de la profondeur aux bords du dessin. Déplacez le pochoir autour du pot pour compléter le motif.

Trucs pratiques

Votre pochoir sera plus facile à manipuler si vous le coupez pour qu'il épouse la courbe du pot.

Il se peut que cette surface poreuse exige plus de peinture que d'habitude pour que la couleur soit réussie.

CARPETTE ACCUEILLANTE

Appliquez maintenant votre technique de pochoir sur le plancher. Vous pouvez décorer une carpette convenant à n'importe quelle pièce de la maison. L'occasion est excellente d'apprendre à travailler à plus grande échelle. Pensez à appliquer un vernis pour protéger votre dessin de l'usure due au va-et-vient.

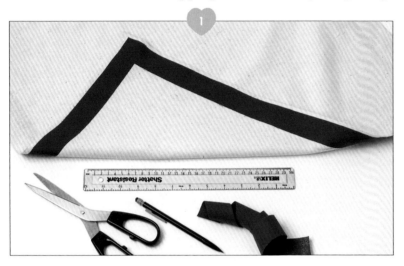

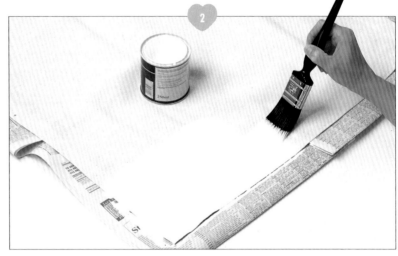

Il vous faudra
◊ matériaux pour la peinture acrylique
◊ bâche de peintre
◊ ruban adhésif pour ourlet ou machine
  à coudre
◊ petit contenant de peinture au latex
◊ petit contenant de vernis
◊ pinceau plat
◊ grosse brosse à pochoir

1 Mesurez et coupez le tissu selon un format facile à manipuler. Notre carpette mesure 60 cm x 90 cm (2 pi x 3 pi). Repliez les bords et faites un ourlet avec le ruban adhésif à ourlet, ou à la machine.

2 Appliquez une couche de peinture au latex au fini mat sur la carpette pour sceller le tissu. Laissez sécher. Nettoyez votre pinceau.

3 Choisissez un pochoir et dessinez quelques motifs sur un papier brouillon, en pensant à laisser un espace pour une bordure. Il y a de nombreuses façons de créer un dessin avec votre pochoir.

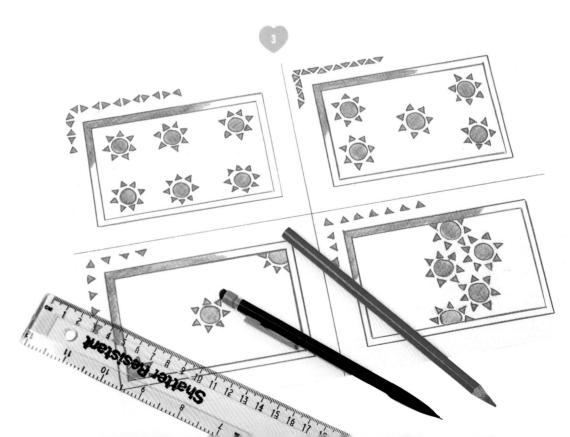

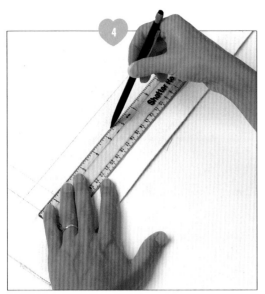

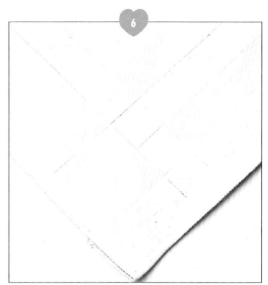

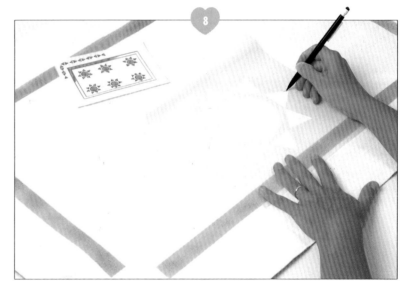

4 Quand la peinture est sèche, mesurez et marquez la bordure sur votre carpette. Nous avons fait des lignes au crayon à environ 6,5 cm (2 ¹/₂ po) et 10 cm (4 po) des bords.

5 Collez le ruban adhésif le long des lignes au crayon, en laissant un espace de 4 cm (1 ¹/₂ po) entre les deux lignes.

6 Faites chevaucher le ruban adhésif dans les coins pour créer une brèche intéressante dans la bordure.

7 À l'aide d'une grosse brosse à pochoir, remplissez l'espace de 4 cm tout autour de la carpette.

8 Enlevez le ruban adhésif pour laisser apparaître la bordure. Inspirez-vous de vos croquis et faites quelques essais avec votre motif au pochoir pour trouver le meilleur espacement. Tracez des points de repère.

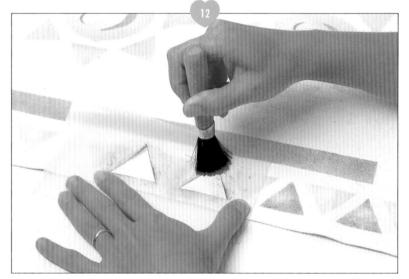

9 Servez-vous de ces points de repère pour placer le pochoir et appliquez votre première image sur toute la carpette. Tenez votre pochoir d'une main ou collez-le en place avec du ruban adhésif.

10 Alignez la deuxième image et peignez-la sur toute la surface de la carpette.

11 En deçà de votre bordure, dessinez-en une deuxième à partir d'un détail de votre pochoir. Nous avons découpé deux triangles pour en faire un nouveau pochoir, ce qui en facilite l'usage.

12 Quand tous les triangles jaunes sont dessinés, retournez le pochoir et complétez le motif avec quelques triangles dans le sens contraire en vous servant d'une autre couleur.

13 Appliquez au moins deux couches de vernis sur toute la surface de la carpette.

Vous avez une nouvelle carpette très accueillante qui viendra égayer n'importe quelle pièce!

Trucs pratiques

Choisissez une couleur de fond au latex qui se marie bien avec la pièce où vous voulez mettre votre carpette.

Pour appliquer le latex et le vernis, placez du papier journal sous la carpette pour protéger votre surface de travail.

TABOURET
AMUSANT
POUR ENFANT

C'est la première fois que vous vous attaquez à la décoration d'un meuble. Transformez un tabouret ordinaire en un meuble amusant en décorant le siège au pochoir. Votre tabouret fera fureur!

Il vous faudra
◊ matériaux pour la peinture acrylique
◊ tabouret neuf en bois naturel (c'est-à-dire sans vernis et sans cire) pour enfant
◊ compas
◊ papier de verre fin
◊ cire à polir

1 Choisissez un pochoir avec un dessin et des couleurs appropriés. Poncez légèrement le tabouret avec un papier de verre fin.

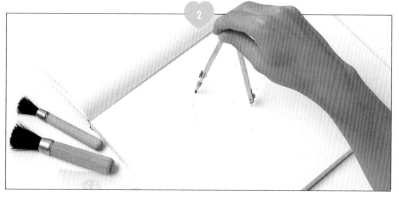

2 Nous avons décidé de peindre notre dessin floral en rond. Tracez d'abord un cercle avec le compas sur une feuille de papier. En plaçant un bord de votre image sur le trait de crayon et en suivant la ligne du cercle, vous pourrez calculer la distance à mettre entre les motifs pour faire tout le tour de ce dernier.

3 Appliquez la première couleur. Cette méthode vous force à être créatif. Vous ne pourrez pas vous fier sur votre pochoir pour espacer parfaitement les images, alors fiez-vous à votre œil.

4 Appliquez la deuxième couleur en suivant la ligne du cercle. Une fois de plus, vous devrez positionner votre pochoir à vue d'œil autour de la circonférence.

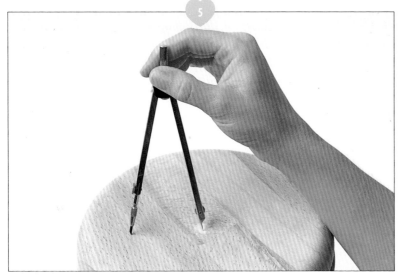

5 Servez-vous de votre compas pour tracer un cercle pâle sur le siège du tabouret. Laissez assez d'espace entre la ligne et le bord du tabouret pour votre motif.

6 Calculez approximativement la position du dessin et appliquez la première couleur en suivant la ligne du cercle.

7 Quand vous aurez complété le cercle avec la première couleur, appliquez la seconde image et la seconde couleur.

8 Ajoutez quelques touches décoratives pour compléter votre travail.

9 Scellez votre dessin en appliquant une couche de cire. Polissez ensuite pour obtenir un beau lustre.

Cet tabouret fera la joie d'un enfant!

Trucs pratiques

Pour positionner votre dessin, quelques points de repère vous seront fort utiles. À mesure que votre travail évolue, vérifiez l'emplacement des motifs.

Souvenez-vous qu'il faut beaucoup de peinture pour faire ressortir ces petits dessins.

UNE RENAISSANCE

Vous pouvez redonner vie à n'importe quel meuble en y ajoutant une décoration au pochoir.
Allez dénicher un meuble dans votre grenier. Notre vieux pupitre d'écolier a pris
une jolie apparence rustique.

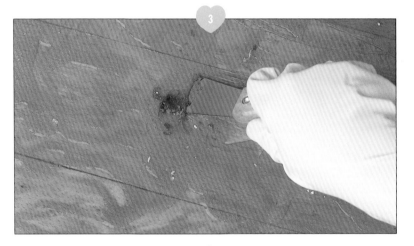

Il vous faudra

◊ matériaux pour la peinture acrylique
◊ solvants à peinture et à vernis
◊ grattoir
◊ papier de verre à grain fin
◊ petit contenant de peinture au latex
◊ vieux meuble
◊ petit contenant de vernis

1 Presque n'importe quel vieux meuble peut faire l'affaire, du moment qu'il est en bon état et bien préparé. Enlevez toute trace de vieux vernis et de peinture.

2 Dressez la liste des matériaux dont vous aurez besoin suivant les motifs au pochoir et les couleurs que vous aurez choisis.

3 Le vieux vernis doit être enlevé. Appliquez le solvant à vernis et grattez bien. Soyez prudent avec ce produit:

suivez les instructions du fabricant et portez des vêtements de protection.

4 Lorsque sec, frottez la surface avec du papier de verre à grain fin pour l'adoucir. Époussetez avec une brosse ou un chiffon.

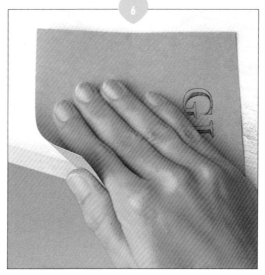

5 Appliquez une couche de peinture au latex légèrement diluée, de la couleur choisie pour la couche de fond. Laissez sécher.

6 Poncez la couche au latex avec un papier de verre fin pour faire ressortir le grain.

7 La combinaison entre le grain du hêtre et le latex conférera au pupitre l'aspect rustique recherché.

8 Nous avons choisi un dessin de bordure pour le couvercle du pupitre. Mesurez et tracez une ligne pâle qui vous servira de guide pour bien positionner le pochoir.

9 Assurez-vous que le pochoir est bien positionné et collez-le avec du ruban adhésif.

10 Appliquez la première couche de couleur sur toute la surface.

11 Alignez votre deuxième pochoir et appliquez la deuxième couleur.

12 Continuez avec la troisième couleur.

13 Un gros plan du dessin terminé révèle que le jaune et le vert sont un peu trop éclatants pour l'aspect rustique du bureau.

14 Nous avons peint les bords du dessin avec un peu de terre de Sienne brûlée pour atténuer les tons et ajouter de la profondeur aux fleurs et aux feuilles.

Trucs pratiques

Si votre meuble a simplement besoin d'un bon nettoyage, servez-vous de savon à l'huile pour le bois.

Lorsque vous appliquez la couche de latex, suivez le sens du grain du bois.

Pour une apparence encore plus rustique, poncez légèrement le motif peint.

15 Il en est résulté un dessin plus « vieux » et beaucoup plus intéressant.

16 Ajoutez quelques touches décoratives sur le meuble pour rappeler le motif principal.

17 Scellez le tout avec deux couches de vernis.

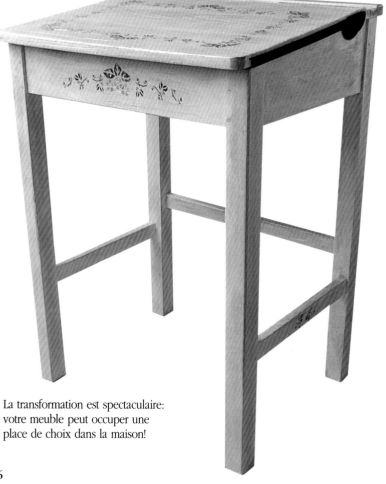

La transformation est spectaculaire: votre meuble peut occuper une place de choix dans la maison!

TOUCHES DÉCORATIVES

Un mur décoré au pochoir peut faire toute la différence dans une pièce. Un motif au-dessus d'un cadre ou d'une fenêtre toute simple peut ajouter une touche décorative, et ce projet est pour vous l'occasion de coordonner les couleurs au reste de la pièce.

Il vous faudra
◊ matériaux pour la peinture acrylique
◊ mur propre et sec
◊ mètre-ruban
◊ escabeau

1 L'espace au-dessus de ce cadre est idéal pour un joli ruban au pochoir.

2 Mesurez et marquez le point central juste au-dessus du cadre suspendu.

3 Centrez le pochoir au-dessus du cadre, en veillant à ce qu'il soit bien droit, et tracez des points de repère.

4 Décrochez le cadre. Alignez le pochoir sur les points de repère et collez-le bien en place avec du ruban adhésif.

5 Pour ce projet, nous avons opté pour un beau doré iridescent qui se marie parfaitement aux reflets dorés du cadre. Peignez comme décrit précédemment.

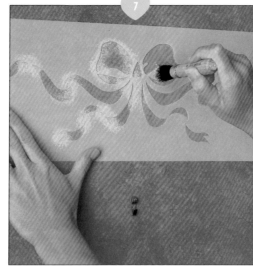

6 Un coup d'œil à notre travail nous a convaincus de mettre plus de notre peinture translucide sur un mur aussi foncé.

7 Il faut y aller de pointillés plus appuyés sur les bords du dessin.

8 Voilà, nous y sommes!

9 Suspendez le cadre et admirez le résultat. N'est-ce pas magnifique?

10 Ajoutez une dernière touche décorative en choisissant un détail du motif. Masquez les parties dont vous ne voulez pas vous servir avec du ruban adhésif.

11 Mesurez et marquez le centre et les points de repère une fois de plus. Peignez comme pour le nœud.

Le pochoir a rehaussé cette gravure de fort élégante façon.

Truc pratique

Lorsque vous appliquez du ruban adhésif sur une partie de votre pochoir, mettez-en des deux côtés, de manière à ce que son côté collant n'endommage pas le travail déjà accompli.

LE BONHEUR DU DÉCORATEUR

L'objectif de ce projet est de vous permettre de dessiner, de découper et d'appliquer votre propre bordure au pochoir. Inspirez-vous de ce qui vous entoure. Nous avons choisi des lobélies pour créer une magnifique bordure pour une salle de séjour.

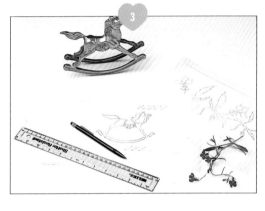

Il vous faudra
◊ matériaux pour le découpage
◊ matériaux pour la peinture acrylique
◊ mur approprié pour y imprimer le pochoir
◊ divers objets pour vous inspirer
◊ crayons de couleur
◊ crayon feutre indélébile

1 Inspirez-vous de ce qu'il y a dans la maison pour choisir le dessin idéal pour votre propre bordure au pochoir.

2 Choisissez des objets simples et exercez-vous à en simplifier les formes. Regardez bien l'objet choisi et séparez-le en sections.

3 Tracez le dessin que vous préférez et collez-le sur du papier à décalquer avec du ruban adhésif. Le papier à décalquer sera fort utile pour réaliser une bordure bien droite. Choisissez une forme simple à partir de votre motif pour réaliser la bordure extérieure.

4 Exercez-vous à construire votre dessin de différentes façons, avec différentes couleurs, en pensant à la pièce que vous désirez décorer au pochoir. Pour que votre motif soit bien droit, servez-vous de ruban adhésif pour coller le papier-calque au papier à décalquer.

5 Une fois que vous aurez décidé du motif et des couleurs à utiliser, reproduisez votre dessin sur une pellicule à croquis en polyester transparent. Utilisez un morceau de pellicule pour chaque couleur. Collez vos papier-calque et à décalquer sur votre surface de travail avec du ruban adhésif. Posez votre premier morceau de pellicule de polyester côté givré sur le dessus, et collez-le en place. Tracez une ligne droite à partir du papier à décalquer. Décalquez maintenant les premières formes du motif de la première couleur seulement. Veillez à ce que la ligne droite soit toujours alignée sur celle du papier à décalquer.

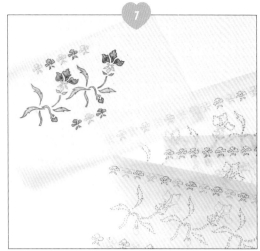

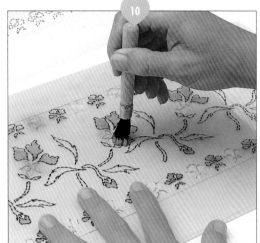

9 Faites la même chose pour les trois morceaux de pellicule de polyester. Chaque morceau doit avoir ses propres découpes pour correspondre au motif coloré que vous avez imaginé.

10 Faites maintenant un essai avec votre nouveau pochoir sur un morceau de papier brouillon. Peignez la première couleur, alignez et peignez la deuxième couleur, et ainsi de suite.

11 Vous êtes prêt à travailler sur le mur que vous voulez décorer.

6 Quand vous aurez décalqué toutes les formes de la première couleur sur la pellicule transparente, décalquez le reste de votre motif en lignes pointillées avec un crayon feutre indélébile. Ces pointillés sont indispensables si vous voulez aligner le pochoir avec précision.

7 Sur le deuxième morceau de pellicule, décalquez toutes les formes de la deuxième couleur en ligne continue. Décalquez ensuite le reste du motif en pointillé. Continuez de la même manière avec l'image de la troisième couleur.

8 Vous pouvez maintenant découper votre propre pochoir, mais exercez-vous d'abord sur une chute de pellicule. Utilisez votre tapis à découper et une lame très tranchante. Pour découper un coin, tournez le pochoir plutôt que la lame. Découpez les formes en ligne continue sur chaque morceau de pellicule. Ne découpez aucune ligne pointillée.

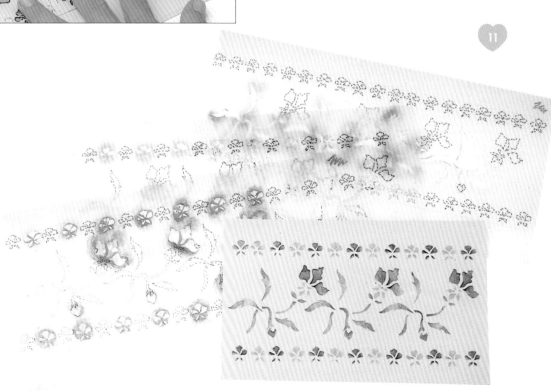

12 Ce beau séjour a besoin d'un petit quelque chose pour le rehausser.

13 Commencez à peindre au pochoir dans un coin peu visible, parce que vous prendrez de l'assurance et que votre technique s'améliorera à mesure que votre travail avancera; vous montrerez ainsi la partie la plus réussie de votre création. Quand vous aurez utilisé votre premier pochoir une fois, décalez-le en posant la première découpe sur le dernier motif tracé.

14 Une fois que vous aurez rempli toutes les découpes avec la première couleur, passez à la deuxième. Les lignes pointillées en simplifieront l'alignement.

15 Terminez le motif avec la troisième couleur.

16 Replacez les meubles dans la pièce.

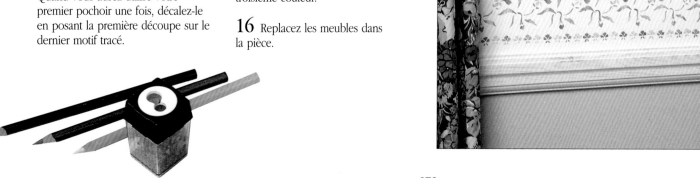

Félicitations! vous avez une nouvelle œuvre d'art et une bonne raison de faire la fête.

Trucs pratiques

Plus votre pochoir comprendra de motifs répétitifs, plus vous pourrez colorer d'images d'un seul coup. Pensez toutefois qu'il vous faudra plus de temps pour le découpage.

Quand vous alignez le motif à répéter en plaçant une découpe sur une image déjà peinte, comme à l'étape 13, ne vous inquiétez pas si l'alignement n'est pas exact. Vous l'avez découpé à la main, alors c'est normal qu'il y ait une légère différence.

N'utilisez pas plus de trois couleurs.

Si votre dessin se déchire, cela est facile à réparer: appliquez du ruban adhésif des deux côtés de la déchirure et coupez le surplus de ruban avec un cutter.

MOTIFS

Miroir magique

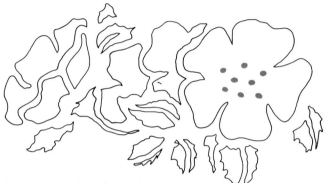

Charmants pots à fleurs (Utilisez le gabarit de coquillages du Miroir magique pour le petit pot.) Ajoutez les pointillés de pollen à la main.

Charmants pots à fleurs

Étiquette cadeau et papier d'emballage

Étiquettes cadeaux et tasses de fête

Le bonheur du décorateur

275

Une renaissance

Magnifiques cartes de vœux

Étiquette cadeau

Touches décoratives

Tabouret amusant pour enfant

Carpette accueillante

Batik

Cet art magnifique, reposant sur un principe très simple, vous permet de réaliser dessins, coussins, sacs et tissus extraordinaires.

INTRODUCTION

◇

Le batik est une méthode ancienne d'application de dessins de couleur
sur tissu. On appelait cette technique « réserve » parce que, traditionnellement,
on se servait de cire chaude pour protéger des parties du tissu de la coloration.
On utilise parfois de la pâte de riz ou de la boue à la place de la cire.
Les dessins peuvent être d'une ou de plusieurs couleurs, selon le nombre
d'applications de cire et de trempages dans différentes teintures. Des teintures
modernes faciles à utiliser permettent d'appliquer la technique des « bains »
de batik. Avec ce procédé, la cire vient encadrer des parties complètes de tissu
pour éviter que la teinture ne s'étende d'une partie à l'autre; les couleurs
utilisées côte à côte donnent des résultats difficiles à obtenir avec la
méthode traditionnelle d'immersion.

On ne s'entend pas sur les origines précises du batik. En Inde, on trouve des traces très anciennes de batik sur les vêtements reproduits dans les peintures murales; en Égypte, des fouilles ont permis de déterrer des vêtements de lin datant du 5ᵉ siècle; au Japon, au 8ᵉ siècle, les paravents étaient garnis de batik, la technique ayant probablement été importée par des artistes chinois; à Java, des temples du 13ᵉ siècle montrent des personnages vêtus de batik. Il est fort probable que dès 581, le batik ait été produit en Chine et exporté au Japon, en Asie centrale, au Moyen-Orient et en Inde en empruntant la route de la soie.

Quelle que soit son origine, la technique a été adoptée avec enthousiasme en Indonésie plus que n'importe où ailleurs, particulièrement à Java. Ce sont les Javanais qui ont inventé le « tjanting », pour faciliter et raffiner l'application de cire. Il s'agit d'un petit réservoir de métal contenant la cire chaude, avec un bec verseur et un manche de bois. L'invention du « tjanting » a permis de produire les magnifiques motifs élaborés que l'on voit surtout dans le batik javanais.

Le mot « batik » vient du mot javanais *tik*, qui signifie tache ou pointillé. Les premiers batiks étaient réalisés par touches minuscules de cire, que

l'on appliquait sur le tissu pour tracer le dessin. Dès le 13ᵉ siècle, le batik était devenu un art très élaboré, un passe-temps parfait pour les femmes de noble naissance. Elles mettaient souvent des mois à réaliser une pièce de tissu, exactement comme les dames de l'aristocratie européenne le faisaient avec leurs travaux d'aiguille.

On croyait même que les premiers batiks avaient des pouvoirs magiques. Ils étaient censés protéger la personne qui les portait, et certains motifs étaient réservés aux familles de la noblesse. Par exemple, le symbole Garuda, que l'on associait à la prospérité et à la réussite, était strictement réservé aux membres de la cour royale. De nos jours, cette créature mi-homme mi-aigle qui supporte Vishnu, est le symbole national de l'Indonésie, tout comme la robe de batik est la tenue nationale de Java.

La production de batik est devenue la principale industrie d'exportation javanaise, et elle a fait le tour du monde. Elle est arrivée en Europe en passant par la Hollande après la colonisation de Java par les Hollandais au début du 17ᵉ siècle. Vers 1830, plusieurs usines s'étaient établies en Europe, et on y utilisait des techniques javanaises enseignées par les Indonésiens emmenés en Hollande dans ce but précis.

Aux alentours de 1840, les Javanais utilisaient des caps (*tjaps*), une forme de bloc qui servait à imprimer à la cire. Ces caps, adaptés d'une technique indienne, permirent d'accélérer le procédé, une amélioration qui rendit la production d'imitations de sarongs de batik en Suisse non rentable.

Un groupe de femmes eurasiennes, la Indische School of Batik, produisait les tissus pour les officiels coloniaux hollandais et leurs familles. Leurs dessins, qui alliaient les formes traditionnelles javanaises complexes aux couleurs et à la simplicité chinoises, devinrent très à la mode au début du 20ᵉ siècle. D'ailleurs, vers la fin des années 1800, les imprimés anglo-africains apparurent, et de nouveaux styles furent incorporés aux motifs de batik. Les Africains produisaient des teintures avec réserves pour tissu depuis des centaines d'années: les Yorubas d'Afrique occidentale se servaient de pâte de manioc comme réserve, alors que les Sénégalais utilisaient la pâte de riz. En Inde, où l'on préférait le coton à la soie, l'industrie du batik atteignit son apogée au cours des 17ᵉ et 18ᵉ siècles.

La production occidentale de batik à grande échelle chuta avec le déclin généralisé de l'économie après la Première Guerre mondiale, et

cet art devint le domaine réservé des artisans indonésiens indépendants. En Europe, artistes et artisans ont continué à travailler le batik, exploitant et explorant ses multiples possibilités. Dans les années 1920, les colorants modernes commencèrent à remplacer les teintures végétales traditionnelles, ce qui changea l'apparence du batik dont les couleurs se firent plus riches, plus foncées, dans une plus grande variété de nuances.

Le batik connaît présentement une renaissance en Occident où on l'apprécie et s'y intéresse de nouveau. En plus des usages traditionnels qu'on en fait dans les vêtements, les tapis et les tissus d'ameublement, on explore toutes les possibilités du batik que l'on applique aux beaux-arts, certains artistes cherchant à s'exprimer à travers la teinture plutôt qu'à travers la peinture. C'est toutefois toujours vers l'Indonésie, et particulièrement vers Java, que se tournent les enthousiastes du batik, pour apprendre de première main les secrets de cet art.

Ci-dessous:
Batik traditionnel d'Indonésie.

OUTILS ET MATÉRIAUX

———◇———

Avec les projets décrits dans cette partie du livre, vous acquerrez graduellement les connaissances nécessaires pour réaliser une multitude de pièces de batik. Les méthodes de base, les outils et les matériaux dont vous aurez besoin sont précisés dans chaque projet, et les nouvelles techniques sont ajoutées au fur et à mesure, pour éviter que les débutants ne soient dépassés et découragés avant même d'avoir commencé. Pour les premiers projets, il n'est pas nécessaire de savoir dessiner, et tous les motifs sont imprimés pour vos besoins jusqu'à ce que vous ayez assez d'assurance pour trouver ou produire vos propres motifs. Toutefois, tous les projets exigent de nombreux outils et matériaux dont j'ai dressé la liste pour vous, avec les quantités utiles. La seule exception est le premier projet, les Cartes de vœux, pour lesquelles vous aurez besoin seulement des 11 premiers matériaux de la liste.

Il vous faudra
◊ feuille de plastique pour protéger votre surface de travail: vous pouvez couper, ouvrir et vous servir de grands sacs de plastique; prenez-les blancs plutôt que noirs, pour bien voir vos couleurs
◊ boules de ouate
◊ éponge de 2,5 cm (1 po) d'épaisseur x 30 cm² (12 po²)
◊ gants de caoutchouc: les meilleurs sont les gants de chirurgien
◊ fer à repasser: servez-vous d'un vieux fer au cas où la cire s'y déposerait
◊ papier journal
◊ cuillers doseuses: 1 c. à soupe, 1 c. à thé, ½ c. à thé et ¼ c. à thé
◊ teintures: 30 g (1 oz) de MX 8G (jaune), MX G (turquoise), MX G (bleue), MX 5B (cerise) et MX CWNA (noir Procion); toutes ces teintures sont fibro-réactives
◊ Tasse graduée de 500 ml (2 tasses)
◊ 500 g (1 lb) de carbonate de sodium ou soude ménagère

◊ 500 g (1 lb) de bicarbonate de soude
◊ 500 g (1 lb) d'urée (on en trouve chez les fournisseurs spécialisés)
◊ 1 kg (2 lb) de cire à batik: cette quantité devrait suffire pour tous les projets, mais vous pouvez vous procurer un paquet de 500 g (1 lb) pour commencer chez les fournisseurs spécialisés
◊ faitout pour la cire: nous parlons de choix moins coûteux à la page 288, mais si vous projetez de réaliser beaucoup de pièces de batik, vous pouvez vous procurer un faitout pour la cire chez un spécialiste
◊ brosses avec soies naturelles, petites et moyennes, plates et rondes, pour réaliser différents motifs
◊ cantings: ceux à petits, moyens et grands becs devraient suffire, avec peut-être un nouveau multi-becs; ceux fabriqués en Indonésie sont les meilleurs si vous pouvez vous les procurer

◊ chiffons doux et absorbants
◊ matériaux pour laver: une grande casserole, du détergent et une pince en bois (voir page 290)
◊ tissu: 6 m (6 v) de coton léger de 1 m (36 po) de largeur devrait suffire pour réaliser tous les projets de ce livre en comptant quelques erreurs. Il doit être 100 % coton, le polyester et coton ne convient pas. Vous aurez aussi besoin de 1 m (1 v) de soie, quoique 45 cm (18 po) pourraient suffire. Le tissu doit être préparé, c'est-à-dire lavé et repassé avant de commencer. Si vous achetez 6 m (6 v) de coton et que vous voulez le laver tout d'une pièce, vous pouvez le mettre dans votre machine à laver, dans l'eau la plus chaude possible, avec la moitié de la quantité du détergent que vous utilisez normalement, mais cela peut varier selon la douceur de l'eau. N'ébouillantez pas la soie.

À gauche: Faitout, caps, cantings et brosses pour la cire.

Ci-dessous: Les cinq couleurs de base dont vous aurez besoin pour la teinture.

Les produits chimiques, les teintures et la cire chaude doivent être manipulés avec précaution. Suivez les conseils de sécurité que nous vous donnons ici, et vous vous amuserez en toute quiétude.

LA SÉCURITÉ AVANT TOUT

N'inhalez pas le colorant en poudre fine, et s'il entre en contact avec vos yeux, rincez-les immédiatement à grande eau.

CARTES DE VŒUX

◆

Le batik le plus simple que vous puissiez réaliser se fait avec du papier et des bougies qui serviront à y appliquer des réserves de cire. Vous pouvez utiliser à peu près n'importe quelle sorte de papier, du moment que son fini n'est pas brillant et qu'il n'est pas trop mince. Le papier à photocopie fait l'affaire. La confection de ces cartes de vœux vous montrera comment travailler avec les solutions à base de soude, comment mélanger et appliquer les teintures sur le papier pour ensuite le repasser, et comment voir le « halo » qui émane de la cire qui suinte lorsque vous repassez votre travail.

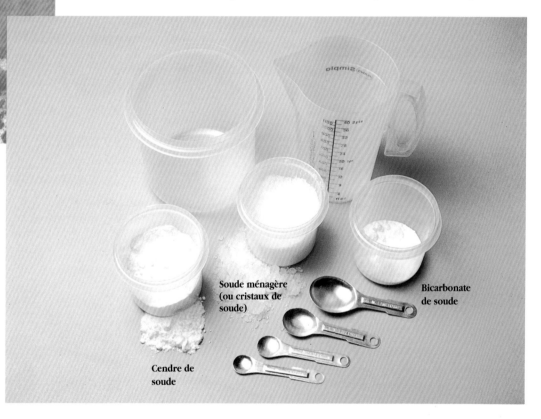

Soude ménagère (ou cristaux de soude)

Bicarbonate de soude

Cendre de soude

Il vous faudra
◊ les 11 premiers matériaux de base
◊ feuilles de papier blanc de 20 cm x 25 cm (8 po x 10 po)
◊ séchoir à cheveux (facultatif)
◊ 2 ou 3 bougies blanches
◊ carton pour faire une fenêtre (une boîte de céréales vide)
◊ passe-partout déjà découpés pour le montage de votre travail terminé
◊ colle en bâton ou en vaporisateur

1 Pour que la teinture pénètre bien le papier, apprêtez-le avec une solution de 1 c. à thé de bicarbonade de soude et 1 c. à thé de cristaux de soude dissous dans 1 ½ litre (1 ½ pinte) d'eau chaude. Vous pouvez utiliser de la soude ménagère à la place des cristaux de soude, mais elle est deux fois plus forte, alors il faudra en ajouter seulement ½ c. à thé à l'eau. Si vous la mettez dans un contenant hermétique, cette solution se conservera entre 10 et 14 jours.

2 Posez une feuille de papier sur une surface plane non absorbante, comme du formica ou du verre. Servez-vous de boules de ouate pour appliquer la solution de soude uniformément sur le papier. Mouillez bien, mais ne frottez pas trop fort pour ne pas que la surface du papier devienne rêche. Laissez sécher complètement; la cire ne pénétrera pas là où il y a de l'eau. Si vous voulez réduire le temps de séchage, servez-vous d'un séchoir à cheveux ou repassez le papier entre deux feuilles de papier journal en réglant votre fer à basse température. Le repassage peut faire gaufrer le papier, mais cela peut lui conférer une texture intéressante. Vous pouvez essayer les deux façons: lisse ou gaufré.

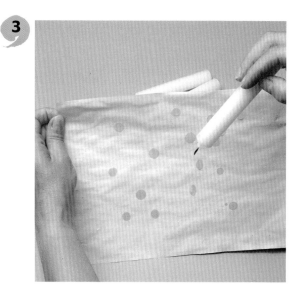

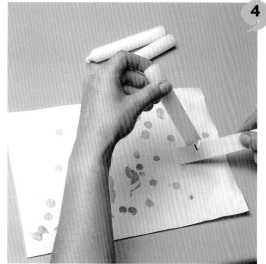

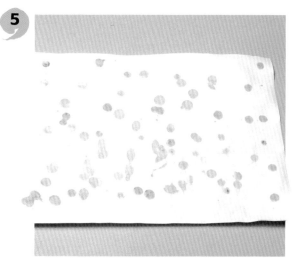

3 Déposez la feuille de papier apprêtée sur votre surface de travail. Allumez une bougie, et quand la cire se mettra à fondre, laissez-la tomber sur le papier. Exercez-vous en la tenant d'abord à environ 8 cm (3 po) au-dessus de la feuille, puis à 30 cm (12 po). Inclinez la feuille en la tenant par un coin et déplacez la bougie rapidement au-dessus.

4 Servez-vous d'un morceau de carton pour pousser la cire fondante sur le papier.

5 Notez les changements de ton et le degré de transparence du papier à mesure que la cire se refroidit.

6 Recouvrez votre surface de travail d'une feuille de plastique pour la protéger de la teinture. Mélangez 1/4 de c. à thé de colorant en poudre jaune avec quelques gouttes de solution de soude pour en faire une pâte. Ajoutez 2 c. à soupe de solution de soude à cette pâte. La teinture est prête. Si vous voulez une couleur plus pâle, diluez un peu plus.

7 Servez-vous d'un gros pinceau ou d'un morceau d'éponge pour colorier deux bandes de jaune sur votre papier ciré. Portez des gants de caoutchouc si vous ne voulez pas que vos doigts soient jaunes.

8 Mélangez le colorant bleu ou turquoise de la même façon, et tracez deux bandes bleues au pinceau ou à l'éponge. Laissez sécher complètement. Vous pouvez accélérer le séchage avec un séchoir à cheveux, mais ne le tenez pas trop près pour ne pas faire fondre la cire.

LA SÉCURITÉ AVANT TOUT

Il importe de toujours bien aérer la pièce, et en particulier lorsque vous repassez de la cire. Repasser sur le côté, et non devant vous, pour ne pas recevoir les vapeurs directement dans le visage. Vous pourriez même porter un masque pour vous protéger contre les vapeurs libérées par la chaleur du fer.

9 On enlève la cire en repassant le travail entre deux feuilles de papier journal. Assurez-vous toujours qu'il y a une épaisse couche de papier journal sous votre batik pour protéger la surface du dessous. Placez deux feuilles de papier journal par-dessus et réglez votre fer à « coton ». Vous verrez la cire fondre et être absorbée par le papier journal. Continuez de repasser en mettant de nouvelles feuilles de papier journal sur et sous votre travail, jusqu'à ce que plus une goutte de cire n'en sorte.

10 Pendant que vous enlevez la cire au fer chaud, elle se répand dans le papier autour des parties cirées du début, pour créer l'effet de halo. Ces halos serviront maintenant de réserve à la teinture pour laisser des formes abstraites, non cirées, que vous pourrez teindre avec une troisième couleur si vous le désirez.

11 Une fois la teinture complètement sèche, servez-vous d'une fenêtre pour sélectionner des parties, et vous aurez trois ou quatre « paysages extraterrestres » à envoyer à vos amis.

PAPIER D'EMBALLAGE

◇

Et pourquoi pas du papier d'emballage exclusif pour un cadeau très spécial, ou une couverture qui résiste à l'eau pour un livre précieux? Vous pouvez faire fondre des bougies ordinaires ou vous servir de cire à batik vendue en granules. Il s'agit d'un mélange de paraffine et de cire d'abeille. La paraffine est friable, elle craque facilement et s'écaille parfois. La cire d'abeille est douce et malléable lorsque froide, et elle adhère bien aux tissus. Le mélange des deux permet d'équilibrer leurs propriétés, de sorte que la cire craquera pour donner l'aspect du batik traditionnel lorsqu'on la plie, mais pas au point de s'écailler. Le rapport est d'environ 70 % de paraffine et de 30 % de cire d'abeille. Dans ce projet, vous utiliserez une surface moelleuse, mélangerez des couleurs et appliquerez de la cire additionnelle pour éliminer les halos. Il vous initiera aussi à l'usage des caps.

Il vous faudra
◊ matériel de base, plus
◊ feuilles de papier de 28 cm x 41 cm (11 po x 16 po) traitées à la soude
◊ petite couverture ou serviette

Matériaux pour la fabrication des caps
◊ ruban adhésif
◊ ciseaux/cutter
◊ boîtes de céréales vides
◊ boîtes
◊ carton ondulé
◊ tubes de carton
◊ bouchon de liège

1

2

LA SÉCURITÉ AVANT TOUT

Si vous renversez de la cire chaude sur votre peau, faites immédiatement couler de l'eau froide dessus. La cire figera et refroidira rapidement; vous pourrez ensuite l'enlever sans problème.

1 Peu importe le genre de cire que vous utiliserez, il faudra la faire fondre et la maintenir chaude. L'outil le plus sûr et fiable est un petit réchaud électrique avec thermostat que l'on trouve chez les fournisseurs spécialisés. Ici, les granules de cire à batik commencent à fondre.

2 Pour appliquer la cire, fabriquez une version maison des caps indonésiens, ces blocs en cuivre inventés par les Javanais pour imprimer des motifs répétitifs sur des pièces de tissu dans le but d'accélérer le processus. Vous pouvez faire vos caps à partir de tubes de carton ou de morceaux de carton roulé retenu avec du ruban adhésif. En coupant le carton avec des ciseaux cranteurs, on crée un outil intéressant. Le carton ondulé peut aussi être fort utile, ses ondulations servant de réservoir pour la cire. Vous pouvez aussi prendre un bouchon de liège ou des cuillers de bois, mais jamais de plastique, car il fondrait au contact de la cire chaude.

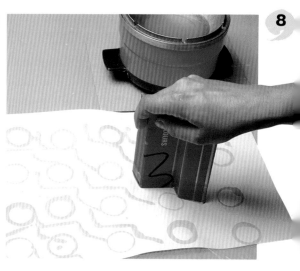

TRUCS ET CONSEILS

FAITOUT POUR LA CIRE

Voici quelques solutions de rechange pour un contenant pour la cire moins coûteux:

• Un bain-marie: l'eau qui bout dans le contenant du bas fait fondre la cire dans celui du haut. Il faut vérifier le niveau d'eau régulièrement pour éviter l'assèchement.

• Une vieille casserole sur une plaque chauffante avec un thermostat. Il faut nettoyer la cire répandue sur le plateau régulièrement.

• Une poêle électrique usagée avec contrôle de la température.

3 Pour obtenir le meilleur imprimé possible avec vos caps, la surface sous votre papier doit être souple. En étendant une couverture repliée ou une serviette sous la feuille de plastique sur votre surface de travail, vous obtiendrez un tapis moelleux.

4 Posez une feuille de papier sur cette surface d'imprimerie. Faites chauffer la cire jusqu'à ce qu'elle soit fondue, et trempez-y votre cap. Il arrive que le carton crépite la première fois que vous le trempez dans la cire, mais ne vous inquiétez pas. Comptez jusqu'à 10 pour donner le temps à la cire de pénétrer et de réchauffer le carton.

5 En soulevant le carton, secouez-le une ou deux fois pour enlever l'excès de cire. Tenez un morceau de chiffon sous le rouleau pour recueillir les dernières gouttes alors que vous l'apportez à votre papier.

6 Imprimez la cire dans le papier en y pressant fermement le cap. Si la cire demeure blanche et opaque, c'est qu'elle n'est pas assez chaude. Le papier doit devenir plus foncé et translucide lorsqu'il entre en contact avec la cire.

7 Vous pouvez faire plus d'un imprimé avant de revenir à votre pot de cire, mais chaque imprimé successif laissera un dépôt plus mince à mesure que la cire est utilisée et se refroidit. En général, on peut faire trois ou quatre impressions.

8 Combinez différents imprimés pour créer un motif.

9

10

11

LA SÉCURITÉ AVANT TOUT

Peu importe de quelle manière vous ferez fondre la cire, elle ne doit pas fumer: les vapeurs sont désagréables, mauvaises pour la santé si on en respire trop, et inutiles, car la cire est assez chaude avant de fumer. Une température constante de 135 °C (270 °F) est idéale, et vous pouvez la vérifier avec un thermomètre à cire.

Si la cire surchauffe et qu'elle s'enflamme, fermez le contenant avec un couvercle à l'épreuve du feu. N'ajoutez jamais d'eau, car elle grésillerait et éclabousserait.

Travaillez toujours dans une pièce bien aérée.

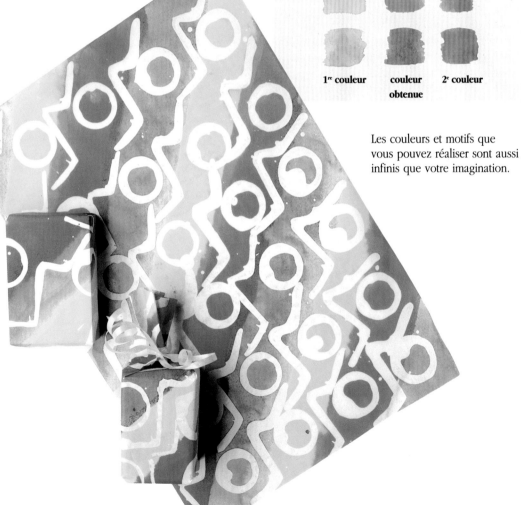

Les couleurs et motifs que vous pouvez réaliser sont aussi infinis que votre imagination.

1ʳᵉ couleur   couleur obtenue   2ᵉ couleur

9 Mélangez la teinture en utilisant 1/4 de c. à thé de colorant et 2 c. à soupe de solution de soude pour chaque couleur (voir page 284). Ici, nous avons utilisé le rouge, le jaune et le bleu. Vous pouvez appliquer la teinture en bandes ou peindre différentes couleurs à l'intérieur des nombreux dessins faits à la cire.

10 Quand la teinture est sèche, enlevez la cire au fer à repasser. Si vous ne voulez pas les formes en halo, couvrez les parties non cirées avec de la cire alors qu'elles gardent encore la chaleur du fer, ce qui est rapide et exige peu de cire, puis repassez de nouveau. Tous les halos disparaîtront.

11 Essayez de mélanger vos teintures pour voir quelles autres couleurs vous pouvez obtenir.

CALENDRIER
ENSOLEILLÉ

◇

Le batik sur tissu est un peu plus compliqué à faire que celui sur papier, mais pas trop difficile, et le procédé peut rester simple tout en donnant de bons résultats. Le tissu doit être de fibre naturelle à 100 %: coton, lin, soie, ou encore viscose rayonne. Toute fibre synthétique dans le tissu, comme le polyester de coton, peut sembler bien prendre la teinture, mais les résultats risquent d'être décevants, car les couleurs s'estomperont à l'étape du rinçage. Quand les teintures sont mélangées avec un alcali (la solution de soude), une réaction chimique se met en branle pour permettre que la fibre et la teinture se lient en permanence, d'où leur appellation: teintures fibro-réactives. Une fois amorcée, la réaction chimique entre la teinture et l'alcali se poursuit pendant deux à quatre heures, après quoi le colorant n'est plus fibro-réactif. Comme c'est le cas avec les tissus synthétiques, ces teintures peuvent avoir l'air de prendre, mais elles disparaîtront au rinçage. Si vous détestez l'idée de les jeter, vous pouvez les utiliser pour vos batiks de papier. Le colorant en poudre peut toutefois être conservé indéfiniment dans un contenant hermétique, dans un endroit frais et à l'abri de la lumière.

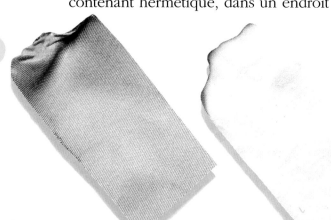

Il vous faudra
◊ matériel de base, plus
◊ 2 carrés de tissu préparé de 20 cm x 20 cm (8 po x 8 po) et de 8 cm x 8 cm (3 po x 3 po)
◊ petite couverture ou serviette

Matériaux pour la fabrication des caps
◊ ruban adhésif
◊ ciseaux/cutter
◊ boîtes de céréales vides
◊ boîtes
◊ pince de bois
◊ carton ondulé
◊ tube de carton

1 On peut tester le contenu en fibres en brûlant un petit morceau de tissu, et l'évier de la cuisine est tout désigné pour faire ce test sans danger. Faites brûler une allumette tout près d'un morceau de tissu. Les fils synthétiques brûlent rapidement et laissent un résidu de plastique dur; les fibres naturelles brûlent lentement et laissent une cendre légère.

2 Vous aurez besoin d'un carré de coton préparé d'environ 20 cm (8 po). Toute huile ou graisse dans le tissu peuvent empêcher la teinture de pénétrer, et vous devez les enlever en les lavant. Il s'agit de faire bouillir le tissu pendant 5 minutes dans une solution de 2 c. à thé de détergent et de 2 litres (2 pintes) d'eau. Vous pouvez aussi utiliser 2 c. à thé de cristaux de soude, mais cela peut altérer la surface de votre casserole. Rincez le tissu à l'eau claire, laissez sécher, et repassez-le jusqu'à ce qu'il soit bien lisse. Le tissu est prêt et irrétrécissable.

3

4

6

5

3 Étendez le tissu préparé sur un lit moelleux et faites chauffer la cire à environ 135 °C (270 °F). Ayez vos propres caps à portée de la main, et cirez les parties qui doivent rester blanches. Si la cire est à la bonne température, vous noterez un changement dans le ton du tissu, comme ce fut le cas avec le papier. Si la cire est blanche et opaque, c'est qu'elle n'a pas bien pénétré les fibres qui ne résisteront pas à la teinture.

4 Mélangez $\frac{1}{4}$ c. à thé de teinture jaune avec 2 c. à table de solution de soude (voir page 284).

5 Appliquez la teinture avec un morceau d'éponge. Pensez à porter des gants de caoutchouc.

6 Teignez un échantillon de tissu pour faire l'expérience des teintures en superposition plus tard. Laissez sécher à l'air; le temps de séchage dépendra de la température de la pièce. Vous pouvez accélérer le processus avec un peu d'air chaud, mais si vous vous servez d'un séchoir à cheveux, prenez garde de ne pas faire fondre la cire. Appliquez la cire sur le tissu sec sur les parties qui doivent rester jaunes. Les détails du visage peuvent être ajoutés avec un petit pinceau.

7

8

9

7 Mélangez la teinture rouge comme vous l'avez fait pour la jaune. Testez-la sur le morceau de tissu à cet usage. Ajoutez plus de colorant si la couleur est trop pâle ou plus de solution de soude si elle est trop foncée. Appliquez-la sur le carré de tissu et laissez sécher.

8 Servez-vous d'une brosse et d'un cap pour cirer les parties qui doivent demeurer orangées.

9 Mélangez la teinture bleue et testez-la sur votre échantillon avant de l'appliquer. Quand elle sera complètement sèche, enlevez le tissu de la feuille de plastique et enlevez la cire au fer chaud entre des feuilles de papier journal.

CALENDRIER

Montez votre pièce terminée et si vous le désirez, ajoutez-y un calendrier. Vous pouvez acheter un passe-partout avec fenêtre déjà découpée, ou encore faire monter votre œuvre par un encadreur.

BOURSES

◆

Si vous colorez toute la pièce de tissu à chaque fois, la gamme de couleurs que vous pouvez obtenir se limite aux tons résultant de leur superposition. L'application de teintures sur des tissus imprégnés de cire, selon la technique connue sous le nom de bain de teinture, offre d'extraordinaires possibilités en ce qui a trait à la juxtaposition des couleurs, et seuls vos talents de teinturier peuvent en limiter l'étendue. Pour utiliser la teinture de cette façon, il faut y ajouter de l'urée, un sous-produit du gaz naturel.

Il s'agit alors d'appliquer de petites quantités de teinture sur le tissu, plutôt que d'immerger toute la pièce dans un bain de teinture comme pour le batik traditionnel, l'urée servant à retarder l'action de la teinture. Cela est important, parce que les fibres et la teinture réagissent alors que le tissu est mouillé, et plus le processus est long, mieux les couleurs seront fixées. Donc, à partir de maintenant, inutile de vous presser. L'urée permet aussi à la teinture de se dissoudre plus facilement et à fond, pour maximiser l'intensité de la couleur. Ce projet vous initie à l'usage d'une brosse-éponge, à la protection des couleurs avec de la cire et à l'enlèvement de la cire à l'eau bouillante.

Il vous faudra
◊ matériaux de base, plus
◊ tissu de coton préparé de 55 cm x 42 cm (21 ½ po x 16 ½ po)
◊ doublure de 55 cm x 42 cm (21 ½ po x 16 ½ po)
◊ couverture ou serviette
◊ 2 bâtons de bois de 15 cm (6 po), par exemple, vieux manches de pinceaux ou petites branches droites
◊ petit pinceau (facultatif)
◊ crayon à mine tendre
◊ règle

Matériaux pour la fabrication de caps
◊ ruban adhésif
◊ tubes de carton
◊ papier ondulé/boîtes de céréales vides
◊ ciseaux/cutter

Pour confectionner les bourses
◊ ciseaux
◊ épingles
◊ fil
◊ machine à coudre ou aiguille si vous préférez coudre à la main
◊ 1 m (1 v) de cordon

1 Pour préparer une solution, dissolvez 1 c. à thé d'urée dans 1 litre (1 pinte) d'eau chaude. Si vous désirez l'utiliser sur-le-champ, l'eau ne doit pas excéder 50 °C (122 °F), car les fibro-réacteurs sont des teintures à froid et ne doivent pas être exposés à une température plus élevée. Cette préparation, tout comme la solution de soude, se conservera entre 10 et 14 jours dans un contenant hermétique.

2 En utilisant le procédé de teinture sélective, vous pourrez fabriquer trois bourses de différentes couleurs. La base des bourses a un diamètre de 13 cm (5 po), et les côtés mesurent 13 cm x 40 cm (5 po x 15 ½ po), en comptant les coutures. Tracez les trois bandes et les bases sur le tissu préparé avec un crayon à mine tendre, et étendez-le sur une surface souple.

3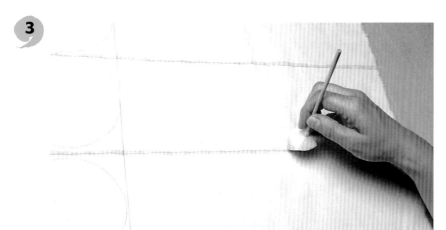

4

5

Solution de soude

Solution d'urée

6

3 Fabriquez-vous une brosse-éponge. Insérez l'un des manches en bois dans un morceau d'éponge et fixez-les fermement ensemble avec du ruban adhésif. Préparez l'éponge en la taillant en pointe. L'éponge retiendra plus de cire qu'une brosse ordinaire; vous pourrez ainsi travailler plus longtemps avant d'avoir à la recharger de cire. Cet outil fait main est idéal pour appliquer la teinture. Chauffez la cire et servez-vous de votre brosse-éponge pour tracer une ligne continue en suivant les traits de crayon, pour séparer les trois bandes. Si vous ne le faites pas, la teinture s'étendra où il ne faut pas.

4 Imprimez vos caps dans chaque section, en veillant à ce que chaque forme soit bien délimitée par la cire. Quand la cire collera au plastique sous le tissu, vous saurez qu'elle l'a pénétré! Cela fera également tenir votre travail bien en place pendant que vous faites la teinture, ce qui préviendra la diffusion de couleurs indésirables.

5 On obtient une couleur grand teint en mélangeant la solution suivant des proportions de une mesure d'urée pour deux mesures de soude. Pour ce projet, ajoutez quelques gouttes de solution d'urée à 1/4 de c. à thé de colorant en poudre pour former une pâte, puis ajoutez 2 c. à thé de solution d'urée et 4 c. à thé de solution de soude. Ces proportions donneront la couleur la plus soutenue. Si vous voulez des couleurs plus pâles, réduisez la quantité de colorant.

6 Une fois terminée l'application de cire et de teinture, et que le tout est complètement sec, retirez le tissu de la feuille de plastique et enlevez la cire au fer à repasser. Vous aurez sans doute noté que le tissu s'assouplit sous la chaleur du fer, mais qu'il se raidit à mesure que le reste de cire dans les fibres se refroidit. Il est bon de lui garder cet aspect, car le résidu de cire rend le tissu imperméable. Cependant, si vous désirez une texture plus souple, vous pouvez

enlever plus de cire en plongeant le tissu dans une casserole d'eau bouillante pendant 5 minutes, puis dans un bol d'eau froide. Servez-vous d'une pince de bois pour le transférer de la casserole au bol. La cire se solidifie à la surface du tissu et on peut l'enlever en la frottant ou la grattant. Vous pouvez répéter ce procédé pour enlever encore plus de cire. Enfin, faites bouillir dans l'eau savonneuse pour enlever tout excès de teinture. Laissez la teinture se fixer dans le tissu environ 24 heures avant d'utiliser cette méthode.

Laissez refroidir la casserole d'eau dans laquelle vous avez fait bouillir le tissu; la cire formera une peau à la surface; cette cire peut être retirée, séchée et réutilisée. Toutefois, avant de la réutiliser, il faut la sécher à fond, sans quoi elle éclaboussera une fois dans la casserole de cire, comme le gras dans une poêle à frire.

7

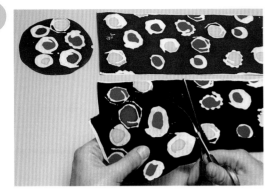

8

9

CONSEILS POUR LA TEINTURE

- Si vous voulez mélanger toutes vos couleurs avant de commencer à teindre, mélangez-les avec seulement 2 c. à thé de solution d'urée. Elles demeureront utilisables pendant 24 heures, et vous pourrez ajouter la solution de soude à chaque couleur juste avant de l'utiliser. Vous aurez ainsi des teintures fraîches et riches.

- Ne saturez pas le tissu au point qu'il se forme une flaque de teinture en dessous, car de telles flaques peuvent déborder de la surface délimitée par la cire et se répandre sur les surfaces voisines. L'eau peut supporter seulement une certaine tension superficielle avant de céder et de se répandre.

- Si vous commencez en peignant les couleurs les plus claires, vous pourrez dissimuler vos erreurs après coup avec une couleur plus foncée.

- Si les limites inscrites à la cire permettent à la teinture de s'infiltrer, laissez sécher la teinture, cirez la couleur que vous désirez protéger, puis teignez le tissu avec une couleur plus foncée.

7 Une fois la cire enlevée, coupez le tissu pour coudre les bourses. En laissant 6 mm (1/4 po) pour les coutures, cousez les côtés ensemble. Faites une boutonnière de 1,25 cm (1/2 po) de chaque côté, à environ 2 cm à 3 cm (3/4 po à 1 1/4 po) du bord supérieur.

8 Endroit contre endroit, cousez la base et le bord inférieur ensemble. Retournez à l'endroit. Coupez et cousez la doublure de la même façon, mais sans boutonnières. Ne retournez pas.

9 Placez la doublure à l'intérieur de la bourse, repliez les deux de 6 mm (1/4 po) pour la couture, et assemblez. Faites deux coutures autour du haut de la bourse, l'une près du bord supérieur des boutonnières, l'autre près de leur bord inférieur, pour créer une coulisse pour le cordon. Enfilez le

cordon: il doit entrer par une boutonnière et sortir par l'autre.

Si vous désirez confectionner un sac plus grand, multipliez le rayon de la base par 6 pour obtenir la grandeur appropriée pour la bande.

TRUCS ET CONSEILS

ENLEVER LA CIRE

Une façon plus facile et efficace d'enlever la cire consiste à mettre votre travail dans une machine à nettoyage à sec. Les produits chimiques dissolvent toute la cire sans que la richesse des couleurs en soit altérée, comme cela peut se produire jusqu'à un certain point lorsqu'on fait bouillir le tissu. Votre batik n'altérera en rien le reste du contenu de la machine, et les couleurs ne déteindront pas.

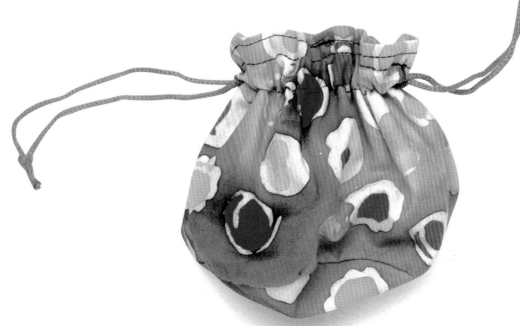

TISSU POUR VÊTEMENTS

◇

Il est facile d'appliquer la technique du batik sur de grandes pièces de tissu.
On applique la cire par étapes sur une surface moelleuse, puis le tissu est immergé
dans la teinture, ce qui lui assure la meilleure pénétration possible
et des couleurs uniformes.

Il vous faudra
◊ matériel de base, plus
◊ couverture
◊ seau de plastique pouvant contenir
  au moins 4,5 l (1 gallon)
◊ bol pouvant contenir au moins
  4,5 l (1 gallon)
◊ papier et tissu pour faire des
  expériences avec les caps et les teintures
◊ 2 m (2 v) de coton léger préparé

Matériaux pour la fabrication des caps
◊ ruban adhésif
◊ ciseaux/cutter
◊ boîtes de céréales vides
◊ carton ondulé
◊ tube de carton
◊ tube vide d'un large rouleau
  de ruban adhésif

TRUCS ET CONSEILS

FIXER LES COULEURS

• Le fixage se fera mieux dans une
  atmosphère humide. La vapeur
  s'échappant d'une bouilloire par
  intermittence durant les deux ou trois
  heures de la séance de teinture peut
  améliorer le taux d'humidité.
• On peut rehausser l'uniformité des
  couleurs en ajoutant le sel en trois
  étapes dans les 15 premières minutes
  du processus de teinture. Il faut
  cependant que le tissu soit retiré à
  chaque fois que l'on ajoute du sel, ce
  qui rend le procédé un peu trop
  compliqué pour un débutant. Pour
  cette raison, je suggère que tout le
  sel soit ajouté d'un seul coup.

1 Fabriquez quelques caps en carton et essayez-les
sur du papier jusqu'à ce que vous obteniez le dessin
que vous désirez.

2 Essayez les caps sur du tissu pour voir combien de
fois vous pouvez imprimer après un trempage dans la
cire, et comment les motifs changent à mesure que la
cire se refroidit et est utilisée.

3 Préparez une surface moelleuse aussi grande que
votre couverture et votre surface de travail vous le
permettent. Étendez par-dessus la première section
de votre tissu, et placez une chaise de chaque côté
pour l'empêcher de toucher au plancher pendant
que vous appliquez la cire. Relevez le tissu à
intervalles réguliers, pour éviter qu'il ne colle au
plastique quand viendra le temps de passer à une
autre section.

4 Quand vous aurez complété la première application de cire, préparez le bain de teinture. Vous avez assez d'ingrédients pour environ 180 g (6 oz) de tissu sec, ce qui correspond à environ 2 m (2 v) de coton. Faites dissoudre 6 c. à soupe de sel dans 90 g (3 oz) d'eau chaude et laissez reposer. Faites dissoudre 6 c. à thé de soude ménagère (ou 12 c. à thé de cristaux de soude) dans 90 g (3 oz) d'eau chaude et laissez reposer.

5 Faites une pâte en mélangeant 1 ¹/₂ à 6 c. à thé de colorant jaune en poudre dans l'eau chaude. L'eau ne doit pas excéder 50 °C (122 °F). Ajoutez un peu plus d'eau pour que ce soit plus facile à verser.

6 Ajoutez 6 ¹/₂ litres (6 ¹/₂ pintes) d'eau à la teinture et agitez. Ajoutez le sel dissous et agitez. On ajoute le sel à ce mélange de teinture pour aider la pénétration, pour assurer une qualité de teinture uniforme et la plus belle couleur possible.

7 Plongez le tissu ciré et l'échantillon à tester dans de l'eau propre et froide, et secouez pour égoutter.

8 Mettez le tissu dans le bain de teinture. Immergez-le complètement en le remuant, pour assurer une bonne pénétration de la teinture.

9 Retirez-le du bain après 15 minutes et mettez-le dans un bol.

10 Ajoutez la soude dissoute au bain de teinture, puis remettez-y le tissu et immergez-le 45 minutes de plus, en agitant de temps en temps. Retirez le tissu, rincez-le à l'eau froide jusqu'à ce que l'eau soit claire, puis suspendez-le pour le faire sécher. Cela fait partie du processus de fixage.

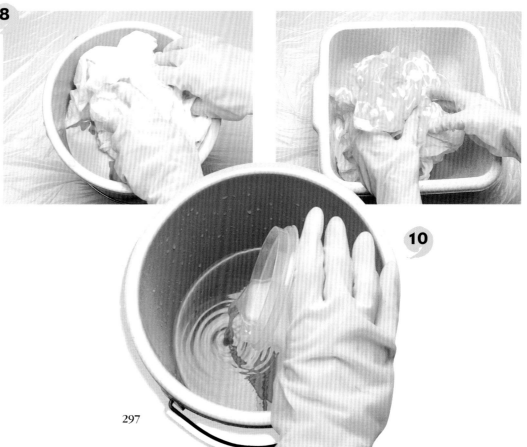

11 Quand le tissu est complètement sec, remettez-le sur la surface moelleuse et procédez à la deuxième application de cire. Cette fois-ci, cirez tout ce qui doit rester jaune.

12 Respectez la même marche à suivre que précédemment, mais utilisez le colorant bleu à la place du jaune. Testez d'abord la couleur sur votre échantillon.

13 Pendant que vous remuerez le tissu dans le bain de teinture, une partie de la cire pliera et craquera, et la teinture pourra pénétrer les fibres. C'est ce qui donne au batik son aspect craquelé traditionnel. La cire craque plus franchement et proprement lorsqu'elle est froide, c'est la raison pour laquelle on plonge le tissu dans l'eau froide avant de l'immerger dans le bain de teinture. On peut contrôler le craquelage en écrasant plus ou moins le tissu avant et pendant la teinture.

Il est plus facile d'enlever la cire en faisant bouillir toute la pièce de tissu plutôt qu'en la repassant. Le tissu retrouvera sa souplesse originale grâce au nettoyage à sec, et vous pourrez ensuite confectionner les vêtements que vous voudrez. Si vous lavez l'article à la machine par la suite, lavez-le séparément et à l'eau froide – 40 °C (104 °F) – les premières fois, surtout si vous avez utilisé des couleurs vives.

HOUSSE À COUSSIN DÉCORATIVE

◆

Comme nous l'avons déjà mentionné, ce sont les Javanais qui ont inventé le canting. Bien qu'assez difficile à manier, une fois que vous maîtriserez les techniques du canting, vous verrez qu'il assure l'écoulement continu de la cire chaude, ce qui permet de tracer de minces filets ou des pointillés impossibles à réussir autrement. On trouve différents modèles de ces petits réservoirs de métal, mais ils sont tous munis d'un ou plusieurs becs d'où la cire peut s'écouler. Le diamètre des becs est l'un des facteurs qui déterminent la largeur de la ligne ou la grosseur du pointillé de cire appliqué sur le tissu; les autres facteurs sont la rapidité, la chaleur et l'angle d'utilisation.

La cire est plus facile à appliquer sur des cotons fins ou de la soie, parce qu'elle les pénètre plus rapidement que des tissus plus épais ou tissés plus grossièrement, tel le lin. Vous tracerez des lignes fines avec plus d'aplomb et d'aisance si l'outil glisse facilement et en douceur à la surface du tissu. Si vous allez plus lentement pour permettre à la cire de pénétrer un tissu plus épais, vous risquez de trembler et de tracer des lignes moins droites et plus grossières. La chaleur de la cire affecte aussi la vitesse de son écoulement par le bec et la quantité répandue sur le tissu, et cela est plus évident encore sur des tissus fins comme la soie. Souvenez-vous que le même bec produira des lignes de différentes largeurs sur des tissus différents et avec la cire à différentes températures.

Il vous faudra
◊ matériaux de base, plus
◊ crayon à mine tendre
◊ cadre de bois
◊ punaises
◊ tissu de coton préparé,
  43 cm x 43 cm (17 po x 17 po)

1 Nous suggérons un dessin abstrait pour votre housse à coussin, pour que vous vous sentiez entièrement libre d'expérimenter les cantings. Étendez le morceau de tissu préparé sur votre surface de travail et servez-vous d'un crayon à mine tendre pour tracer de pâles croix en diagonale et à l'horizontale sur lesquelles vous vous guiderez pour la symétrie de votre dessin.

2 Tout d'abord, vous vous apercevrez que le canting est plus facile à faire si le tissu est tendu. Vous pouvez utiliser un vieux cadre si ses joints sont solides et qu'il n'est pas gauchi. Punaisez le centre de chaque côté du tissu, puis les coins. Le tissu doit être tendu, mais attention de ne pas étirer le tissage au point de le déformer, car le motif serait distordu une fois le tissu retiré du cadre.

299

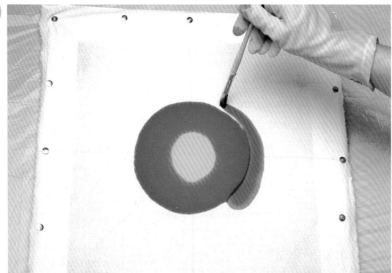

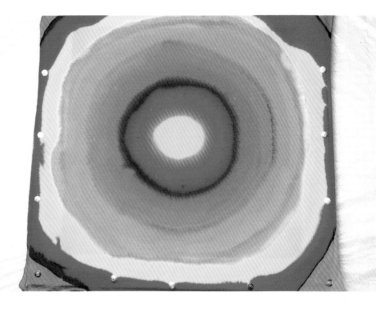

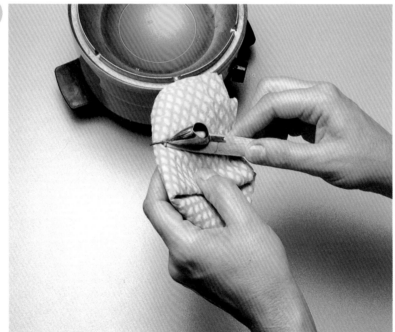

TRUCS ET CONSEILS

UTILISER UN CANTING

- Si vous laissez tomber quelques gouttes, faites-en d'autres exprès de l'autre côté, de sorte que votre « erreur » soit incorporée au motif ou qu'elle serve à l'accentuer.
- Ne vous déplacez pas à une vitesse telle que la cire n'ait pas le temps de pénétrer le tissu. Exercez-vous à faire des lignes et des taches avec les différents cantings.

3 Avant de commencer à appliquer la cire, mélangez les teintures: 6 c. à soupe de chacune devrait suffire. J'ai utilisé du rouge, du jaune et du turquoise. Appliquez les teintures au tissu en leur permettant de se mêler les unes aux autres sur les bords pour donner un aspect coloré doucement diffus.

4 Veillez à ce que vos couleurs soient claires et vibrantes. Laissez le tissu sécher complètement.

5 Faites chauffer la cire et mettez le canting dedans pour au moins 30 secondes, de sorte que le petit réservoir de métal se réchauffe pour ensuite contribuer à garder la cire chaude. Remplissez le réservoir à la moitié de sa capacité, pour éviter que la cire s'écoule par le haut pendant que vous travaillez. Servez-vous d'un morceau de chiffon absorbant pour enlever tout excès de cire et pour recueillir toute goutte pendant que vous apportez le canting du pot de cire jusqu'à votre tissu.

6

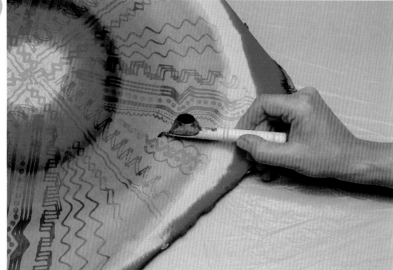

7

6 Pendant que vous travaillez, inclinez un peu votre cadre et faites la même chose avec le canting. L'angle affecte l'écoulement de la cire par le bec, et vous devrez vous exercer pour obtenir le débit que vous désirez, mais ne l'inclinez pas au point que la cire coule sur vos doigts!

7 Quand vous aurez fini d'appliquer la cire, préparez 90 g (3 oz) de colorant noir en utilisant ½ c. à thé de colorant en poudre et appliquez-le sur le tissu avec une éponge. Pensez à mettre une feuille de plastique en dessous pour recueillir les gouttes et portez des gants de caoutchouc pour protéger vos doigts. Les teintures fibro-réactives augmentent d'intensité lorsqu'elles sont superposées, et cela est particulièrement le cas avec le noir, qui semble encore plus noir et riche lorsqu'il est appliqué deux fois, comme nous l'avons fait ici pour couvrir les couleurs vives du dessous. Quand le tissu est complètement sec, repassez-le et faites-le nettoyer à sec avant de confectionner votre housse à coussin.

POISSON SUR SOIE

◇

La soie est beaucoup plus délicate que le coton, elle exige donc une technique et une utilisation différentes. On doit la préparer pour les mêmes raisons qu'on prépare le coton, mais il ne faut jamais la faire bouillir. Un rinçage à l'eau chaude additionnée de détergent suffit amplement. La cire peut être plus froide, étant donné la finesse du tissage, et vous pouvez vous servir d'un canting avec un plus petit bec, parce que la cire pénètre facilement dans la soie. Les teintures apparaîtront moins vives que sur le lin ou le coton, et elles réagiront différemment.

Il vous faudra
◊ matériaux de base, plus
◊ soie préparée, 15 cm x 15 cm
 (6 x 6 po)
◊ feuille d'acétate, 20 cm x 25 cm
 (8 po x 10 po)
◊ cadre de carton avec fenêtre de
 14 cm x 14 cm (5 3/8 po x 5 3/8 po)
◊ ruban adhésif
◊ palette
◊ petite brosse douce pour la teinture,
 pinceau à aquarelle n° 4

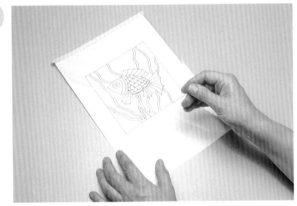

1 Commencez par une image toute simple. Vous pouvez utiliser ce poisson ou dessiner votre propre motif. La soie est assez fine pour voir à travers, et elle pourra servir de papier-calque pour appliquer votre cire. Placez une feuille d'acétate entre l'image et le morceau de soie pour éviter que la cire ne soit souillée d'encre, celle-ci pouvant s'imprimer sur la soie lorsque vous enlèverez la cire au fer à repasser.

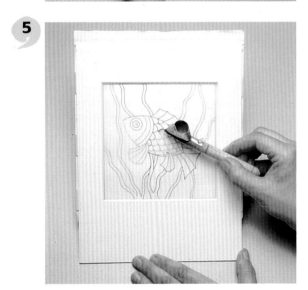

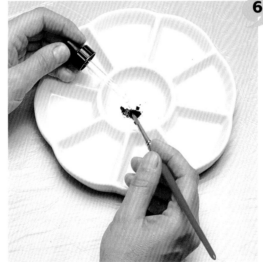

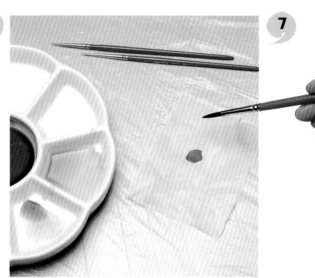

2 Vous pouvez vous servir d'un cadre de carton sur lequel vous tendrez la soie. Bien que vous puissiez utiliser du carton ondulé, il est préférable d'opter pour le carton à passe-partout épais. Si vous utilisez notre poisson, la fenêtre doit mesurer 14 cm x 14 cm (5 3/8 po x 5 3/8 po). Collez le tissu préparé au cadre avec du ruban adhésif. Il doit être bien tendu mais sans distorsion. Placez le tissu tendu par-dessus l'image.

3 Collez-le bien au bord supérieur avec du ruban adhésif, mais n'en mettez que de petits morceaux sur les côtés et le bas, de manière à pouvoir séparer les deux épaisseurs pour vérifier la progression du travail.

4 En inclinant légèrement le tissu et le canting, tracez une ligne de cire autour du périmètre de l'image, en vous servant du bord du cadre pour guider le réservoir. Cette ligne empêchera la teinture de s'étaler sur le cadre de carton.

5 En suivant les lignes de l'image du dessous, appliquez la cire autour des différents espaces de couleurs que vous désirez. Veillez à ce qu'il n'y ait pas d'espaces dans les lignes elles-mêmes ou à la croisée des lignes. Cela empêche la teinture de s'étaler sur les autres parties.

6 Le poisson exige de toutes petites quantités de teinture. Mélangez 1 c. à thé de solution d'urée à 2 c. à thé de solution de soude, et servez-vous-en pour mélanger les couleurs que vous voulez. Servez-vous d'une palette et utilisez le colorant en poudre comme s'il s'agissait de peinture en poudre, en le mélangeant avec les solutions chimiques comme si c'était de l'eau.

7 Testez les couleurs sur un échantillon.

8 Retirez votre tissu tendu de l'image recouverte d'acétate et peignez-le avec les teintures.

9 Quand la teinture est complètement sèche, ce qui se produit beaucoup plus rapidement avec la soie qu'avec le coton, appliquez de la cire sur toute la surface avant de la repasser, pour prévenir la formation de halos.

10 Soyez très prudent au repassage de la soie. Les plis qui se forment à cette étape sont très difficiles à défaire par la suite. Utilisez du papier journal vierge et ne soulevez pas la pièce repassée avant qu'elle ne soit complètement refoidie, ou elle sera distordue quand la cire sera froide. Il peut être difficile après coup de repasser bien plat.

Vous pouvez placer votre batik terminé entre deux feuilles de plexi et le suspendre dans la fenêtre ou le monter sur un carton de fond blanc et l'encadrer. L'adhésif en vaporisateur est parfait pour monter la soie sur du papier.

Store coloré

Lorsque exposé à la lumière, le batik de coton prend l'apparence du vitrail.
Les teintures y sont le plus belles, la lumière les rendant plus vibrantes encore.
Un store en batik est donc une excellente façon de montrer vos talents.
Pour votre premier essai, choisissez une petite fenêtre. Ce projet est idéal pour
une fenêtre de 66 cm de largeur sur 112 cm de longueur (26 po x 44 po).

Il faut ajouter 1,25 cm (½ po) pour les coutures des côtés et 10 cm (4 po) en haut et en bas pour pouvoir fixer la pièce à un support. Il est possible que le tissu rétrécisse s'il est ébouillanté, alors comptez au moins 2,5 cm (1 po) de plus que les mesures indiquées pour le tissu préparé tout autour.

Il vous faudra
◊ matériel de base, plus
◊ tissu préparé, 69 cm x 132 cm (27 po x 52 po)
◊ cadre de bois de 69 cm x 69 cm (27 po x 27 po)
◊ punaises
◊ mètre-ruban
◊ longue règle ou règle large et plate graduée
◊ ruban adhésif
◊ crayon à mine tendre

Plan du store

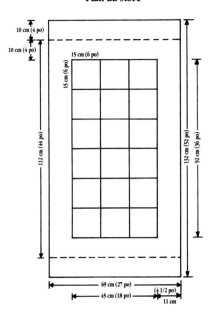

1 Étendez le tissu sur une surface ferme et servez-vous d'un crayon à mine tendre pour tracer une ligne à 10 cm (4 po) en haut et en bas. Tracez une marge de 10 cm (4 po) à l'intérieur de ces lignes et une de 12 cm (4 ³/4 po) de chaque côté. La partie intérieure mesure 45 cm x 92 cm (18 po x 36 po), et nous avons prévu un motif de 15 cm² (6 po²) qui se répète trois fois sur la largeur et six fois de haut en bas. Tracez ces carrés. Le motif de la bordure exige seulement de tracer une ligne de la largeur d'une règle, de manière à ce que la largeur du zigzag soit constante, avec les points à 2,5 cm (1 po) le long des bords.

2 Un cadre d'environ 69 cm (27 po) serait idéal pour tendre votre tissu de sorte que vous puissiez le travailler en deux sections faciles à manier. Ces cadres réglables, qui s'insèrent l'un dans l'autre, sont vendus en différents formats dans les boutiques d'artisanat. Vous pouvez également vous servir d'un vieux cadre.

3 Appliquez de la cire sur le motif de la bordure. Quand la première section est complète, déplacez le tissu vers le haut du cadre et installez la seconde moitié. Déplacez-le avec soin, pour ne pas faire craquer les lignes de cire et pour éviter que les couleurs ne diffusent là où il ne faut pas.

4 Les seuls guides additionnels qui pourraient vous être utiles sont les croix verticales et horizon-tales, qui vous permettront de placer les points sur les losanges dans chaque carré. Laissez la cire couler librement de votre canting et amusez-vous à tracer les lignes ondulées. Elles seront visuellement assez similaires pour bien paraître, mais assez différentes pour être plus attrayantes encore.

5 Il sera plus facile d'appliquer la teinture si le tissu est tout d'une pièce. S'il est étendu sur une feuille de plastique, la teinture pourrait s'accumuler et traverser les lignes de cire. En étendant le tissu sur une suface absorbante comme du papier jour-nal, on peut réduire ce risque, mais le papier a

6

7

8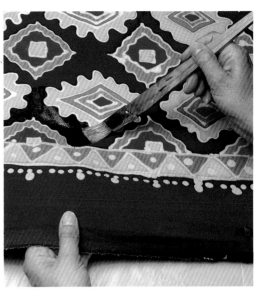

tendance à boire la teinture du tissu. Si vous pouvez suspendre votre pièce d'une façon ou d'une autre, les risques d'accidents avec les couleurs seront moindres, et le motif terminé correspondra mieux à votre idée de départ. Suspendez le tissu à une étagère ou un cadre de porte. C'est ainsi que j'ai appliqué les petites touches de couleur ici. Rappelez-vous qu'il vaut mieux passer du clair au foncé avec les teintures, et pensez à appliquer de la cire à mesure qu'elles sèchent pour éviter les accidents avec les couleurs foncées.

6 La couleur de fond a été appliquée avec une éponge alors que le tissu était suspendu entre deux pièces de bois de 5 cm² (2 po²) posées sur la surface de travail.

7 Il est préférable de travailler à l'horizontale lorsque vous teignez des surfaces plus grandes, parce que le tissu retiendra la teinture qui ne s'écoulera pas vers le bas, comme cela se produit lorsqu'on l'applique à la verticale, causant une perte de couleur en haut de la pièce.

8 Quand la teinture est complètement sèche, appliquez de la cire partout pour éviter les halos, en pensant à soulever le tissu entre deux applications de cire. Repassez et laissez le tissu raide et imperméable, ou nettoyez à sec après le repassage et vaporisez un protecteur de tissu qui imperméabilise, pour pouvoir nettoyer le store. Votre batik est prêt à être transformé en store qui embellira votre fenêtre comme un vitrail.

PORTRAITS

◆

Pour reproduire des photographies, on peut se servir des techniques qui ont permis de réaliser le Calendrier ensoleillé: applications successives de cire et de teinture pour construire l'image. Cette fois, plutôt que d'utiliser des caps sur du coton, vous appliquerez la cire sur de la soie avec un canting. On utilise la soie pour sa transparence, qui laisse entrevoir l'image à travers le tissu. Choisissez une image très contrastée. Il peut s'agir de votre partenaire, de votre enfant, de votre chien ou même de votre voiture! Peu importe que la photographie soit en noir et blanc ou en couleur.

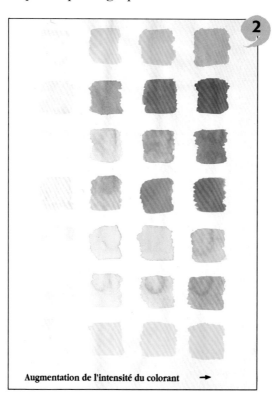

Il vous faudra
◊ matériaux de base, plus
◊ image: photographie ou image d'un magazine par exemple
◊ photocopie agrandie de l'image choisie
◊ soie préparée 2,5 (1 po) plus grande tout autour que l'image finie projetée
◊ feuille d'acétate
◊ cadre de carton aux dimensions internes de l'image finie projetée
◊ papier journal vierge

Augmentation de l'intensité du colorant ➡

1 Agrandissez l'image en la photocopiant. À titre indicatif, agrandissez le visage pour qu'il mesure au moins 15 cm (6 po) du crâne au menton. Recouvrez l'image d'acétate.

2 Organisez-vous pour avoir trois tons en plus du blanc. Ces tons n'ont pas à être gris, mais vous voudrez peut-être travailler avec différents tons de la même couleur en mélangeant la teinture pour qu'elle soit plus ou moins foncée.

3 Préparez votre soie et collez-la au cadre de carton (voir page 303). Collez l'image en place avec du ruban adhésif derrière la soie tendue, et tracez une ligne de cire autour de l'image (voir page 303). Appliquez de la cire sur les parties qui doivent rester blanches en vous servant d'un pinceau ou d'une éponge pour les surfaces plus grandes, et adoucissez les bords en appliquant la cire en pointillés avec le canting.

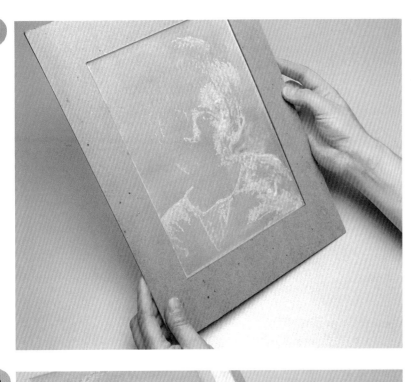

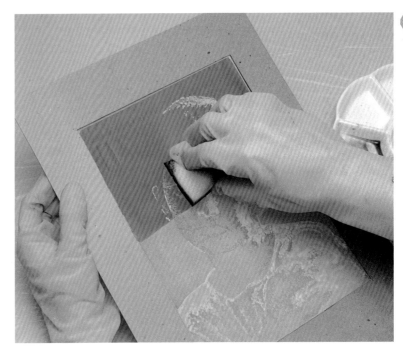

4 Séparez la soie de l'image lorsque vous êtes prêt pour la première teinture. Mélangez la teinture la plus claire (ton 1) et appliquez-la avec un morceau d'éponge. Ne chargez pas trop l'éponge avec le liquide, sinon la cire qui entoure votre image ne suffira pas à contenir la teinture. Pensez à porter des gants de caoutchouc.

5 Servez-vous de la technique du pointillé pour appliquer la cire sur les parties qui doivent rester du premier ton.

6 Mélangez le deuxième ton de teinture (ton 2) et testez-le sur le bord inférieur de l'endos de l'image.

7 Appliquez le ton 2 avec une éponge douce.

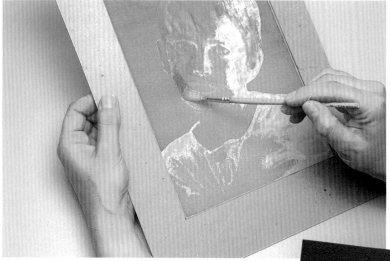

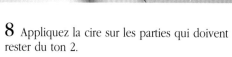

8 Appliquez la cire sur les parties qui doivent rester du ton 2.

9 Mélangez la dernière teinture plus foncée (ton 3) et appliquez-la comme les autres. Lorsque complètement sec, appliquez de la cire sur les parties qui restent pour éviter la formation de halos au repassage.

Enlevez la cire en la repassant et laissez reposer la soie à plat jusqu'à ce qu'elle soit refroidie. Encadrez votre photographie.

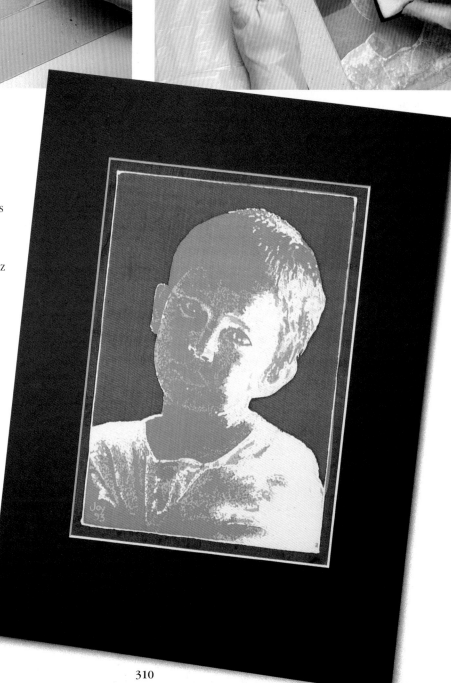

Un dessin très chouette

Dans tous les autres projets de batik, vous avez utilisé des réserves de cire pour pouvoir teindre uniquement certaines parties choisies de papier ou de tissu. Il y a une autre façon de faire: il s'agit d'enlever la teinture sur certaines parties d'une image. En utilisant de l'eau de Javel sur un tissu teint d'une couleur vive, vous pouvez le « décharger » de sa teinture, c'est-à-dire enlever la couleur qui imprègne déjà le tissu.

En faisant varier la concentration du décolorant ou le temps de contact avec le tissu, vous pourrez créer une image avec différents tons de la couleur originale. La concentration des solutions décolorantes et le temps de trempage que nous donnons ici sont approximatifs. Vous devrez vous exercer sur le tissu que vous utilisez, car toutes les teintures réagissent différemment.

Il vous faudra
◊ matériaux de base, plus
◊ tissu de coton préparé pré-teint de 28 cm x 28 cm (11 po x 11 po)
◊ eau de Javel
◊ cadre de bois
◊ punaises
◊ plateau de plastique plus grand que le tissu
◊ métabisulfite de sodium
◊ ruban adhésif
◊ crayon à mine tendre

LA SÉCURITÉ AVANT TOUT

Si le décolorant entre en contact avec votre peau ou vos yeux, rincez immédiatement à grande eau.

COULEUR ORIGINALE DU TISSU	1 c. à soupe de décolorant 9 c. à soupe d'eau	1 c. à soupe de décolorant 6 c. à soupe d'eau	1 c. à soupe de décolorant 3 c. à soupe d'eau

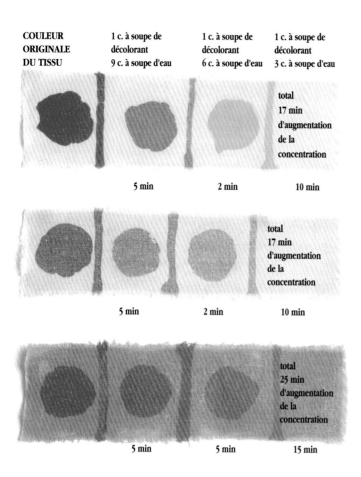

total
17 min
d'augmentation
de la
concentration

5 min   2 min   10 min

total
17 min
d'augmentation
de la
concentration

5 min   2 min   10 min

total
25 min
d'augmentation
de la
concentration

5 min   5 min   15 min

COULEUR ORIGINALE DU TISSU	1 c. à soupe de décolorant 9 c. à soupe d'eau	1 c. à soupe de décolorant 6 c. à soupe d'eau	1 c. à soupe de décolorant 3 c. à soupe d'eau

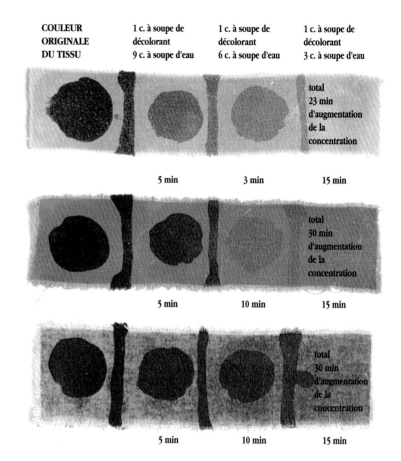

total
23 min
d'augmentation
de la
concentration

5 min   3 min   15 min

total
30 min
d'augmentation
de la
concentration

5 min   10 min   15 min

total
30 min
d'augmentation
de la
concentration

5 min   10 min   15 min

1 Certaines teintures déchargent plus facilement que d'autres, alors faites toujours un test sur un petit morceau de tissu avant de commencer votre travail. N'utilisez jamais de décolorant pur, car il rongerait les fibres; et n'utilisez jamais de décolorant sur la soie, il la détruirait complètement. La solution la plus concentrée que vous pouvez utiliser est de une mesure de décolorant pour trois mesures d'eau. Il est préférable d'étirer le temps de trempage plutôt que d'augmenter la concentration du décolorant.

2 Les teintures noires déchargent en couleurs très différentes, selon le mélange des couleurs utilisé pour les produire.

3 Reproduisez votre image sur le tissu en vous servant d'une boîte lumineuse ou de ruban adhésif pour garder tout bien en place contre une fenêtre. Jusqu'à ce que vous soyez assez à l'aise pour dessiner à main levée, il serait sage d'éviter les tissus

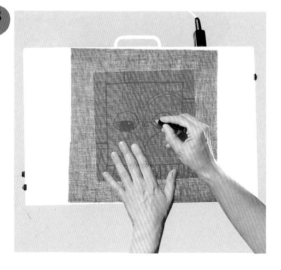

noirs, parce qu'il est plus difficile de voir à travers. Si le crayon à la mine ne paraît pas sur votre tissu, servez-vous de craie ou d'un crayon pastel.

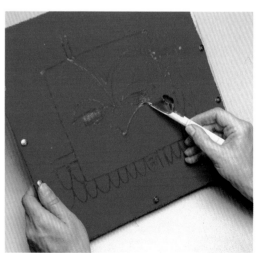

4 Punaisez votre tissu préparé au cadre, et servez-vous de cantings et de pinceaux pour appliquer la cire sur les parties ou les lignes qui doivent rester plus foncées.

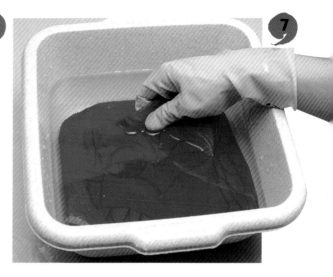

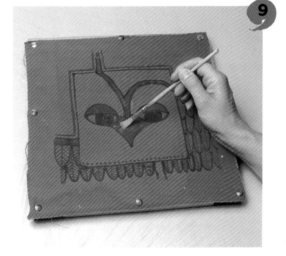

5 Préparez la solution neutralisante que vous utiliserez à l'étape 8. Dissolvez 1/2 c. à thé de métabisulfite de sodium dans 2 litres (2 pintes) d'eau. L'eau devrait être à une température de 40 °C (105 °F). Vous trouverez du métabisulfite de sodium chez les fournisseurs de matériel pour fabriquer la bière maison; il sert à la stérilisation.

6 Mélangez une faible solution de décolorant: 1 c. à thé de décolorant dans 3 c. à soupe d'eau, et appliquez-la avec une éponge ou des boules de ouate. Protégez vos mains avec des gants de caoutchouc.

7 Quand assez de teinture aura déchargé, ce qui devrait prendre entre 5 et 10 minutes, rincez le tissu à l'eau froide.

8 Mettez ensuite le tissu dans la solution de métabisulfite de sodium pendant 15 minutes. Cela neutralisera le décolorant et empêchera qu'il n'endommage les fibres. Rincez encore à l'eau froide.

9 Replacez le tissu sur le cadre et lorsqu'il est complètement sec, appliquez de la cire sur les parties qui doivent garder la même nuance que celle obtenue par la première décoloration/décharge.

10 Préparez une solution plus concentrée de décolorant: 1 c. à thé de décolorant dans 2 c. à soupe d'eau, et appliquez comme précédemment. Après 5 à 10 minutes, rincez à l'eau froide, mettez votre tissu dans une solution fraîche de métabisulfite de sodium, qu'il faut renouveler à chaque fois. Fixez de nouveau le tissu sur le cadre pour la dernière application de cire qui servira à préserver le dernier ton avant la décoloration finale.

11 Cette fois-ci, préparez une solution plus concentrée, soit 1 c. à thé de décolorant pour 1 c. à soupe d'eau.

12 Quand toute la teinture a été enlevée, rincez et neutralisez comme précédemment.

13 Quand le tissu est complètement sec, enlevez la cire au fer à repasser. Encadrez.

TENTURE

◆

Le décolorant peut également servir à augmenter la gamme des couleurs possibles lorsque l'on se sert d'images que l'on ne veut pas souligner par une ligne de cire blanche. En procédant à des immersions successives dans la teinture, on perd certaines couleurs. Par exemple, si la première couleur est le jaune, une teinture subséquente avec du bleu donnera du vert; si la première couleur est le rouge, l'ajout de bleu donnera du violet, et en aucun cas le tissu ne sera bleu. Dans le projet que voici, qui utilise les teintes de bleu et de rouge, le procédé de décharge est utilisé pour faire ressortir le bleu.

Il vous faudra
◊ matériaux de base, plus
◊ coton préparé de 61 cm x 92 cm (24 po x 36 po)
◊ crayon à mine tendre
◊ vieille couverture
◊ seau de plastique pouvant contenir au moins 4,5 l (1 gallon)
◊ bol pouvant contenir au moins 4,5 l (1 gallon)
◊ bouchon de liège
◊ tube de carton
◊ plateau de pastique
◊ décolorant
◊ métabisulfite de sodium
◊ 2 tringles de bois de 1,25 cm (1/2 po), de 60 cm (2 pi) de long

Pour coudre le store
◊ ciseaux
◊ épingles
◊ fil
◊ machine à coudre ou aiguille

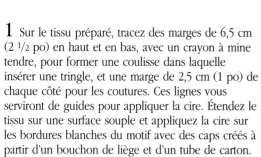

1 Sur le tissu préparé, tracez des marges de 6,5 cm (2 1/2 po) en haut et en bas, avec un crayon à mine tendre, pour former une coulisse dans laquelle insérer une tringle, et une marge de 2,5 cm (1 po) de chaque côté pour les coutures. Ces lignes vous serviront de guides pour appliquer la cire. Étendez le tissu sur une surface souple et appliquez la cire sur les bordures blanches du motif avec des caps créés à partir d'un bouchon de liège et d'un tube de carton.

2 Dessinez un ovale au centre. Il n'a pas à être parfait, d'ailleurs une forme inégale sera plus attrayante.

3 Tracez les yeux à environ la moitié de la hauteur du visage. Fixez cette partie sur un cadre de manière à pouvoir tenir votre tissu incliné pour appliquer la cire sur la partie blanche des yeux.

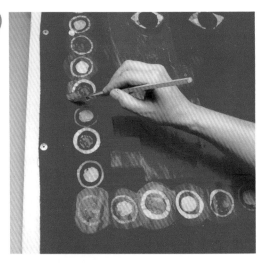

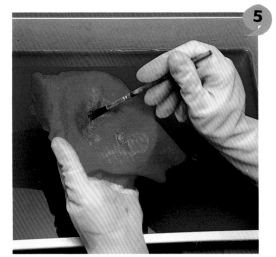

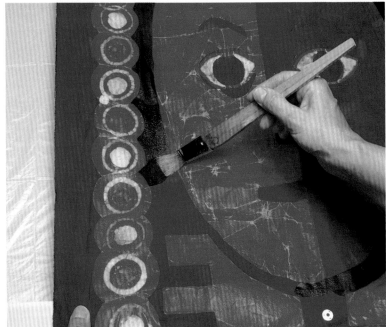

4 Préparez un bain de teinture rouge. Pensez à teindre un échantillon pour tester la superposition de couleurs et le temps et la concentration de la décoloration. Complétez la bordure en vous servant d'une brosse pour appliquer de la cire sur les parties qui doivent rester rouges. Utilisez une brosse-éponge pour appliquer la cire du côté du masque qui doit demeurer rouge. Vous pourrez ainsi appliquer la cire rapidement, cela facilitera le traçage des courbes.

5 Préparez un bain de teinture bleue et testez la couleur sur votre échantillon. Rectifiez le mélange si nécessaire.

6 Si vous voulez éviter une trop grande quantité de craquelures dans le visage, servez-vous d'un plateau pour la teinture; il sera ainsi plus facile de garder votre tissu à plat.

7 Quand le tissu est rincé et complètement sec, replacez-le sur votre surface de travail et appliquez la cire sur les parties qui doivent demeurer violettes. Pour empêcher que la cire colle à la feuille de plastique, soulevez le tissu à mesure que vous l'appliquez. Ce sera probablement plus facile si vous tendez le tissu sur un cadre.

8 Préparez une solution décolorante de concentration moyenne dans des proportions de 1 c. à soupe d'eau de Javel et 6 c. à soupe d'eau. Préparez ce qu'il faut pour couvrir les parties non cirées. Faites un test sur votre échantillon pour vérifier le temps nécessaire. Vous vous apercevrez que la teinture rouge se décharge complètement avant la bleue; ainsi, dès que le rouge est disparu, vous pouvez rincer la solution décolorante. Neutralisez et rincez.

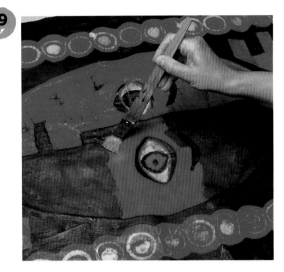

9 Si vous voulez intensifier la teinture bleue, appliquez-la dans un bain comme dans le batik. Lorsque complètement sec, appliquez de la cire par-dessus pour empêcher la formation de halos au repassage.

10 Si vous voulez repasser de manière à ce que le tissu retienne une certaine quantité de résidu de cire qui le rende imperméable, travaillez sur une surface assez grande pour y étendre toute la pièce qui pourra ainsi sécher à plat. Autrement, vu les dimensions du tissu, il risque de se déformer comme la soie.

Repliez les côtés vers l'intérieur et cousez-les. Faites de larges ourlets en haut et en bas pour y insérer une tringle de bois qui servira à suspendre la pièce finie. Le poids de la tringle du bas aidera le tissu à bien tomber. Si vous préférez un fini plus lisse, faites nettoyer à sec, puis vaporisez avec un protecteur de tissu.

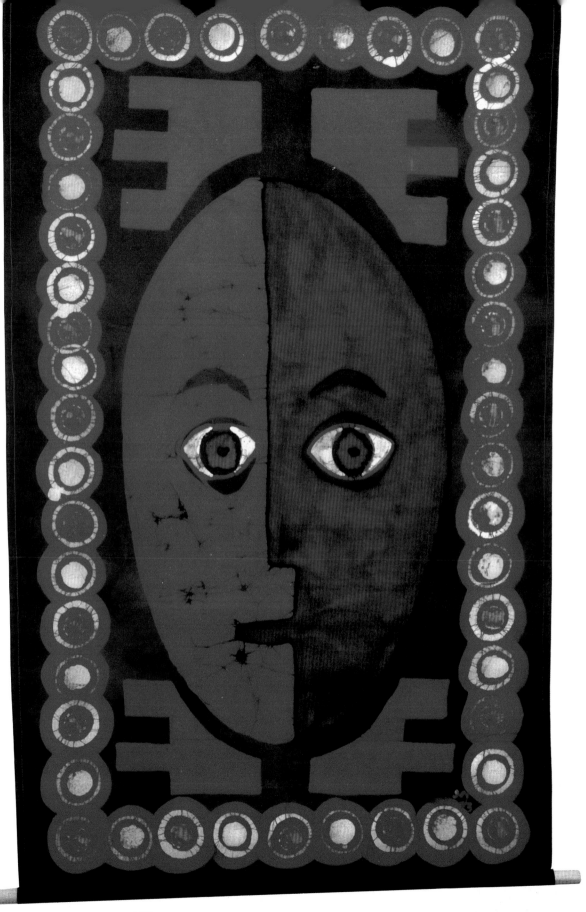

317

GALERIE

Calendrier ensoleillé
page 290

Un dessin très chouette page 311

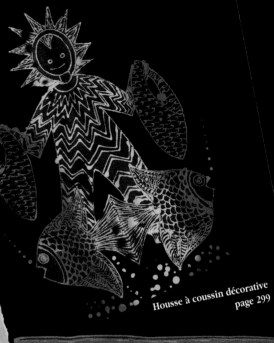

Housse à coussin décorative
page 299

Tenture page 315

Portraits page 308

Voici quelques idées inspirantes qui vous permettront de mettre à profit vos nouveaux talents. Chaque pièce se rapporte à un projet utilisant des techniques similaires.

Peinture
sur tissu

**Apprenez la maîtrise de toute une gamme de techniques:
peinture à l'éponge, au pochoir, imprimerie, pour réaliser
des créations sensationnelles.**

INTRODUCTION

La peinture sur tissu sera pour vous l'occasion de créer des motifs sensationnels
sur des objets de la maison sans caractère particulier. Rehaussez un t-shirt uni ou un vieux jeans.
Créez du linge de table qui s'harmonise à votre service de porcelaine,
des coussins assortis à votre papier peint, et bien d'autres choses intéressantes.

Pas nécessaire d'être un grand artiste pour maîtriser l'art de la peinture sur tissu; on peut réaliser plusieurs dessins simples et charmants à main levée. À mesure que vos talents se développent, vous pourrez vous attaquer à des projets plus ambitieux qui exigent une main sûre, tel que copier un motif trouvé dans un livre ou un magazine, ou même créer votre propre dessin pour ensuite le reproduire sur le tissu.

Il y a de multiples façons d'appliquer de la peinture sur du tissu. Le pochoir est une excellente manière de couvrir de grandes surfaces ou de créer un motif répétitif, par exemple sur une nappe. Imprimer du tissu avec des légumes ou des fruits tranchés, ou des fleurs est une façon nouvelle et facile de créer des motifs abstraits. Il suffit d'appliquer la peinture sur la surface ou le bord de l'objet dont vous vous servez pour peindre, et de l'imprimer directement sur le tissu. Cette section du livre contient de nombreux projets où vous utiliserez le masquage, la peinture à l'éponge, l'imprimé et la peinture sur tissu foncé, pour vous familiariser avec toute une gamme de techniques de peinture sur tissu.

Les peintures pour tissu sont vendues en plusieurs variétés permettant de créer différents effets: vaporeux, scintillant, perlé. Les couleurs sont faciles à mélanger et on peut les appliquer autant sur des tissus naturels que sur des tissus synthétiques. De plus, en repassant sur l'envers un tissu qui vient d'être peint, il ne déteindra pas, ce qui signifie qu'il peut être lavé à la machine encore et encore. Pour de meilleurs résultats, les nouveaux tissus doivent être lavés et repassés avant d'être peints, de manière à en extraire tout produit qui pourrait empêcher la peinture de pénétrer. Pensez toujours à placer un morceau de papier sous le tissu sur lequel vous peignez.

Cette section du livre est conçue spécialement pour les débutants: aucun matériel coûteux n'est nécessaire, pas plus que des talents particuliers. Bien que nous ayons fait des suggestions de couleurs et de motifs pour tous les projets, rien ne vous empêche d'essayer différentes combinaisons de couleurs et de motifs. Dans plusieurs des projets, nous illustrons différentes manières de peindre les objets pour vous encourager à vous servir de votre imagination et, plus important encore, à prendre plaisir à peindre.

Matériel de base dont vous aurez besoin pour la peinture sur tissu.

T-SHIRT À PAPILLON

On trouve à peu près partout des t-shirts unis de différentes tailles et couleurs, dont beaucoup à fort bon prix. Vous pouvez aussi utiliser un vieux t-shirt auquel vous voulez donner une seconde vie. J'ai dessiné un papillon, mais vous avez le choix entre une quantité infinie de modèles et de motifs.

Ce projet est idéal pour faire l'expérience de certaines peintures spécialement conçues pour le tissu, comme les peintures scintillantes et les peintures à relief, qui changent lorsque exposées à la chaleur d'un séchoir à cheveux.

Il vous faudra
◊ papier-calque
◊ crayon
◊ ciseaux
◊ t-shirt uni
◊ papier journal
◊ épingles

◊ craie de tailleur ou crayon de couleur
◊ peintures pour tissu (peintures à relief et scintillante)
◊ palette
◊ pinceaux (différents formats)
◊ séchoir à cheveux

1 Décalquez le gabarit du papillon que vous trouverez à la page 349 et découpez-le. Découpez les trous dans les ailes.

2 Placez du papier journal à l'intérieur du t-shirt pour empêcher la peinture de transpercer. Épinglez le gabarit à l'avant du t-shirt et décalquez-en le contour avec un crayon à colorier ou une craie de tailleur. Servez-vous d'un crayon de couleur pour ajouter les autres détails à main levée, par exemple les antennes.

3 Peignez les ailes en vous servant des couleurs de votre choix. Servez-vous d'un pinceau fin pour les petites taches et d'un pinceau de 6 mm (1/4 po) pour les plus grosses.

4 Ajoutez les autres couleurs. Laissez sécher la peinture environ 20 minutes avant d'y juxtaposer une autre couleur.

5 Ajoutez des lignes de peinture à relief autour des motifs des ailes.

6 Ajoutez quelques points de peinture scintillante autour de l'encolure.

7 Soulignez les formes des ailes en appliquant une couleur contrastante de peinture à relief. Faites ressortir la peinture à l'aide d'un séchoir à cheveux.

MOTIFS ABSTRAITS

Voici une excellente manière de décorer de longues pièces de tissu pour confectionner rideaux, nappes, housses à coussins, voire même des vêtements. Regardez autour de vous pour trouver quantité d'objets dont vous pourrez vous servir: éponges, peignes, couvercles de bocaux, capuchons de stylos, etc., pour créer toutes sortes de motifs originaux.

Il vous faudra
◊ objets à imprimer: peignes, bobines de bois, capuchons de stylos, etc.
◊ papier journal
◊ tissu
◊ ruban adhésif
◊ peinture à tissu
◊ palette
◊ pinceau moyen
◊ fer à repasser
◊ chiffon

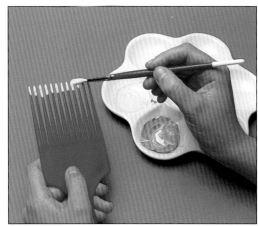

1 Rassemblez des objets qui serviront à produire des formes intéressantes. Cela pourrait vous aider de faire un brouillon de tout votre motif avant de commencer.

2 Recouvrez votre surface de travail de papier journal et étendez-y le tissu. Collez-le bien en place à l'aide de ruban adhésif si nécessaire.

3 Sur une palette, mélangez les couleurs dont vous voulez vous servir.

4 Appliquez de la peinture sur l'objet – j'ai utilisé un peigne – en prenant soin de ne pas trop le charger, sinon vos lignes ne seront pas très nettes.

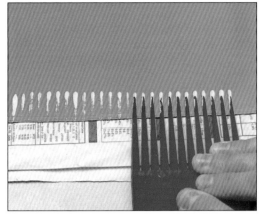

7 Incorporez la forme à votre motif.
Laissez sécher.

8 Pour le prochain objet, choisissez une troisième
couleur. J'ai utilisé un petit morceau d'éponge qui
donne une texture inégale et particulière.

9 Laissez sécher la troisième couleur avant
d'appliquer la prochaine série de formes
colorées. Quand vous serez satisfait du résultat,
repassez le tissu sous un chiffon pour fixer
la peinture.

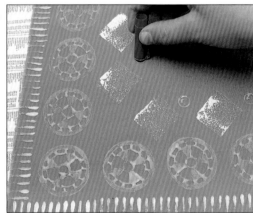

5 Utilisez le peigne pour appliquer la peinture sur
le tissu. Imprimez tout le tour du tissu puis laissez
sécher environ 20 minutes.

6 Prenez un autre objet – j'ai utilisé une bobine
en bois – et peignez-en la surface avec une autre
couleur.

IMPRIMÉ À FLEURS

Fleurs et feuilles servent ici à décorer le tissu avec lequel vous confectionnerez housses à coussins, nappes, draps, ou rideaux. Certains genres de plantes donnent de meilleurs résultats que d'autres: les fleurs et feuilles robustes, aux lignes toutes simples, donnent des imprimés plus réussis que d'autres aux formes trop délicates. Essayez les buddleias, le lierre, les aiguilles de conifères et les fleurs comme les marguerites. L'envers des feuilles aux nervures proéminentes donne d'excellents résultats.

Il vous faudra
◊ papier brouillon
◊ crayons de couleur
◊ papier journal
◊ tissu de votre choix
◊ ruban adhésif
◊ fleurs et feuilles
◊ peintures à tissu
◊ palette
◊ pinceau moyen
◊ fer à repasser
◊ chiffon

1 Placez les fleurs et les feuilles suivant un motif agréable à l'œil. Faites un brouillon de votre motif et coloriez les formes de manière à pouvoir vous y référer lorsque vous commencerez à imprimer.

2 Couvrez votre surface de travail avec du papier journal et étendez-y votre tissu, en le collant en place avec du ruban adhésif si nécessaire. Mélangez vos couleurs et peignez quelques-unes des feuilles.

3 En vous inspirant de votre brouillon, placez une feuille sur le tissu, puis appuyez fermement mais en douceur. Tenez-la bien à plat durant 10 secondes, puis soulevez un bord pour voir si le motif est imprimé. Si le résultat vous satisfait, relevez la feuille doucement pour éviter que la peinture ne s'étale. Continuez à créer votre dessin avec d'autres feuilles.

4 Peignez maintenant une fleur en la plaçant tel qu'indiqué sur votre brouillon. Comblez les espaces vides dans votre dessin, et ne vous en faites pas si certaines fleurs ont un petit air abstrait. Laissez sécher avant de repasser sous un linge pour fixer les couleurs.

PETITE MAISON DE CAMPAGNE

Ce joli tableau a été réalisé en appliquant des pochoirs l'un après l'autre et en peignant chacun d'une couleur différente. Vous pouvez encadrer l'image terminée comme je l'ai fait, ou en peindre deux pour réaliser une jolie housse à coussin.

Il vous faudra

◊ papier-calque
◊ crayon
◊ carton à pochoir
◊ ruban adhésif
◊ cutter
◊ canevas ou mousseline d'environ 28 cm x 33 cm (11 po x 13 po)
◊ ciseaux
◊ papier journal
◊ brosse à pochoir de 6 mm ou 1,25 cm (¼ po ou ½ po)
◊ peinture à tissu
◊ palette
◊ fer à repasser
◊ chiffon
◊ fil
◊ aiguille
◊ 4 boutons

3 Placez le morceau de canevas ou de mousseline sur quelques feuilles de papier journal. Collez bien le premier pochoir — le fond de l'image — avec du ruban adhésif par-dessus le canevas, et peignez-le. J'ai pris du bleu. Retirez délicatement le pochoir pour éviter que la peinture ne s'accumule sur les bords. Laissez sécher quelques minutes.

4 Collez le deuxième pochoir – l'avant de la maison et la cheminée – en position et appliquez la peinture bleu foncé. Peignez le tour des fenêtres avec un pinceau.

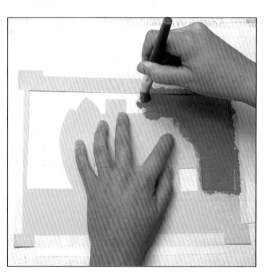

1 Décalquez les motifs des pochoirs des pages 350 à 352, en dessinant chacun sur des feuilles de papier de même format, de sorte que les quatre coins des feuilles correspondent parfaitement.

2 Collez chaque décalque avec du ruban adhésif séparément sur un morceau de carton à pochoir, en prenant soin de faire correspondre chaque contour sur chaque morceau de carton. Faites les découpes dans chaque pochoir.

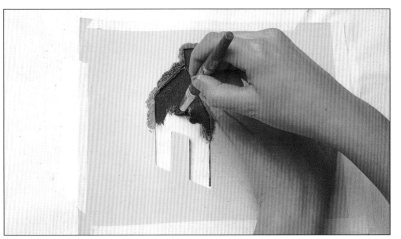

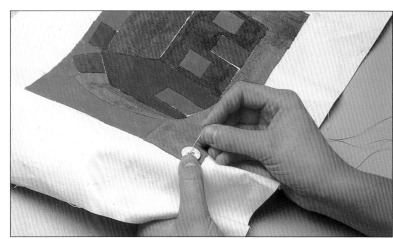

5 Laissez sécher la peinture avant d'appliquer le pochoir suivant.

6 Collez le troisième pochoir – la porte avant et le toit – bien en place. Cette fois-ci, utilisez la peinture brune. Laissez sécher une fois de plus.

7 Collez le quatrième pochoir en place et peignez le côté de la maison en violet. Laissez sécher avant de vous servir du dernier pochoir – la pelouse et les arbres – que vous peindrez en vert.

8 Repassez sous un linge pour fixer la peinture et cousez un bouton à chaque coin.

TENTURE POUR CHAMBRE D'ENFANT

Ce charmant défilé d'animaux au pochoir sera parfait pour une chambre d'enfant. Dans ce projet, vous ferez des pochoirs simples et des coutures à la main colorées, qui se marient pour donner une apparence vieillotte, un tantinet campagnarde. Vous pourriez réaliser une tenture semblable en vous servant de lettres plutôt que d'animaux.

Il vous faudra
◊ papier-calque
◊ crayons
◊ carton à pochoir
◊ ruban adhésif
◊ cutter
◊ tissu de couleur crème mesurant environ 104 cm x 104 cm (40 po x 40 po)
◊ peintures à tissu
◊ palette
◊ brosses à pochoir de 6 mm et 1,25 cm (¼ po et ½ po)
◊ éponge (une éponge naturelle convient mieux)
◊ fer à repasser
◊ chiffon
◊ 2 morceaux de tissu de couleur mesurant chacun environ 20 cm x 127 cm (8 po x 50 po). J'ai pris du bleu.
◊ épingles
◊ ciseaux
◊ aiguille
◊ fils à broder de différentes couleurs
◊ 2 boutons
◊ ruban ou biais d'environ 10 cm (4 po)

1 Décalquez les huit formes d'animaux des pages 348 et 349. Placez chaque décalque d'animal sur un morceau de carton à pochoir et collez-le en place à l'aide de ruban adhésif.

2 Servez-vous d'un cutter pour faire les découpes. Jetez le papier-calque.

3 Découpez huit carrés de tissu de couleur crème.

4 À l'aide de ruban adhésif, collez chaque pochoir d'animal sur un carré de tissu.

5 Préparez vos peintures et colorez le corps du cochon à l'aide d'une brosse à pochoir.

6 Coloriez les pieds du cochon en brun et ajoutez une ligne brune sur son corps.

7 Le corps du coq est bleu-vert et sa crête rouge vif.

8 Ajoutez du jaune et de l'orangé aux plumes de la queue du coq.

9 Coloriez le corps de la vache en noir, et ses sabots et son pis en rose. Faites quelques taches en appliquant un peu de blanc avec une éponge.

10 Peignez les autres animaux en vous inspirant de la photographie de la tenture à la page 330. Repliez les bords de chaque carré vers l'intérieur et repassez sous un linge pour fixer les couleurs et pour presser les bords repliés.

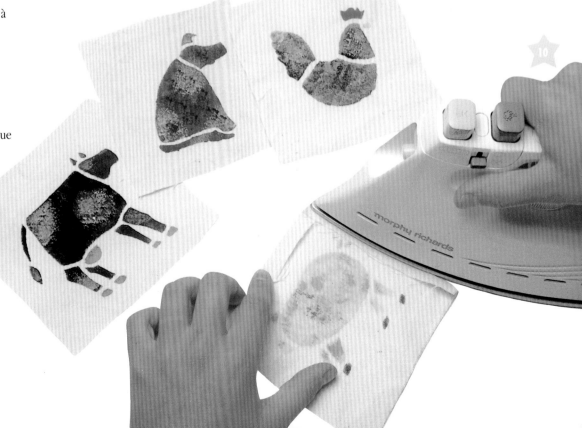

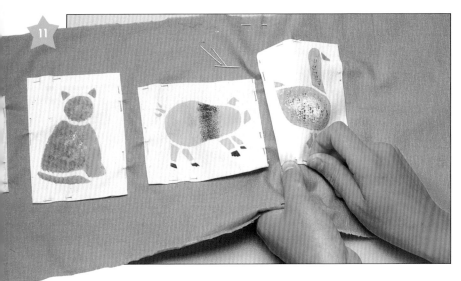

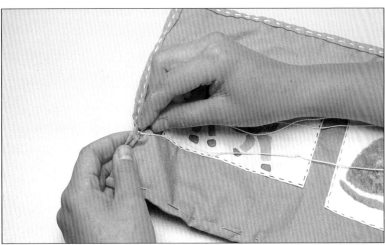

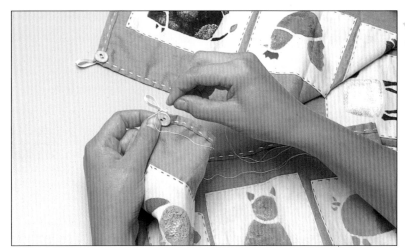

11 Assemblez les deux rectangles de tissu à l'aide d'épingles. Épinglez les dessins d'animaux à égale distance l'un de l'autre le long de l'un des rectangles de tissu.

12 Servez-vous de fils à broder de couleur pour coudre chaque carré en place.

13 Repliez le bord du grand rectangle vers l'intérieur pour faire un bel ourlet à l'avant et cousez à la main avec un fil à broder jaune.

14 Cousez un bouton aux deux coins supérieurs de la tenture et mettez-y des boucles de ruban ou de biais pour pouvoir la suspendre.

SAC À PROVISIONS

Ce sac à provisions garni de fruits colorés dessinés sur un canevas très résistant sera parfait pour transporter les fruits et légumes que vous achèterez au marché. J'ai choisi des motifs très simples, mais vous pourriez décorer votre sac avec d'autres dessins pour transporter des livres d'école ou un équipement de sport.

1 Décalquez les motifs de fruits à partir des gabarits de la page 347 et découpez-les.

2 Placez les gabarits sur les canevas, épinglez-les et servez-vous d'un crayon pour dessiner les contours.

3 Guidez-vous sur votre décalque pour ajouter les détails des fruits.

4 Servez-vous d'une règle pour tracer le motif à carreaux.

5 Mélangez vos peintures. Il vous faudra du jaune pour les bananes, du violet pour les raisins (vous pouvez ajouter un peu de blanc, jaune et orangé pour un violet plus clair), et du vert pour les pommes.

Il vous faudra
◊ papier-calque
◊ crayon
◊ ciseaux
◊ 2 morceaux de canevas de 41 cm x 45 cm (16 po x 18 po) chacun
◊ épingles
◊ règle
◊ peinture à tissu
◊ palette
◊ pinceaux (3 formats)
◊ stylo à peinture sur tissu (bleu)
◊ fer à repasser
◊ linge
◊ machine à coudre
◊ fil à coudre
◊ cordon de 6 mm (1/4 po), de 76 cm (30 po)
◊ épingle de sûreté

6 Appliquez la première couleur par petits coups de pinceau courts. Essayez de créer l'illusion tridimensionnelle.

7 Peignez les pommes et les bananes.

8 Coloriez les queues et les feuilles des pommes.

9 Ajoutez les détails à la grappe de raisin, en vous servant de vert foncé pour les vrilles et de brun pour les pédoncules.

10 Ajoutez des détails en brun aux bananes pour qu'elles aient l'air vraies. Laissez sécher la peinture

environ 20 minutes, puis repassez sous un linge propre.

11 Peignez les carreaux blancs, et tracez-en le contour avec un stylo à peinture sur tissu de couleur bleue.

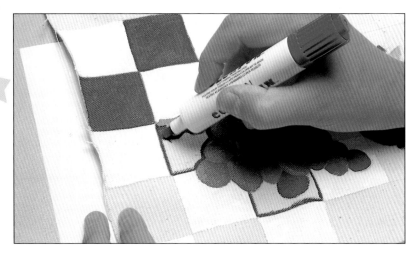

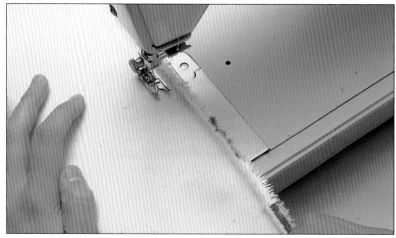

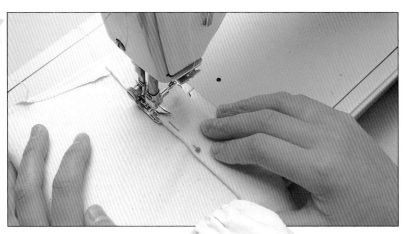

12 Coloriez les carreaux bleus et laissez sécher environ 20 minutes. Repassez sous un linge. Décorez le deuxième morceau de canevas de la même façon si vous le désirez.

13 En assemblant les deux morceaux endroit contre endroit, cousez l'un des côtés du sac à la machine.

14 Ouvrez le sac de sorte que la couture intérieure soit face à vous. En haut, de chaque côté, repliez vers l'intérieur 5 cm (2 po) du bord coupé à angle. Cousez à la machine. Repliez le sac, endroit contre endroit et cousez à la machine le long du bas et du côté. Retournez à l'endroit.

15 Servez-vous d'une épingle de sûreté pour enfiler le cordon dans la coulisse. Nouez les bouts du cordon pour éviter qu'il ne s'effiloche.

COUSSINS EN FORME D'ANIMAUX

Disposez ces amusants coussins en forme d'animaux sur le lit d'un enfant ou regroupez-les sur un fauteuil. Pour obtenir les couleurs de fond, j'ai utilisé des peintures pour tissu coupées à l'eau, alors que je me suis servie de peintures plus épaisses pour souligner les détails. Des points simples de broderie avec du fil de couleur viennent aussi rehausser les détails des plumes, les moustaches, et ainsi de suite.

Il vous faudra

◊ papier-calque
◊ crayon
◊ ciseaux
◊ épingles
◊ tissu de coton blanc, environ 25 cm x 50 cm (10 po x 20 po) pour chaque coussin
◊ papier journal
◊ peintures à tissu
◊ palette
◊ pinceaux (petit et moyen)
◊ fils à broder de différentes couleurs
◊ aiguille
◊ fil à coudre
◊ machine à coudre
◊ bourre de polyester
◊ boutons pour les yeux
◊ ficelle pour la queue du cochon

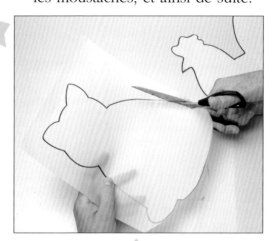

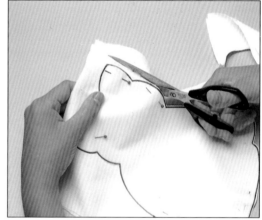

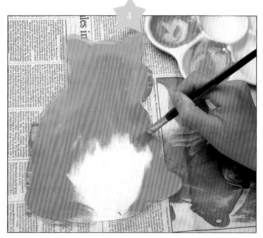

1 Décalquez les gabarits des animaux des pages 344 à 346 et découpez-les.

2 Épinglez chaque gabarit à deux épaisseurs de tissu et découpez tout autour.

3 Placez chaque forme d'animal sur du papier journal et préparez vos peintures.

4 Diluez les peintures que vous désirez utiliser pour le fond. Par exemple, utilisez l'orangé pour le

chat, mais la couleur ne doit pas être lisse; elle fera plus naturel si elle est inégale.

5 Ajoutez des pastilles sur le dos et sur la tête, ainsi que sur le museau et la queue, en vous guidant sur la photographie de la page 337.

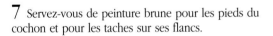

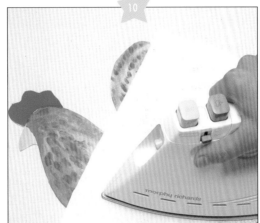

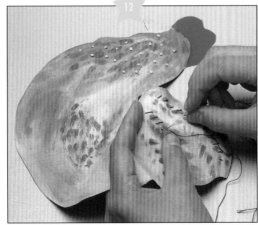

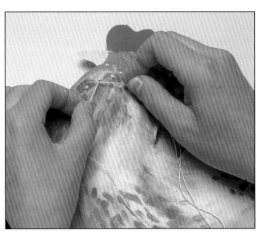

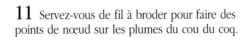

6 Faites le cochon de la même manière et pensez à lui mettre deux oreilles.

7 Servez-vous de peinture brune pour les pieds du cochon et pour les taches sur ses flancs.

8 Le coq est plus complexe. Le fond est une combinaison de vert, violet, rose et jaune. Appliquez chaque couleur séparément en essayant de créer une impression douce, duveteuse, et en veillant à ce que les contours n'aient pas un aspect dur.

9 Ajoutez du jaune pour le bec et du rouge vif pour la crête.

10 Enfin, repassez les deux côtés de chaque animal sous un linge pour fixer la peinture.

11 Servez-vous de fil à broder pour faire des points de nœud sur les plumes du cou du coq.

12 Cousez quelques détails additionnels sur les plumes de sa queue.

13 Faufilez le contour des pastilles et brodez les moustaches du chat. Pensez à coudre ses pattes.

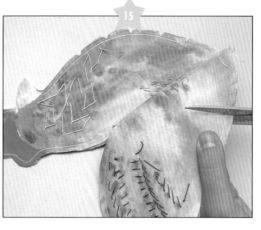

14 Épinglez les deux morceaux du coussin ensemble, endroit contre endroit, et cousez à la machine autour des bords, en laissant une ouverture de 5 cm (2 po) le long du bord inférieur.

15 Faites des entailles avec les ciseaux sur les bords recourbés de la ligne de couture pour bien aplatir les coutures.

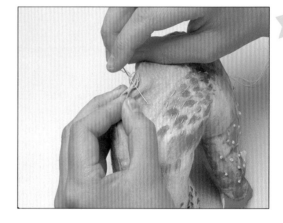

16 Retournez le coussin à l'endroit en vous servant du manche en bois d'un pinceau pour repousser les coutures des coins, tout particulièrement autour du bec et de la crête du coq. Remplissez le coussin en poussant bien la bourre dans la tête et la queue avec une cheville de bois ou la tête d'une aiguille à tricoter.

17 Cousez l'ouverture. Répétez les étapes 14 à 17 pour le cochon et le chat.

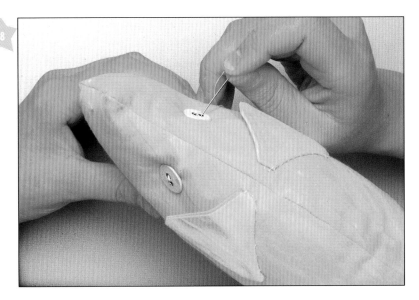

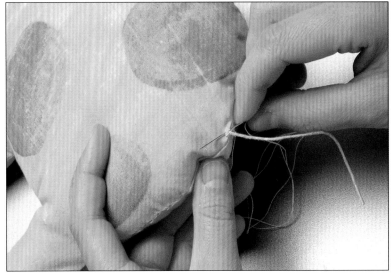

18 Cousez les boutons à la place des yeux et pensez à ajouter les oreilles du cochon.

19 Pour la queue du cochon, peignez un bout de ficelle en rose et cousez-le à l'arrière.

TAIES D'OREILLERS

Des techniques de pochoir très simples vous permettent de décorer des taies d'oreillers de coton uni avec un dessin floral des plus rafraîchissants. Une fois que vous maîtriserez ces techniques, vous ne serez pas tenu de vous arrêter là: vous pourrez décorer une housse de couette et des draps qui s'harmoniseront avec les taies d'oreillers. J'ai inclus des gabarits pour les fleurs, mais vous pourriez décider de dessiner vos propres motifs.

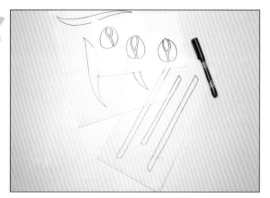

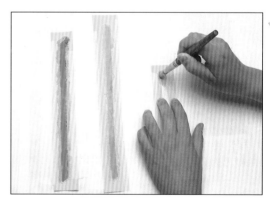

Il vous faudra
◊ marqueur
◊ papier-calque
◊ ruban adhésif
◊ carton à pochoir
◊ cutter
◊ 2 taies d'oreillers de coton uni

◊ papier journal
◊ peinture à tissu
◊ palette
◊ brosse à pochoir
◊ fer à repasser
◊ linge

1 Avec un marqueur, décalquez les motifs de pochoir qui se trouvent à la page 342.

2 Collez bien les décalques en place sur le carton à pochoir à l'aide de ruban adhésif.

3 Faites les découpes avec un cutter, en travaillant sur un tapis de coupe ou un morceau de carton épais. Jetez le papier-calque.

4 Placez quelques feuilles de papier journal à l'intérieur de la taie d'oreiller, pour protéger l'autre côté de la peinture qui pourrait traverser le tissu.

5 Collez les gabarits des tiges sur les taies avec du ruban adhésif.

6 Mélangez les couleurs des peintures. Peignez les tiges avec une petite brosse à pochoir (6 mm/¼ po) en utilisant différents tons de vert.

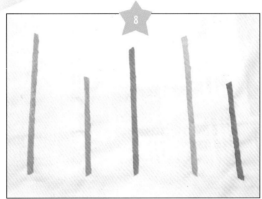

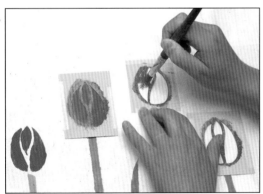

Vous pourriez peindre les fleurs toutes de la même couleur ou en utilisant différents tons de rouge: en ajoutant de l'orangé, du jaune, du violet.

11 Laissez sécher la peinture, puis repassez le motif en le recouvrant d'un linge pour bien fixer les couleurs.

7 Tamponnez plutôt que de donner des coups de pinceau, pour créer l'illusion de la peinture à l'éponge, et faites attention que la peinture n'éclabousse pas le reste de la taie.

8 Répétez jusqu'à ce qu'il y ait des tiges sur toute la largeur de la taie d'oreiller: environ huit au total. Enlevez les pochoirs.

9 Collez les pochoirs des feuilles à l'aide de ruban adhésif. Coloriez les feuilles comme vous l'avez fait

pour les tiges, en tenant ferme-ment le pochoir à plat avec vos doigts, pour éviter que la peinture s'étale sous les contours découpés.

10 Mettez les pochoirs de fleurs en place et collez-les bien à l'aide de ruban adhésif.

POUPÉE

Cette poupée toute simple fera un cadeau délicieux pour un enfant de cinq ou six ans. Vous pouvez dessiner des vêtements différents ou donner à la poupée l'apparence de quelqu'un que vous connaissez. Si vous désirez, vous pouvez ajouter des détails comme un ruban dans les cheveux, un chapeau ou un bijou.

Il vous faudra
◊ cahier à croquis
◊ crayons de couleur
◊ papier-calque
◊ crayon
◊ morceau de tissu
  blanc de 25 cm x
  33 cm (10 po x
  13 po)
◊ épingles
◊ ciseaux
◊ papier journal
◊ bourre de polyester
◊ machine à coudre
◊ fil à coudre
◊ peintures à tissu
◊ palette
◊ pinceaux (différents
  formats)
◊ fer à repasser
◊ linge
◊ aiguille
◊ boutons

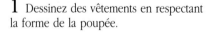

1 Dessinez des vêtements en respectant la forme de la poupée.

2 Décalquez le gabarit de la poupée de la page 343 et découpez-le. Pliez le tissu blanc en deux (pour qu'il mesure 12,5 cm x 33 cm [5 po x 13 po]) et épinglez-y le gabarit, en veillant à ce que les épingles traversent bien les deux épaisseurs. Découpez le contour en ajoutant 3 mm (1/8 po) pour la couture tout autour.

3 En vous guidant sur votre croquis, tracez des lignes au crayon sur la découpe de la poupée: naissance des cheveux, chemise, pantalon, chaussures, etc. Ajoutez les détails à l'avant et à l'arrière.

4 Recouvrez votre surface de travail de papier journal et peignez l'avant de la poupée. Commencez avec la couleur de fond de la blouse. J'ai utilisé du bleu.

5 Peignez ensuite les chaussures et le pantalon, puis la bouche, les joues et les cheveux.

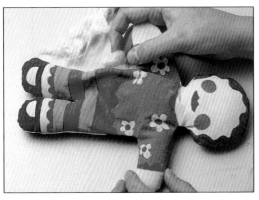

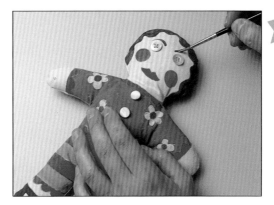

6 Laissez sécher la peinture, puis ajoutez les détails comme le motif des fleurs en haut et les festons du pantalon et autour du cou.

7 Peignez le visage rose pâle et laissez sécher. Peignez le dos de la poupée en suivant le même motif. Repassez.

8 Placez les deux morceaux, endroit contre endroit, et cousez à la machine tout autour de la poupée, en laissant une ouverture d'environ 5 cm (2 po) sous un des bras. En faisant bien attention, faites de petites entailles avec les ciseaux, jusqu'à la couture, dans les courbes du cou, entre les jambes et aux extrémités des bras et des jambes, pour bien aplatir les coutures.

9 Retournez la poupée à l'endroit. Vous pouvez vous servir du manche en bois d'un pinceau pour repousser bras et jambes à l'endroit. Remplissez peu à peu la poupée avec de la bourre, en vous servant d'une cheville de bois ou de la tête d'une aiguille à tricoter pour repousser la bourre vers l'intérieur des bras et des jambes. Cousez l'ouverture sous le bras.

10 Cousez les boutons pour les yeux.

11 Peignez les sourcils.

GABARITS

TAIES D'OREILLERS

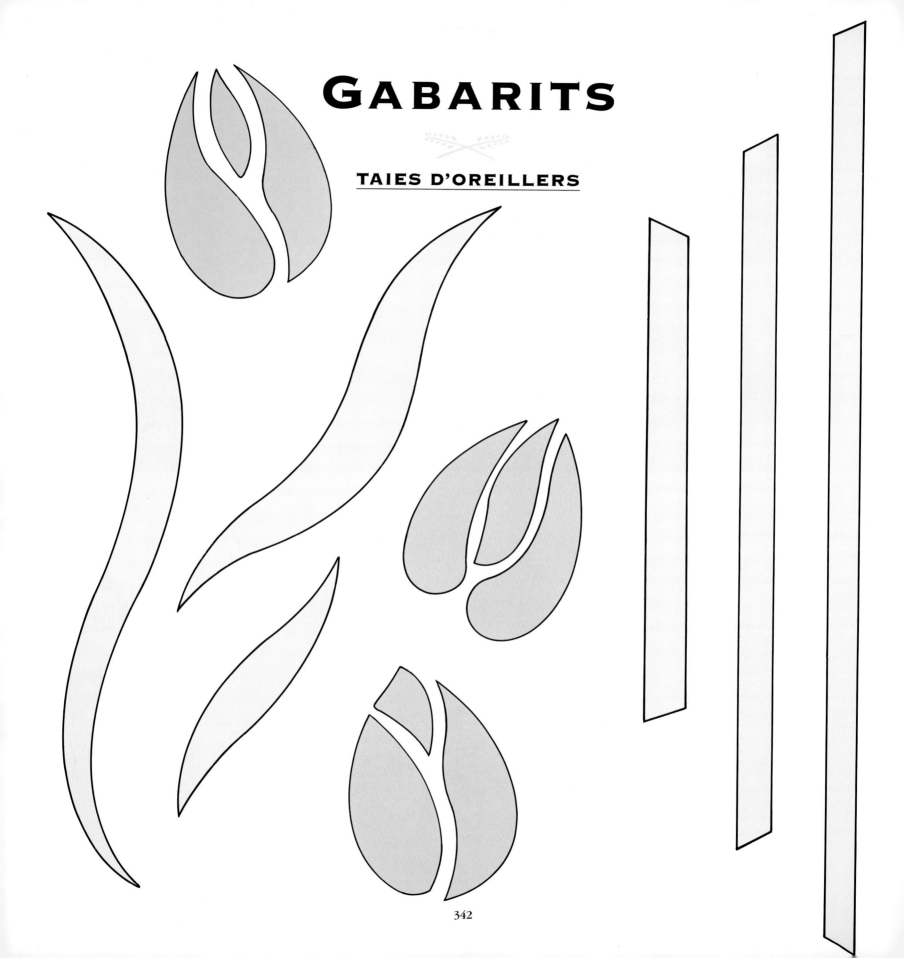

342

POUPÉE

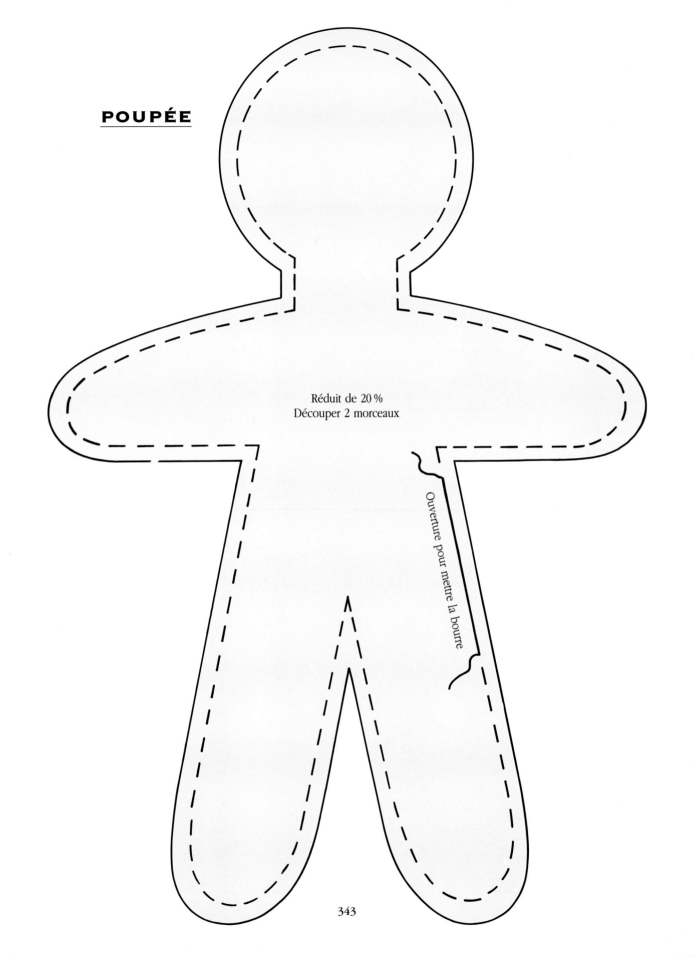

Réduit de 20 %
Découper 2 morceaux

Ouverture pour mettre la bourre

343

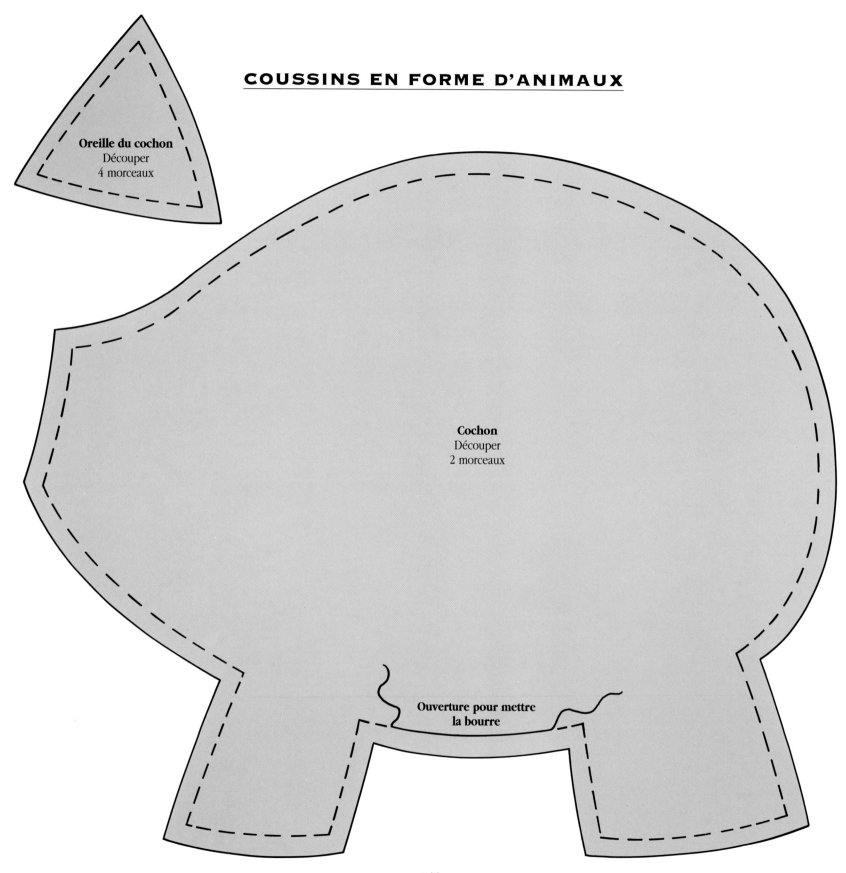

Oreille du cochon
Découper
4 morceaux

COUSSINS EN FORME D'ANIMAUX

Cochon
Découper
2 morceaux

**Ouverture pour mettre
la bourre**

COUSSINS EN FORME D'ANIMAUX

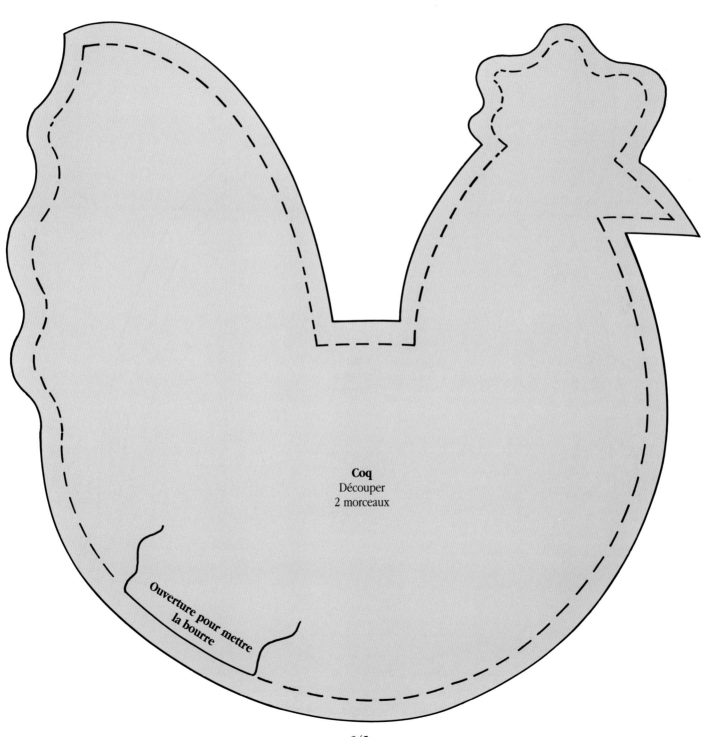

Coq
Découper
2 morceaux

Ouverture pour mettre
la bourre

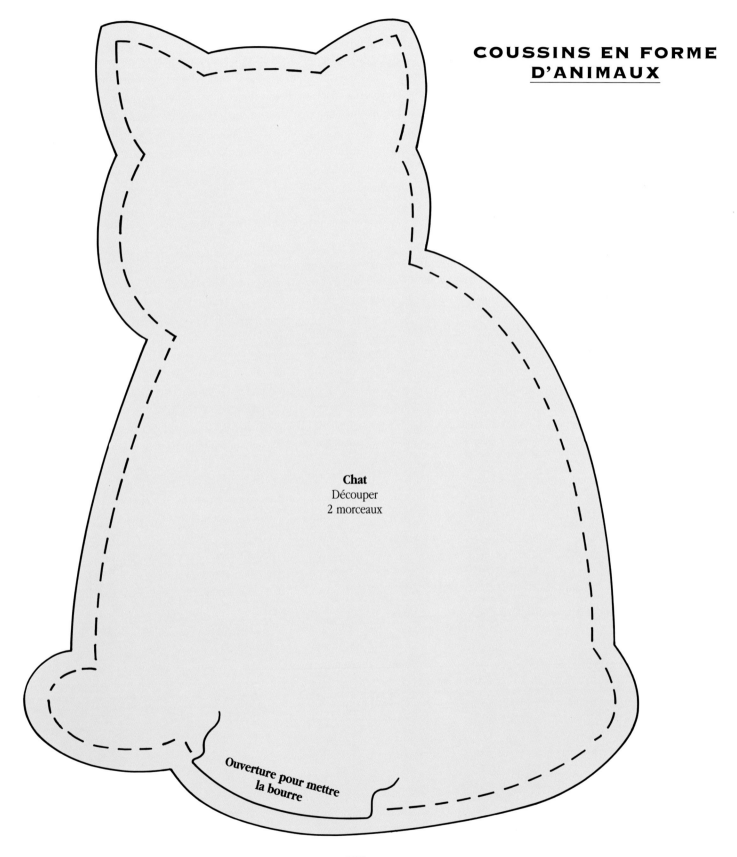

COUSSINS EN FORME D'ANIMAUX

Chat
Découper
2 morceaux

Ouverture pour mettre la bourre

SAC À PROVISIONS

Grappe
de raisin

Pommes

Bananes

TENTURE POUR CHAMBRE D'ENFANT

Cheval

Oie

Chat

Cochon

Chien

Mouton

**T-SHIRT
À
PAPILLON**

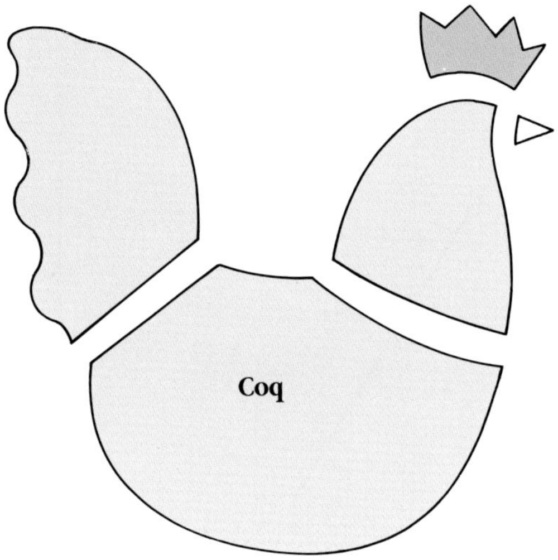

Coq

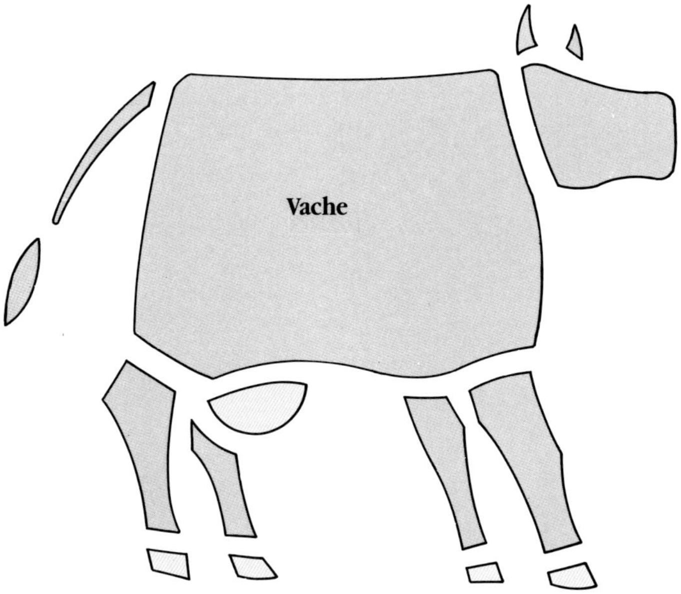

Vache

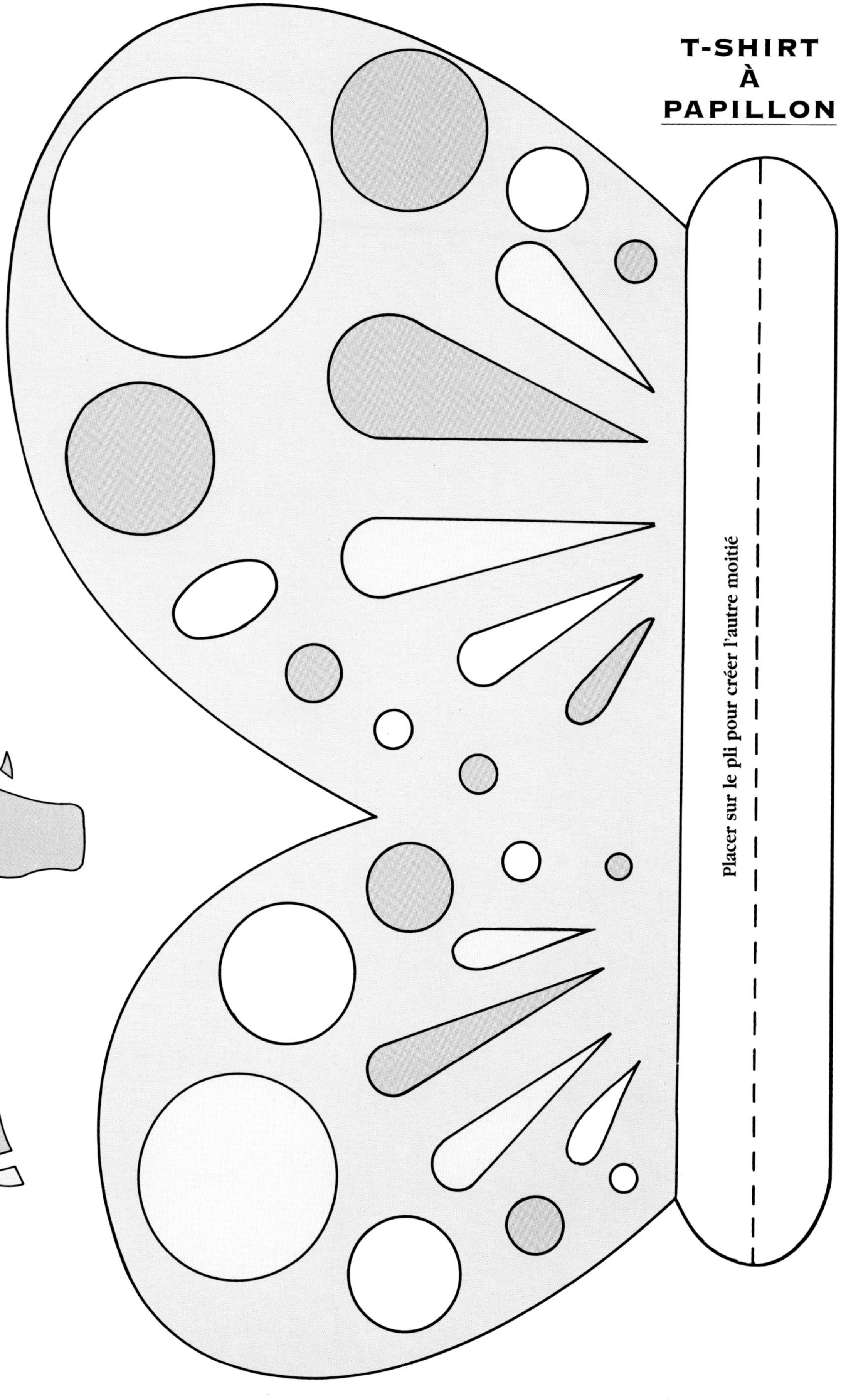

Placer sur le pli pour créer l'autre moitié

PETITE MAISON DE CAMPAGNE

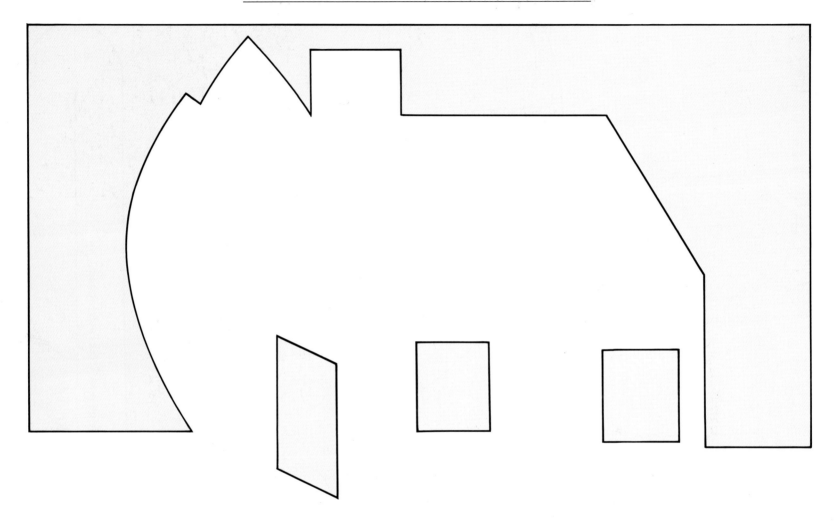